100
o Olygfeydd Hynod
Cymru

I Siân
ac er cof am Robina, Dad, Mam ac Emyr

Argraffiad cyntaf: 2014

Dymuna'r cyhoeddwyr gydnabod cymorth ariannol
Cyngor Llyfrau Cymru

Llun y clawr: Ynys Llanddwyn, Kris Williams
Dylunio: Richard Ceri Jones

Oni nodir yn wahanol, mae hawlfraint y lluniau yn eiddo i'r awdur

Rhif Llyfr Rhyngwladol: 978-1-84771-988-1 (clawr caled)
978-1-84771-989-8 (clawr meddal)

Cyhoeddwyd ac argraffwyd yng Nghymru
ar bapur o goedwigoedd cynaladwy gan
Y Lolfa Cyf., Talybont, Ceredigion SY24 5HE
gwefan www.ylolfa.com
e-bost ylolfa@ylolfa.com
ffôn 01970 832 304
ffacs 832 782

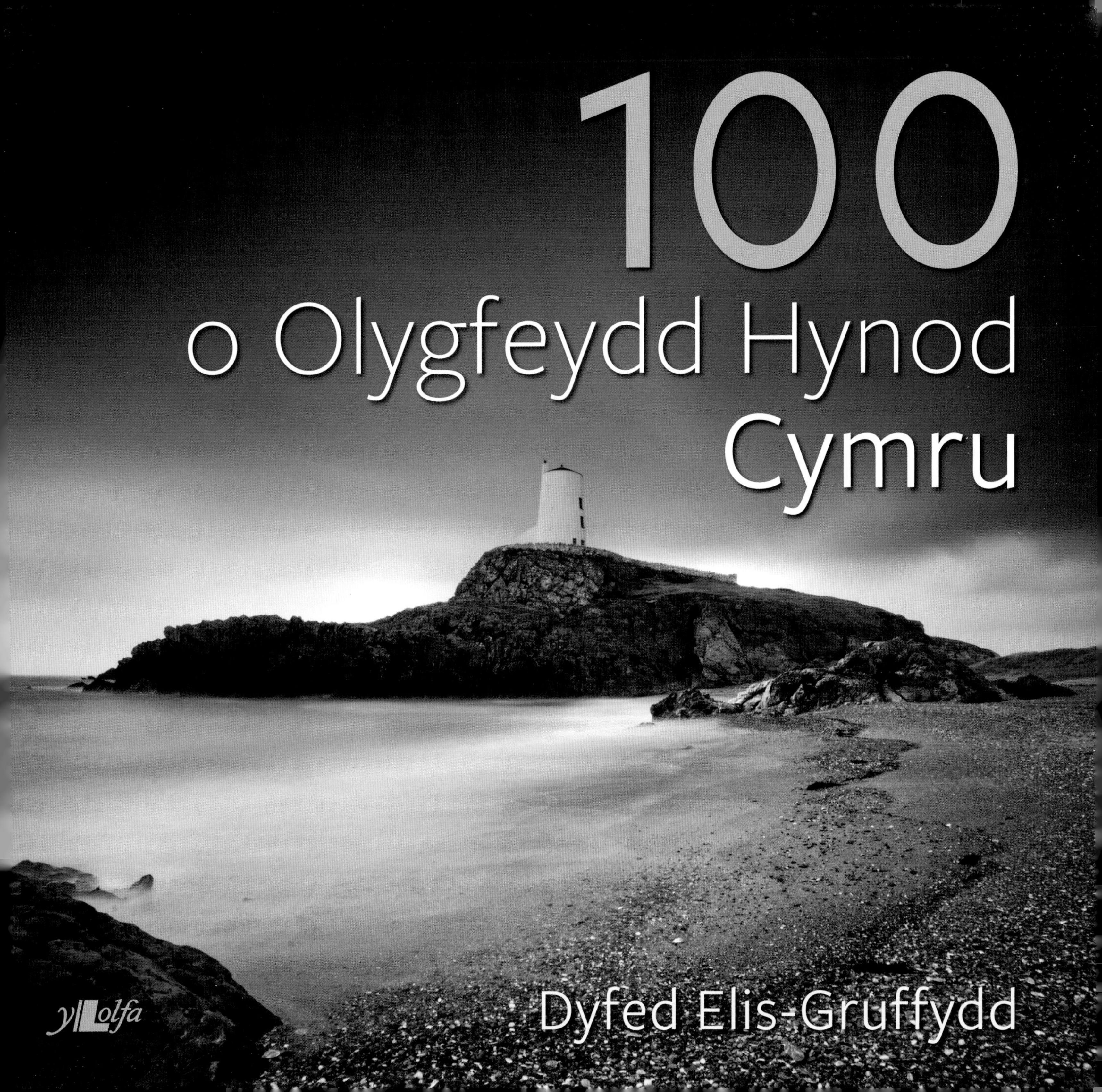

100 o Olygfeydd Hynod Cymru

Dyfed Elis-Gruffydd

y Lolfa

100 o Olygfeydd Hynod Cymru

Rhagair

Yn ddiweddar, mae hi wedi bod yn ffasiynol iawn i gyhoeddi rhestrau o gant o bethau: cant o bethau i'w gwneud cyn marw, cant o lefydd i ymweld â nhw, cant o chwaraewyr rygbi gorau'r byd, ac yn y blaen. Mae'r gyfrol yma'n llenwi bwlch amlwg yn y farchnad hon, ond mae'n gwneud llawer mwy na hynny hefyd.

Fel y mae'r teitl yn awgrymu, mae'r llyfr hwn yn trafod rhai o olygfeydd mwyaf syfrdanol Cymru, gan gynnwys rhai adnabyddus fel yr Eifl, sy'n sefyll fel delw uwch pentref Trefor, a Thŵr Marcwis, y gofgolofn amlwg sy'n edrych i lawr ar y Fenai ger Llanfair Pwllgwyngyll, a rhai llai enwog fel Craig yr Hesg ger Pontypridd. Mae'r ysgrifau i gyd yn gynhwysfawr, yn addysgiadol ac nid yn unig yn disgrifio'r golygfeydd ond hefyd yn taflu hanes, chwedloniaeth, pensaernïaeth, cymeriadau lleol, daeareg a byd natur i'r berw.

Mae'r awdur yn llunio portreadau o safleoedd sydd o fewn cyrraedd i'r rhan fwyaf ohonom ac mae'r lluniau bendigedig nid yn unig yn ychwanegu'n fawr at y gyfrol ond hefyd yn cynnig blas o'r golygfeydd i'r bobl hynny na fyddant yn gallu mentro allan i'w mwynhau drostynt eu hunain. Mae'r gwaith ymchwil yn drwyadl a'r Gymraeg yn wych. Ar ôl ymladd am flynyddoedd i geisio ysgogi awduron Saesneg i ddefnyddio enwau Cymraeg, braf iawn yw gweld enw fel 'Ffos Anoddun' yn cael ei ddefnyddio yn lle 'Fairy Glen' i ddisgrifio'r hollt yn y graig islaw Rhaeadr Conwy ger Betws-y-coed. Heb os, bydd y llyfr hwn yn gwneud i ni ofyn y cwestiwn amlwg 'Tybed faint o'r llefydd yma ydw i wedi eu gweld?', ond yn bwysicach fyth, bydd yn ein hysgogi i ymweld â nhw.

Os ydych yn ddaearegydd, yn hanesydd, yn chwedlonwr, yn naturiaethwr neu'n rhywun sydd â diddordeb yng Nghymru, mae hon yn gyfrol y mae'n rhaid i chi ei phrynu, un sydd wedi ei hysgrifennu mewn Cymraeg o'r safon uchaf ac a ddylsai gael lle amlwg ar silff lyfrau pob un ohonom.

Iolo Williams
Hydref 2014

Rhagymadrodd

Byth ers i mi gael fy hun wrth draed Arthur Harris, y Gamaliel ysbrydoledig hwnnw a ddysgai ddaeareg a daearyddiaeth yn Ysgol Ramadeg Castell Cyfarthfa, Merthyr Tudful, slawer dydd, trwy ddrych y daearegwr y gwelaf i ddarn o wlad. Er mor fach yw Cymru, testun rhyfeddod i mi yw ei threftadaeth ddaearegol gyfoethog. Mae ei chreigiau, ynghyd â'r ffosilau a'r mwynau ynddynt, yn dystion hyglyw i hanes y cilcyn bach hwn o gramen y Ddaear dros gyfnod o 700 miliwn a mwy o flynyddoedd. At hynny, mae ei thirweddau mwyaf trawiadol yn gynnyrch amrywiol brosesau daearegol a fu ar waith yn ystod yr 20,000 o flynyddoedd diwethaf yn unig.

Gorchwyl pleserus, felly, oedd crwydro Cymru er mwyn ymweld â'r 100 safle – gan gynnwys ambell leoliad nad oedd yn gyfarwydd i mi cyn cychwyn – sy'n destun ysgrifau a lluniau'r gyfrol hon. Er hardded yw rhai o'r golygfeydd, fe'u dewiswyd ar sail eu hynodrwydd, rhagor na'u harddwch naturiol, a'u hygyrchedd. Yn wir, dylai'r mwyafrif ohonynt fod o fewn cyrraedd y rhan fwyaf o'r darllenwyr. Ac er mwyn tawelu ofnau'r rheiny na wyddant y nesaf peth i ddim am ddaeareg, prysuraf i ychwanegu nad ysgrifau daearegol mohonynt o bell ffordd. Cyffyrddir â llu o bynciau eraill megis chwedlau gwerin, diwydiannau ddoe a heddiw, nodweddion archaeolegol a phensaernïol, newid hinsawdd a rhyfeddodau byd natur.

Ond rhaid i mi gyfaddef, serch hynny, fy mod i'n mawr obeithio y daw darllenwyr y llyfr, heb sôn am gynhyrchwyr rhaglenni S4C, yn llawer mwy ymwybodol o bwysigrwydd y prosesau daearegol sydd wedi rhoi bod i bryd a gwedd y Gymru sydd ohoni. Dylanwadodd y prosesau hynny yn drwm ar nodweddion byd natur y wlad a'r defnydd y mae dyn wedi'i wneud o'i chreigiau, ei thirffurfiau a'i thir dros y canrifoedd.

Dyletswydd bleserus yw cydnabod fy nyled i staff y Lolfa: i'r brodyr Lefi a Garmon am fy nghomisiynu i lunio'r gyfrol; i Meleri Wyn James am ei hynawsedd a thrylwyredd ei gwaith golygyddol; ac i Ceri am ei ddylunwaith graenus. Gwerthfawrogaf yn fawr iawn eiriau caredig Iolo, a gytunodd yn llawen i lunio pwt o ragair. Carwn ddiolch hefyd i'r cyfeillion canlynol: Alun Wyn Bevan, Dr John H Davies, Mal James, Jon M O Jones a'r Parchedig Irfon C Roberts. Efallai nad ydynt yn sylweddoli hynny ond bu'r sgyrsiau a gefais yn eu cwmni, ar wahanol adegau, yn hynod werthfawr wrth ddewis a dethol rhai o'r safleoedd y dylid rhoi sylw iddynt. Carwn ddiolch yr un mor gynnes i Trefor Davies, perchennog Chwarel yr Eifl a'r gweithdy prysur, am ei groeso a'i roddion hael. Ond mae fy niolch pennaf i'm gwraig, Siân, am ei chynhorthwy, ei chyfarwyddyd a'i hanogaeth, ac am gadw cwmni i mi ar nifer fawr o'r teithiau.

Fi, wrth reswm, biau pob diffyg a bai a ganfyddir.

Dyfed Elis-Gruffydd
Hydref 2014

Chwarel Maes Mawr a Marmor Môn

001

Digon di-nod yw'r lle hwn ar yr olwg gyntaf. Clwstwr o goed a llwyni yng nghanol y cae tua 200 metr i'r de-orllewin o Ebenezer, capel yr Annibynwyr, ar gyrion pentref Llanfechell, Môn. Nid oes dim byd anarferol i'w weld ychwaith o'r llwybr cyhoeddus a red yn gyfochrog â chlawdd de-orllewinol y cae, ac eithrio pentwr o feini dan gysgod y coed. Dynodi safle hen chwarel bwysig y mae'r meini, cloddfa a oedd, heb os, yn destun cryn siarad ymhlith trigolion y fro tua'r flwyddyn 1806 pan benderfynodd George Bullock, cerflunydd a saer dodrefn a oedd ar y pryd yn byw yn Lerpwl, ei phrynu am £1,000, swm nid ansylweddol ac ystyried mai 1s 6d (7½c) y dydd a enillai chwarelwyr Chwarel y Penrhyn yn 1806! Cynnyrch y chwarel oedd 'marmor Môn', craig o'i thorri'n slabiau a'i chaboli a gâi ei defnyddio'n garreg addurnol hardd i'w rhyfeddu.

Er gwaetha'r enw, nid 'marmor' go iawn mo 'marmor Môn'. Nid calchfaen a drawsnewidiwyd yn farmor dan ddylanwad gwres tanbaid a gwasgedd dwys mohono, ond craig igneaidd dywyll ei lliw a drawsnewidiwyd yn serpentinit (sarff-faen) gwyrdd neu borffor dan amodau daearegol tebyg. O ran ei ddosbarthiad mae'r serpentinit hynafol, y credir ei fod yn dyddio o ddiwedd y cyfnod Cyn-Gambriaidd,

i'w ganfod hwnt ac yma rhwng Llanfechell a Mynachdy, nid nepell o Drwyn y Gader, a hefyd ar Ynys Gybi rhwng Pontrhypont a Rhoscolyn, ac mewn mannau ar y tir mawr yng nghyffiniau Caergeiliog. Ond y ddwy gloddfa bwysicaf o ddigon oedd honno ar dir fferm Maes Mawr, Llanfechell, a'r chwarel ger plasty Bodior, Rhoscolyn.

Yn ail hanner y ddeunawfed ganrif yr agorwyd chwarel Maes Mawr, 'chwarel hynod o fynor' gwyrdd (y *Verde Antique*, fel y'i gelwid) a phorffor tywyll, yn ôl disgrifiad Thomas Pennant ohoni yn ail ran ei gyfrol *Tours in Wales* (1781). Ond yn ystod blynyddoedd cynnar y bedwaredd ganrif ar bymtheg yr oedd y gwaith cloddio yn

Verde Antique (*chwith*)

Lle tân o serpentinit porffor, Castell Penrhyn (hawlfraint©Yr Ymddiriedolaeth Genedlaethol)

9

ei anterth. Erbyn 1813, y flwyddyn y symudodd George Bullock i Lundain gan sefydlu yno y *Mona Marble Works*, câi'r 'marmor' ei allforio i brifddinas Lloegr o borthladd cyfagos Cemaes. Er mwyn hyrwyddo ei fenter fawr, ymddangosodd nifer o hysbysebion ac ysgrifau a oedd yn canu clodydd 'marmor Môn', yn ogystal â'r cynnyrch a gâi ei lunio ohono, megis lleoedd tân. Dyma gynnyrch, y dywedwyd, 'a ragorai ar farmorau o unrhyw oed neu wlad' arall. Ceir enghraifft o le tân a luniwyd o'r serpentinit gwyrdd yn Oriel Gelf ac Amgueddfa Towneley Hall, Burnley, ynghyd â chofadeiliau eglwysig a

gerfiwyd o'r un garreg yn eglwysi Sant Cuthbert, Halsall, a Sant Luc, Farnworth, yn Sir Gaerhirfryn.

Yn 1816, comisiynwyd Bullock i greu celfi, gan gynnwys bord yr oedd ei hwyneb wedi'i fewnosod â darnau o serpentinit gwyrdd, ar gyfer cartref Napoleon Bonaparte ar Saint Helena, yr ynys y cafodd ei alltudio iddi yn 1815. Fodd bynnag, yn ôl Angharad Llwyd, yr hynafiaethydd ac awdur *A History of the Island of Mona...* (1833), traethawd hir a ddyfarnwyd yn fuddugol yn Eisteddfod Frenhinol Biwmaris, 1832, cafwyd y 'marmor' hwnnw o'r chwarel ger Bodior, y 'chwarel orau', yn ei barn hi, ar gyfer *Verde Antique* o'r ansawdd gorau.

Hyd y gwyddys, yr unig wrthrych a wnaed o 'farmor' porffor chwarel Maes Mawr yn ystod oes Bullock, a fu farw yn 1818, yw'r lle tân yn Speke Hall, plasty yn dyddio o'r unfed ganrif ar bymtheg a saif ar lannau gogleddol afon Mersi, ger Lerpwl. Fodd bynnag, ceir enghreifftiau diweddarach o'r garreg addurnol arbennig honno yn rhai o ystafelloedd Castell Penrhyn, y plasty ger Llandygái a godwyd yn ystod y 1820au a'r 1830au. Yr enghraifft wychaf yw'r lle tân hynod drawiadol hwnnw sydd i'w weld yn un o ystafelloedd gwely'r gorthwr.

Gan nad oes unrhyw gyfeiriadau at chwarel Maes Mawr wedi'r 1830au, mae'n ymddangos fod y gwaith cloddio cyson wedi dod i ben tua diwedd y degawd hwnnw. Ond nid dyna ddiwedd stori'r chwarel, oherwydd yn y 1980au fe'i hailagorwyd dros dro, er mwyn sicrhau cyflenwad o'r 'marmor' porffor yr oedd ei angen ar gyfer adnewyddu'r lle tân yn Neuadd Fawr Speke Hall.

Yn wahanol i chwarel Maes Mawr, bu honno ger Bodior wrthi ar adegau hyd ddiwedd y bedwaredd ganrif ar bymtheg. Er enghraifft, yn ystod y gwaith o adnewyddu rhannau mewnol Eglwys Gadeiriol Caerwrangon yn y 1860au, gwnaeth y pensaer, Syr Gilbert Scott, ddefnydd o'r 'marmor' gwyrdd yn ei gynllun ar gyfer y pulpud Eidalaidd ei wedd. Ceir y cyfeiriad olaf at y chwarel yng nghyfrol Edward Greenly, *The Geology of Anglesey* (1919): câi'r garreg werdd, meddai, ei chloddio 'nifer o flynyddoedd yn ôl, ac fe'i defnyddiwyd unwaith yn rhagor yn 1897 ar gyfer cofadail Stanley' (bu W O Stanley o Benrhos yn Aelod Seneddol Môn rhwng 1837 ac 1847) yn Eglwys Cybi Sant, Caergybi. Saif y gofeb rwysgfawr honno, a luniwyd o farmor claerwyn Carrara, ar flociau hirsgwar llathredig o *Verde Antique* Môn.

Olion hen chwarel Llanfechell (dde)

Mynydd Trysglwyn (Mynydd Parys)

Yr unig fedd yng Nghymru sydd wedi'i ddynodi'n Safle Daearegol o Bwysigrwydd Rhanbarthol yw beddfan Edward Greenly a fu farw ym Mangor yn 1951 ac a gladdwyd ym mynwent eglwys hynafol Llangristiolus, Ynys Môn. Mae'r dynodiad yn gydnabyddiaeth deilwng i ddaearegwr a fu wrthi dros gyfnod o chwarter canrif yn astudio ac yn mapio daeareg Môn, gwaith a esgorodd ar ei orchestwaith, *The Geology of Anglesey*, a gyhoeddwyd mewn dwy gyfrol gan Arolwg Daearegol Prydain yn 1919. Roedd Greenly o'r farn fod dau anialdir ym Môn, 'un a wnaethpwyd gan Natur, a'r llall gan Ddyn: Niwbwrch a Mynydd Parys'. Sylw anhaeddiannol yn achos Niwbwrch, ond go brin y byddai neb yn anghytuno â'i ddyfarniad parthed Mynydd Parys. Ys dywedodd Bobi Jones, awdur *Crwydro Môn* (1957): 'Un Mynydd Parys sydd' a hwnnw'n ddiffeithdir 'wedi ei guddio dan domenni rwbel glas a choch a melyn a du, ac yn ei ganol ddau bwll dros gan troedfedd [30 m] o ddyfnder.'

Mae'r gwahanol liwiau i'w priodoli i'r cyfuniad o fwynau metel yng nghreigiau folcanig y mynydd, a'r amlycaf ohonynt yw pyrit (sylffid haearn), calcopyrit (sylffid copr a haearn), sffalerit (sylffid sinc) a

galena (sylffid plwm). Roedd tarddiad y sylffidau hyn yn dipyn o ddirgelwch i Greenly ond, bellach, credir bod y cyfan wedi ymgasglu ar lawr y môr yn ystod y cyfnod Ordofigaidd, tua 450 miliwn o flynyddoedd yn ôl, wrth i hylifau poeth, yn gyforiog o fwynau, fyrlymu i mewn i'r môr drwy fygdyllau folcanig.

Bu chwilio mawr am fwyn copr, yn anad unrhyw un o'r mwynau metelig eraill. Gwyddys i sicrwydd y bu trigolion yr Oes Efydd yn cloddio am gopr ar Fynydd Trysglwyn tua 4,000 o flynyddoedd yn ôl, ond daeth y mwynglawdd i'w fri yn ystod y ddeunawfed ganrif wedi i fwynwr lleol, yn ôl y sôn, ddarganfod yr 'Wythïen Fawr' gyfoethog ym Mawrth 1768. Erbyn y 1780au roedd y fenter, a oedd mewn gwirionedd yn gyfuniad o dri mwynglawdd (Parys a Mona, ynghyd â Morfa Du), yn cynhyrchu 3,000 tunnell o fwyn copr y flwyddyn ac yn cyflogi tua 1,500 o weithwyr, yn wŷr, gwragedd (y 'copar ladis' a gurai'r 'mwn yn fân') a phlant. Ond o ganlyniad i'r cannoedd o siafftiau a suddwyd yng nghyffiniau copa Mynydd Parys (a enwyd ar ôl teulu Prys, cwnstabliaid castell Caernarfon adeg teyrnasiad Harri IV) dymchwelodd y tir, gan ffurfio'r hyn a adwaenid fel 'yr Open Cast Mawr'. Wedi'r cwymp, buan y sylweddolwyd y byddai'n rhaid turio'n ddyfnach i grombil y mynydd, ac yn ystod hanner cyntaf y bedwaredd ganrif ar bymtheg, suddwyd hanner cant a mwy o siafftiau; roedd y ddyfnaf, a oedd â'i phen ar gopa'r bryn (146 m), yn plymio i ddyfnder o 320 metr, sef 173 metr o dan lefel y môr. Ond ar ddyfnder, roedd ansawdd y mwyn yn salach a'r costau o'i godi yn uwch, a'r ffactorau hyn, ynghyd â gostyngiad ym mhris copr a dibyniaeth gynyddol y gweithfeydd copr ar fwynau tramor, a achosodd i'r gwaith cloddio mawr ddod i ben cyn diwedd y 1890au. Erbyn hynny, amcangyfrifir bod Mynydd Parys, y mwynglawdd copr mwyaf yn y byd ar ddiwedd y ddeunawfed ganrif, wedi cynhyrchu o leiaf 300,000 tunnell o fwyn copr.

Perthyn i'r cyfnod pan oedd y gwaith yn ei anterth oedd y golygfeydd a'r amodau amgylcheddol erchyll y bu Thomas Pennant a Dafydd Du Eryri yn dyst iddynt yn ystod chwarter olaf y ddeunawfed ganrif.

Crinlle, crynllyd, cryglyd, cas, – ail ydyw
I lidiog ffwrn atgas.

Adfail y felin wynt a godwyd yn 1878

Dyna, meddai Dafydd Du Eryri, oedd Mynydd Parys a chasbeth ganddo oedd croesi'r mynydd 'yn ymgauedig â mŵg brwmstan'. Yn ôl Pennant, roedd y mygdarth asidig a darddai o'r tomennydd o fwyn copr, a losgid er mwyn gwaredu cyfran o'r sylffwr, yn taenu ei 'd[d]ylanwad gwenwynig am filldiroedd oddiamgylch', ac ychwanegodd fod y tyfiant gerllaw'r mwynglawdd 'wedi cael ei lwyr ddinystrio braidd; y mae hyd yn nod y mwsogl a chèn y creigiau wedi eu lladd'. Heblaw am ddegau o wahanol rywogaethau o gen a all ddygymod â'r metelau gwenwynllyd, cyndyn hyd heddiw yw planhigion i fwrw gwreiddiau yn y tir llygredig.

Serch hynny, mae hagrwch deniadol tirwedd swreal yr hen fwynglawdd nid yn unig yn denu ymwelwyr lu i rodio'r llwybrau neu i ymuno ag un o'r teithiau tywysedig addysgiadol a drefnir gan WalkAmlwch, ond hefyd yn atyniad i wneuthurwyr ffilmiau ffugwyddonol, megis *Mortal Kombat: Annihilation* (1997), sy'n awyddus i fanteisio ar arallfydedd y golygfeydd. Mae hyn oll yn digwydd o fewn golwg ffrâm pen-pwll Siafft Morris a godwyd ar gopa Mynydd Parys yn 1989. Mae'r siafft a'r tir cyfagos yn eiddo i Anglesey Mining, cwmni â'i fryd ar godi 350,000 tunnell o'r dyddodyn mwynol iselradd yn flynyddol o berfeddion y ddaear, ryw ddydd, pan fo'r pris yn iawn. O'i brosesu, disgwylir i'r dyddodyn esgor ar 20,000 o dunelli o fwyn sinc, 8,000 tunnell o fwyn copr, a 7,000 o dunelli o fwyn plwm y flwyddyn.

Mynydd Bodafon

Nid Mynydd Twr (220 m) yw copa uchaf Ynys Môn, fel y myn *Gwyddoniadur Cymru* (2008). Mae'r anrhydedd hwnnw yn perthyn i Fynydd Bodafon (178 m yw uchder Yr Arwydd, yr uchaf o'i dri chopa), er mai Mynydd Twr ar Ynys Gybi yw copa uchaf Sir Fôn. Er hynny, byddai rhai awdurdodau'n hawlio nad mynydd mo'r naill na'r llall, ond dau fryn, gan fod eu copaon yn sylweddol is na 600 metr uwchlaw'r môr! Y term a ddefnyddiodd Edward Greenly, awdur *The Geology of Anglesey* (Cyfrol I a II, 1919), i ddisgrifio Mynydd Twr a Mynydd Bodafon yn ogystal â chopaon amlwg eraill Môn – Bwrdd Arthur (164 m), Mynydd Llwydiarth (150 m), Mynydd Eilian (177 m), Mynydd Parys (147 m) a Mynydd y Garn (170 m) – yw 'monadnoc', gair rhai o lwythau brodorol Gogledd America am fryn a safai ar ei ben ei hun ac a godai yn sylweddol uwch na'r tir lled wastad oddi amgylch iddo. Ac mae'n derm cyfaddas gan fod monadnocau Môn, 'ynysoedd' sydd wedi gwrthsefyll erydiad o ganlyniad i wytnwch a chaledwch y creigiau sy'n sail iddynt, yn codi eu pennau uwchben llwyfandir ponciog a thonnog yr ynys nad yw'n codi'n unman fawr uwch nag 85 metr uwchlaw'r môr.

Cefnen greigiog 1.5 cilometr o hyd yw Mynydd Bodafon, 'y mynydd hynaf yng Nghymru onid yn Ewrob', yn ôl Bobi Jones, awdur *Crwydro Môn* (1957). A rhag ofn na sylweddolai pob un o'i

ddarllenwyr fod Môn yn rhan o Gymru, ychwanegodd y sylw a ganlyn: 'Dyma gopa hynaf Môn, cwartseit [*sic*], craig a fu unwaith yn dywodfaen ond sydd wedi ei hail-grisialu ac felly'n eithriadol o galed.' Yn ystod y 1950au, ac am flynyddoedd lawer wedi hynny, ystyrid bod cwartsit Mynydd Bodafon a Mynydd Twr yn graig Gyn-Gambriaidd hynafol iawn ac felly yn un o greigiau hynaf Cymru. Eto i gyd, gor-ddweud oedd hyd yn oed awgrymu bod y graig gyda'r hynaf yn Ewrop, oherwydd gwyddai daearegwyr am fodolaeth creigiau Cyn-Gambriaidd hŷn o lawer yng ngogledd-orllewin yr Alban a Sgandinafia. Erbyn heddiw, fodd bynnag, mae'n amheus p'un ai a yw'r cwartsit llwydwyn, mân-ronynnog yn hŷn na'r cyfnod Cambriaidd a wawriodd tua 540 miliwn o flynyddoedd yn ôl.

Ac eithrio'r grug a'r eithin sydd â'u gwreiddiau mewn clytiau o bridd mawnaidd, tenau, mae copa'r Arwydd yn foel o'i gymharu â'r tir o gwmpas y llyn bach ar fin y lôn yn union i'r de o Benycastell (169 m), yr ail uchaf o dri chopa'r mynydd. Sylfaen y llecyn gwyrddach hwnnw yw sgist (carreg laid wedi'i thrawsnewid yn graig fetamorffig dan ddylanwad gwres tanbaid a gwasgedd dwys), craig feddalach na'r cwartsit y mae ei dadfeiliad, ynghyd â'i gorchudd o glog-glai rhewlifol, wedi arwain at ddatblygiad pridd ffrwythlonach. Yr un mor drawiadol yw'r cyferbyniad rhwng llymder copa digysgod Yr Arwydd a'r clytwaith o gaeau glas a choetiroedd oddi amgylch i Fynydd Bodafon.

Oherwydd ei uchder mae'r golygfeydd panoramig sydd i'w cael o gopa'r Arwydd yn cwmpasu'r rhan fwyaf o Ynys Môn: draw tua'r gorllewin cwyd Mynydd Twr ei ben; i'r dwyrain daw glannau creigiog Moelfre i'r golwg, lle y drylliwyd y *Royal Charter* yn ystod 'Ofnadwy Nos', chwedl T Llew Jones, 26 Hydref 1859; yn gefndir i Fam Cymru tua'r de y mae copaon y Carneddau, y Glyderau a'r Wyddfa a'i chriw, ac i'r gogledd ceir cip ar graith annileadwy hen waith copr Mynydd Parys. Ond er gwyched y panorama, nid yw pob nodwedd ohono wrth fodd holl drigolion yr ynys.

Y tyrbinau gwynt yw asgwrn y gynnen. Mae Trysglwyn, ychydig i'r de o Fynydd Parys, yn un o dair fferm wynt ar dir yr ynys; saif yr ail

gerllaw Cemaes a'r drydedd, a'r fwyaf, rhwng Llyn Alaw a Mynydd Mechell. Mae'r tair gyda'i gilydd yn cynhyrchu digon o drydan glân i ddiwallu anghenion oddeutu 11,000 o gartrefi, sef tua 70% o holl gartrefi'r ynys. Ym marn cefnogwyr *AAWT (Anglesey Against Wind Turbines)*, fodd bynnag, mudiad a geryddwyd gan yr *Advertising Standards Authority* am eu hysbysebion camarweiniol a'u haeriadau di-sail, mae'r tyrbinau yn 'annibynadwy, aneffeithiol, swnllyd, hyll ac yn niweidiol i fywyd gwyllt'.

Ond y gwir yw, fyth oddi ar y ddeunawfed ganrif a'r bedwaredd ganrif ar bymtheg, y mae melinau gwynt, pob un yn fath arbennig o dyrbin gwynt, wedi bod yn nodwedd o dirwedd Môn, ynys sy'n nodedig am ei hinsawdd wyntog. O'u cyfrif i gyd, codwyd tua hanner cant o felinau gwynt ar hyd a lled yr ynys ac ynddynt yr arferid malu'r grawn a dyfid ar ffermydd lleol. Caeodd y rhan fwyaf ohonynt ym mlynyddoedd cynnar yr ugeinfed ganrif ac erbyn heddiw dim ond Melin Llynnon, a godwyd ar gyrion pentref bach Llanddeusant yn 1775–6, sy'n dal i falu. Fe'i hatgyweiriwyd a'i hadfer i'w chyflwr gwreiddiol gan Gyngor Bwrdeistref Môn a'i hailagor yn swyddogol ym Mai 1985. Ond mae'n debyg mai Melin Llidiart, y saif ei thŵr ym mhentref Capel Coch, lai na phedwar cilometr i'r de o gopa uchaf Mynydd Bodafon, oedd un o felinau hynaf Môn.

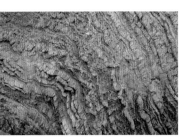

Ynys Lawd a Mynydd Twr

Am rai blynyddoedd, yr unig ffordd i gyrraedd goleudy Ynys Lawd oedd mewn basged ynghrog wrth raff. Codwyd y goleudy yn 1809 ar gopa ynys fechan (30.5 m) oddi ar bentir mwyaf gorllewinol Ynys Gybi, ond ni chysylltwyd y ddwy ynys tan 1828, pan adeiladwyd pont grog haearn uwchlaw dyfroedd trwblus y culfor dwfn. Ar draws y bont honno yr arferai Edward Greenly, awdur *The Geology of Anglesey* (1919), gerdded er mwyn manteisio ar y golygfeydd gwych o'r clogwyni mawreddog a oedd, meddai, ymhlith y gwychaf ym Mhrydain. Ategwyd ei farn gan John S Flett, a benodwyd yn Gyfarwyddwr Arolwg Daearegol Prydain yn 1920: 'Go brin,' meddai, 'fod rhagorach clogwyni yn yr Ynysoedd Prydeinig ar gyfer astudio

Haenau plyg

plygion mawr a mân, a'r berthynas rhyngddynt.' Dim ond o'r môr y gellir llwyr werthfawrogi'r haenau plyg sydd i'w gweld yn y clogwyni rhwng Ynys Lawd a Thŵr Elin, a bu Greenly yn ddigon ffodus, ar un achlysur, i dynnu brasluniau o rai ohonynt o fwrdd bad achub Caergybi. Ond profiad bythgofiadwy, serch hynny, yw troedio'r 400 gris sy'n arwain i lawr y clogwyn 110 metr o uchder, gan oedi hwnt ac yma er mwyn craffu'n fanylach ar yr haenau crych, cyn crwydro'r ynys a'r goleudy yr ochr draw i'r bont alwminiwn a agorwyd yn 1997.

Cofnodi dyddodiad haenau o dywod am yn ail â haenau o laid ar wely môr hynafol y mae'r tywodfeini llwydwyn neu rydlyd eu gwedd a'r cerrig llaid llwydlas. Er bod y creigiau wedi cadw eu cymeriad haenog, bu'r grymoedd cywasgol anferthol a'u plygodd yn gyfrifol am arosod cymhlethdod o blygion mân a chrychiadau manach ar y plygion mawr, gan greu patrwm tebyg i drawstoriad dalennau plyg o haearn rhychog. Bu'r un grymoedd cywasgol hefyd yn gyfrifol am drawsnewid y tywodfeini a'r cerrig llaid yn greigiau metamorffig iselradd.

Arferid credu i'r rhan fwyaf o ddigon o greigiau Môn, gan gynnwys tywodfeini a cherrig llaid metamorffedig Ynys Lawd, gael eu ffurfio yn ystod y cyfnod Cyn-Gambriaidd, y bennod hirhoedlog gynharaf yn hanes y Ddaear a ddaeth i ben 542 miliwn o flynyddoedd yn ôl. Yn wir, hyd yn gymharol ddiweddar, arferai daearegwyr hawlio bod creigiau Cyn-Gambriaidd Môn yn ffurfio'r ardal fwyaf ei maint o'r creigiau hynafol hyn ym Mhrydain, i'r de o Ucheldiroedd yr Alban. Ond nid mwyach. Er nad oes ffosilau yng nghreigiau Ynys Lawd, awgryma'r olion pridd mwydon sydd i'w cael ynddynt eu bod yn dyddio, o bosibl, o'r cyfnod Cambriaidd. Drwy ddyddio gronynnau o'r mwyn sircon a geir yn nhywodfeini Ynys Lawd yn radiometrig, gwyddys i sicrwydd, bellach, i'r creigiau hynny, ynghyd â chyfran helaeth o greigiau Cyn-Gambriaidd tybiedig Môn, gael eu ffurfio yn ystod y cyfnod Cambriaidd cynnar, tua 540 miliwn o flynyddoedd yn ôl, ac yna eu hanffurfio a'u metamorfforeiddio yn ystod cyfnod o

Tŵr Elin

Eithr i ymwelwyr â'u bryd ar orwelion pell, Mynydd Twr (220 m) amdani, sef 'mynydd' uchaf Môn. Yn goron ar ei gopa creigiog, tua 1.5 cilometr yn unig o Ynys Lawd, saif Caer y Twr, hen gadarnle trigolion yr Oes Haearn, ac oddi yma ar ddiwrnod clir mae modd gweld Cymbria, Ynys Manaw, Iwerddon ac Eryri. Gellir priodoli uchder, amlygrwydd a moelni Mynydd Twr i galedwch a gwytnwch y graig y naddwyd yr ucheldir hwn ohoni. Y cwartsit hwn (tywodfaen yn cynnwys gronynnau o gwarts wedi'u smentio ynghyd gan silica), sy'n ddisgleirwyn yn llygad yr haul, a ddefnyddid, nid yn unig i godi morglawdd harbwr Caergybi – un o'r hwyaf yn y byd – a gwblhawyd yn 1873, ond hefyd i gynhyrchu briciau tân i'w defnyddio mewn ffwrneisi smeltio haearn. Caewyd y gwaith brics, a sefydlwyd tua 1901, yn 1973. Mae'r hen safle diwydiannol a'r chwareli cwartsit bellach yn rhan o Barc Gwledig Morglawdd Caergybi, a sefydlwyd yn 1990.

Morglawdd Caergybi

wrthdaro cyfandirol a chodi mynyddoedd tua 400 miliwn o flynyddoedd yn ôl. Mae 'Mam Cymru' yn iau nag a dybiwyd!

Ond nid pawb sy'n gwirioni ar yr un peth. Mae diddordeb nifer fawr o'r miloedd lawer o bobl sy'n ymweld ag Ynys Lawd yn yr adar môr sy'n nythu ar y silffoedd ac yn yr agennau ar wynebau'r clogwyni fertigol sy'n rhan o warchodfa natur y Gymdeithas Frenhinol er Gwarchod Adar. Canolbwynt a chanolfan y warchodfa yw Tŵr Elin, ffoledd castellog a thŷ haf fry ar erchwyn y dibyn, ychydig i'r de o Ynys Lawd. Fe'i codwyd yn 1868 gan W O Stanley, Arglwydd Raglaw Môn, a'i enwi ar ôl ei wraig, Ellin, sylwer, nid Elin. Gyda chymorth y cyfarpar sydd ar gael yn y tŵr, a adnewyddwyd yn ystod y 1980au, gellir gwylio gwylogod, llursod a phalod yn magu eu cywion yn ystod y tymor bridio (Ebrill–Gorffennaf), a chadw llygad yn agored am ambell hebog tramor hefyd, y ceir parau ohonynt yn nythu ar y clogwyni ac yn hela eu prae ymhlith y miloedd o adar môr.

Ynys Llanddwyn

Nid yw Ynys Llanddwyn yn ynys drwy'r adeg. Byth er 1838 pryd y crëwyd y sarn sy'n cysylltu Ynys Llanddwyn â thir mawr Ynys Môn, ar ben llanw mawr yn unig y mae Llanddwyn yn ynys. Ond yn ôl pob tebyg, collwyd gwir rin a rhamant ac unigedd yr ynys y dewisodd Dwynwen gilio iddi yn y bumed neu'r chweched ganrif yn ystod tywydd stormus y bedwaredd ganrif ar ddeg, pan ddechreuodd twyni tywod Niwbwrch ymffurfio gan dagu porthladd Niwbwrch a dinistrio'r tir amaeth cyfoethog ar hyd ei lannau. Ymhen hir a hwyr datblygodd Tywyn Niwbwrch, sydd bellach yn rhan o Warchodfa Natur Genedlaethol Tywyn Niwbwrch ac Ynys Llanddwyn, i fod y twyni tywod helaethaf yng ngorllewin Prydain, twyni y mae eu hanner agosaf at Landdwyn dan orchudd o goed pinwydd Corsica. Yn guddiedig yng nghanol y coed, y dechreuwyd eu plannu yn 1948, y

mae cefnen greigiog Cadair y Cythraul (c. 40 m) a oedd, yng nghyfnod Dwynwen, yn rhan annatod o'r ynys hirgul, dros ddwywaith hyd y pentir presennol, yn gorwedd rhwng aber afon Cefni ac Abermenai.

Ar yr ynys unig honno y profai Dwynwen y tawelwch yr oedd hi'n ei chwenychu wedi torcalon y garwriaeth a fu rhyngddi a Maelon Dafodrill ac yno hefyd, o ganlyniad i un o'r tri dymuniad y rhoes Duw iddi, y gwrandawai ar weddïau unrhyw un a oedd yn glaf o gariad. O ganlyniad, datblygodd yr arfer o bererindota i ganolfan cwlt nawddsantes cariadon Cymru, y dethlir ei gŵyl ar 25 Ionawr. Adfail bellach yw'r eglwys o'r unfed ganrif ar bymtheg a godwyd, yn ôl traddodiad, ar safle cysegrfan Dwynwen ac oherwydd ei harwyddocâd ysbrydol, hanesyddol a diwylliannol aed ati ar

ddechrau 2010 i ddatgladdu'r rhannau hynny ohoni a oedd dan orchudd o dywod ac i ailadeiladu ffenestr fwa'r gangell a ddymchwelodd yn ystod y 1950au.

Fodd bynnag, myn Carl Rogers, awdur y llawlyfr swyddogol *Llwybr Arfordirol Ynys Môn* (2005), nad Dwynwen sy'n denu ymwelwyr i'r rhan hon o arfordir Môn. Yr atynfa go iawn ydy ehangder braf Traeth Llanddwyn, yn enwedig ar ddistyll y llanw, a'r olygfa wefreiddiol o ben de-orllewinol Ynys Llanddwyn o driban yr Eifl a bryniau folcanig llai Penrhyn Llŷn, y '[g]angen o graig ynghrog

rhwng y môr a'r nefoedd, gyda'r cymylau fel blodau amdani', chwedl R S Thomas. I'r peilotiaid a drigai yn y rhes o bedwar bwthyn ym mhen draw'r pentir roedd yn olygfa gyfarwydd, oherwydd gwaith y gwŷr hynny oedd arwain llongau yn ddiogel drwy'r sianeli, rhwng banciau tywod twyllodrus Abermenai, i borthladdoedd Caernarfon a'r Felinheli. Yn ogystal â chodi'r bythynnod, bu Ymddiriedolaeth Harbwr Caernarfon hefyd yn gyfrifol am adeiladu'r Tŵr Mawr yn 1824, tŵr gwyngalchog nid annhebyg ei ffurf i felinau gwynt Môn, a thŵr a ddaeth yn oleudy pan osodwyd lantern mewn ystafell a ychwanegwyd at lawr isaf yr adeilad yn 1846. Diffoddwyd golau'r lantern am y tro olaf ym mlynyddoedd cynnar y 1970au ac yn ei lle cafodd golau ei osod ar ben y tŵr gwyn bach, ar yr ynys fechan yr ochr draw i'r morglawdd, gerllaw'r bythynnod.

Er na cheir ar yr ynys y cyfoeth o blanhigion – dros 500 o wahanol rywogaethau! – sydd yn nodweddu twyni tywod symudol a sefydlog, glaswelltiroedd a morfeydd heli hanner dwyreiniol Tywyn Niwbwrch, nid yw Llanddwyn yn amddifad o flodau gwylltion. Yn ogystal â'r clytiau o seren y gwanwyn (*Scilla verna*), mae'r creigleoedd uwchlaw ei glannau yn cynnal planhigion megis pig-yr-aran ruddgoch (*Geranium sanguineum*), cedowydd suddlon (*Inula crithmoides*), corn carw'r môr (*Crithmum maritimum*), lafant-y-môr y creigiau (*Limonium binervosum*) a duegredynen arfor (*Asplenium marinum*).

Ond os mai Tywyn Niwbwrch yn hytrach na Llanddwyn yw'r drysorfa fotanegol, paradwys ddaearegol yw'r ynys, fel y canfu Edward Greenly, awdur *The Geology of Anglesey* (1919). 'Y mae amrywiaeth a chymhlethdod daearegol yr ynys', meddai, 'yn wirioneddol ryfeddol.' Mae lliwiau a gweadedd yr amrywiol greigiau, yn enwedig y rheiny ym mae bychan Porth Tŵr Bach, yn anhygoel . Yno ceir lafa gwyrdd tywyll, cwartsit pinc llachar, siâl porffor yn llawn manganîs, dolerit dulas a chalchfaen melynllwyd. At hynny, mae'r lafâu clustog, sydd i'w gweld ar eu gorau ar arwynebau'r ynysoedd creigiog bychain rhwng twyni coedig y tir mawr ac Ynys Llanddwyn, ymhlith yr enghreifftiau gwychaf ym Mhrydain. Canlyniad echdoriadau folcanig tanfor yw'r 'clustogau' blêr ac fe'u ffurfiwyd ar lawr cefnfor wrth i dafodau cul o lafa eiriasboeth ddod i gysylltiad â dŵr oer, hollti'n globylau croen caled ac yna ymgasglu, oeri ac ymgaregu y naill ar ben y llall. A rhwng y clustogau o lafa basaltig gwaddodwyd mwynau, gan gynnwys maen iasbis gwaetgoch, math ar gwarts microgrisialog ac ynddo ocsidau haearn sy'n rhoi iddo ei liw coch.

Arferid credu bod y lafâu clustog a holl greigiau Ynys Llanddwyn yn dyddio o'r cyfnod Cyn-Gambriaidd, y bennod gynharaf yn hanes y Ddaear, ond nid mwyach, gan fod y maen iasbis yn cynnwys microffosilau morol, sef mân blisg alga ungellog (acritarchau) a briodolir i'r cyfnod Cambriaidd cynnar.

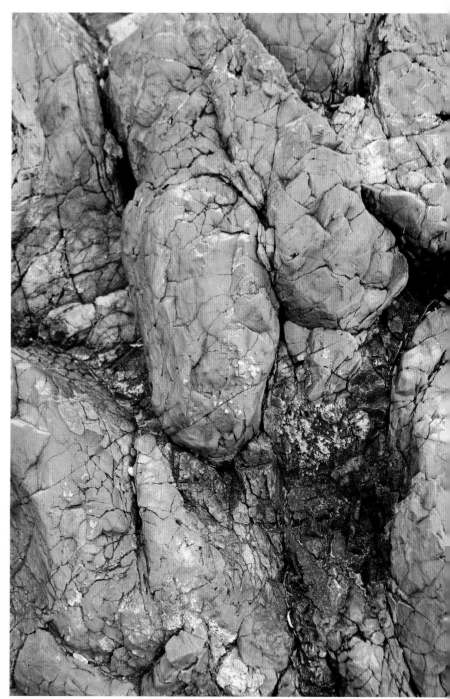

Lafa clustog a maen iasbis gwaetgoch

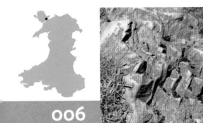

Tŵr Marcwis, Llanfair Pwllgwyngyll

Yn ei lyfr *Blwyddyn yn Llŷn* (1990), mentrodd R S Thomas ddweud nad yw 'Llŷn ddim ond rhan o Gymru, dim ond llwyfan er gweld y gweddill'. Myn eraill nad yw Môn hithau namyn llwyfan er gweld a gwerthfawrogi ysblander mynyddoedd Eryri. Afraid dweud nad oes sail i'r honiad bychanus hwnnw. Er hynny, a chan ddiystyru'r posibilrwydd, os nad y tebygolrwydd, o ddioddef pwl o'r bendro,

gwastraff amser ac egni fyddai dringo'r 115 o risiau – ambell un yn ddigon sigledig – i ben Tŵr Marcwis oni bai am yr olygfa syfrdanol draw dros y Fenai a geir o'r llwyfan sy'n amgylchynu'r cerflun o Henry William Paget, un o arwyr brwydr Waterloo. Cwblhawyd y tŵr, 34 metr o uchder a Dorig ei gynllun, yn 1816–17, ond ni chafodd y cerflun o'r gŵr, a oedd y cyntaf i ddwyn y teitl Ardalydd Môn, ei osod arno tan 1860.

Rhwng y Gogarth, y pentir hwnnw o galchfaen tua'r gogledd-ddwyrain, a bryniau gwenithfaen yr Eifl tua'r de-orllewin, cwyd copaon y Carneddau, y Glyderau, yr Wyddfa a chrib Nantlle uwchlaw iseldiroedd Arfon. Er eu gwychder, nid ydynt ond gweddillion treuliedig y Mynyddoedd Caledonaidd, cadwyn o fynyddoedd Himalaiaidd ei maint y mae eu holion eraill i'w canfod yn Spitsbergen, Sgandinafia, yr Alban, yr Ynys Las (Grønland), Newfoundland a rhan ogleddol Mynyddoedd Appalachia ar arfordir dwyreiniol Gogledd America. Fe'u ffurfiwyd o ganlyniad i'r gwrthdrawiad rhwng dau gyfandir hynafol, Lawrensia a Gondwana, a orweddai tua 30° i'r de o'r cyhydedd. Am oddeutu 100 miliwn o flynyddoedd roedd cefnfor Iapetws yn gwahanu'r ddau gyfandir ond yna, rhwng tua 450 miliwn a 400 miliwn o flynyddoedd yn ôl, graddol gau fu hanes y cefnfor,

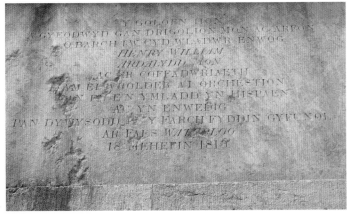

Y Fenai, Pont Britannia a chopaon Eryri (dde)

symudiad a sbardunodd y fwlcanigrwydd a oedd yn ei anterth yn ystod y cyfnod Ordofigaidd, tua 450 miliwn o flynyddoedd yn ôl.

Yng Nghymru achosodd y gwrthdaro cyfandirol i'r trwch o gerrig llaid a thywodfeini a oedd wedi ymgasglu ar lawr y môr yn ystod y cyfnodau Cambriaidd, Ordofigaidd a Silwraidd gael ei gywasgu, ei dorri, ei rwygo a'i ymgodi yng ngenau'r feis dectonig. Dyna hefyd fu tynged y creigiau folcanig, mawr eu dylanwad ar dirwedd Eryri. Ar ben hynny, trawsffurfiodd y grymoedd cywasgol lawer o'r cerrig llaid yn llechfeini a roes fod i'r diwydiant llechi.

Er mai toriadau cwbl newydd oedd y rhan fwyaf o'r ffawtiau a ddaeth i fod o ganlyniad i'r cynyrfiadau grymus yng nghramen y Ddaear, adfywiwyd nifer o hen rwygiadau hefyd sydd bellach yn rhan o System Ffawtiau'r Fenai a red o'r gogledd-ddwyrain i'r de-orllewin rhwng Ynys Môn a'r tir mawr. Ymhen hir a hwyr cafodd y llain hon o greigiau drylliedig gryn ddylanwad ar ddatblygiad y Fenai. Ac eithrio'r rhan honno o'r sianel rhwng Pont Britannia a'r Felinheli, mae'r culfor, 25 cilometr o hyd, yn gyfuniad o ddau hen ddyffryn afon, y naill afon yn llifo tua'r gogledd-ddwyrain a'r llall tua'r de-orllewin, ond y ddau ddyffryn yn manteisio ar wendid y creigiau chwilfriw. Dyfnhawyd eu dyffrynnoedd ymhellach gan weithgaredd erydol yr iâ a lifai tua'r de-orllewin, ar draws Môn ac Arfon, yn ystod y cyfnod rhewlifol diwethaf. Yna, wrth i'r iâ ddadmer ac encilio, bu'r dŵr tawdd a

Afon Menai a'r Eifl yn y cefndir

ryddhawyd nid yn unig yn gyfrifol am ddyfnhau'r ddau ddyffryn ymhellach fyth, ond hefyd erydu'r sianel ddofn rhwng Pont Britannia a'r Felinheli. Ond ni fu i'r Fenai gymryd arni ei ffurf bresennol tan oddeutu 7,000 o flynyddoedd yn ôl, wrth i'r môr gyrraedd ei lefel bresennol a boddi'r ddau ddyffryn a'r sianel ddŵr-tawdd. Er mor hardd yw'r olygfa o'r culfor o gopa Tŵr Marcwis, harddach a mwy lliwgar fyth, mae'n debyg, yw ei gynefinoedd tanddwr cyfoethog, sydd o bwys rhyngwladol.

Ond nid llai pwysig yw safle Tŵr Marcwis. Codwyd y tŵr ei hun o galchfaen Moelfre a fewnforiwyd drwy lanfa gyfagos Pwllfanogl, ond mae'r graig lwydlas hynafol o hen y saif y golofn arni yn enwog yn fyd-eang oherwydd ei bod, yng nghyd-destun y byd, yn enghraifft brin iawn o sgist glas. Ffurfiwyd y graig fetamorffig arbennig hon, nad

oes enghraifft arall ohoni i'w gweld yn unman arall ym Mhrydain, pan gafodd gwaddodion a lafa basaltig ar lawr cefnfor hynafol eu claddu'n gyflym a'u trawsffurfio'n sgist (daw'r gair 'sgist' o'r Groeg, ac mae'n cyfeirio at barodrwydd y graig i hollti'n ddalennau) dan ddylanwad gwasgedd dwys a thymheredd cymharol uchel. Mae'r amodau hyn i'w cael yn y mannau hynny lle mae rhannau o'r gramen gefnforol, fel llawr y Cefnfor Tawel, yn llithro o dan rannau o'r gramen gyfandirol, megis cyfandir De America. Dyma'r broses a oedd ar waith ym 'Môn' y cyfnod Cyn-Gambriaidd, tua 590–580 miliwn o flynyddoedd yn ôl. Oherwydd ei unigrywiaeth, mae'r tir o amgylch Tŵr Marcwis wedi'i ddynodi yn Safle o Ddiddordeb Gwyddonol Arbennig, sy'n golygu na ddylid ar unrhyw gyfrif forthwylio'r sgist y mae ei lesni i'w briodoli i'r mwyn glas, glawcoffan, yng nghorff y graig.

Mwyngloddiau'r Gogarth

Er mai pentir mawreddog yw'r Gogarth heddiw, ynys oedd y talp enfawr hwnnw o Galchfaen Carbonifferaidd haenog cyn i lain o dwyni tywod ei gysylltu â'r tir mawr. Ar yr iseldir tywodlyd hwnnw sy'n gwahanu dau draeth islaw clogwyni de-ddwyreiniol y Gogarth y datblygodd Llandudno, y dref glan môr urddasol a sefydlwyd yn y 1850au gan deulu Mostyn, er mwyn elwa ar yr ymwelwyr a deithiai ar y rheilffordd rhwng Caer a Chaergybi, a agorwyd i deithwyr yn 1850. Wrth i'r cyrchfan gwyliau ffasiynol brysur ddatblygu, dirywio a chau oedd hanes mwyngloddiau'r Gogarth, rhai a fu drwy gydol y bedwaredd ganrif ar bymtheg gyda'r gweithfeydd copr mwyaf cynhyrchiol ar dir mawr Cymru.

Canolbwynt y gweithgaredd oedd dyffryn Pyllau ar lethrau de-ddwyreiniol y pentir ac yno ar uchder o oddeutu 130 metr uwchlaw'r môr, gerllaw gorsaf hanner ffordd bresennol Tramffordd y Gogarth, y safai Hen Fwynglawdd Llandudno a'r Mwynglawdd Newydd, y plymiai eu siafftiau islaw lefel y môr. Calcopyrit, sylffid copr a haearn tebyg i bres o ran ei liw, oedd y prif fwyn a gloddid yn y gweithfeydd tanddaearol ac roedd i'w ganfod mewn gwythiennau a ddilynai

Y Gogarth, Llandudno a phentir Trwyn y Fuwch

gyfres o ffawtiau a chraciau yn y calchfaen. Mae'n debyg y daeth oes y Mwynglawdd Newydd i ben tua 1840, ond ni chaeodd yr Hen Fwynglawdd tan oddeutu 1881, gwaith a gynhyrchodd dros 26,000 o dunelli o fwyn copr crynodedig rhwng 1804 ac 1881. Allforid llwythi ohono i Amlwch lle y câi ei smeltio ynghyd â mwyn iselradd Mynydd Parys.

Yn 1831, ac eto yn 1849, daeth y mwynwyr a weithiai ym mwyngloddiau dyffryn Pyllau o hyd i olion cloddfeydd hynafol a briodolid ar y pryd i'r Rhufeiniaid. Ond yn 1987, wrth glirio'r tomennydd o gerrig wast a bentyrrid o amgylch yr hen siafftiau,

gwaith a oedd yn rhan o gynllun tirlunio yn cynnwys creu maes parcio newydd, daeth yn amlwg fod olion y cloddio cynnar yn hŷn o lawer na'r cyfnod Rhufeinig. Bwriad y cynllun tirlunio oedd cael gwared â chreithiau diwydiannol y bedwaredd ganrif ar bymtheg ond drwy sgubo o'r neilltu filoedd o dunelli o wastraff daethpwyd ar draws siafftiau a thwneli cynhanesyddol a oedd yn cynnwys offer esgyrn, morthwylion carreg a siarcol. Drwy garbon-ddyddio rhai o'r esgyrn a'r siarcol daeth yn amlwg y digwyddodd y gwaith cloddio cynharaf yn ystod yr Oes Efydd, dros 3,500 o flynyddoedd yn ôl.

Er 1987, gyda chymorth tîm o archaeolegwyr, peirianwyr ac

Malachit, y mwyn copr gwyrddlas (dde)

ogofawyr, datgladdwyd mwynglawdd copr brig 20 metr o ddyfnder ac iddo arwynebedd o oddeutu 1,100 o fetrau sgwâr, ynghyd â rhwydwaith eang o dwneli culion ac un ceudwll mawr. Credir mai gwaith plant oedd y lleiaf o'r cloddfeydd a ddarganfuwyd. Yr unig offer a oedd at wasanaeth y plant a'r oedolion a lafuriai yn y pwll agored a dan ddaear oedd offer corn carw ac ymhell dros 2,000 o feini crynion trwm y cafwyd gafael arnynt ar y traethau wrth droed clogwyni'r Gogarth. Ond mae presenoldeb siarcol hefyd yn awgrymu y gwneid defnydd o dân i ryddhau'r mwyn o grafangau'r calchfaen, craig a fyddai'n hollti o gael ei gwresogi a'i hoeri â dŵr.

Yn ôl pob tebyg yr hyn a ddenodd sylw mwynwyr yr Oes Efydd yn y lle cyntaf oedd y staeniau glaswyrdd ar wynebau'r creigiau, lliw a ddynodai bresenoldeb y mwyn malachit, y carbonad copr sy'n ymffurfio o ganlyniad i ocsideiddiad calcopyrit. A diau y gwyddent fod y broses o smeltio malachit, er mwyn adennill y metel gwerthfawr, yn llai cymhleth a thrafferthus na smeltio calcopyrit. Er hynny, mae'r mân ddarnau o galcopyrit yn gymysg â malachit a chopr y daethpwyd o hyd iddynt yn y sorod ar safle smeltio a ddarganfuwyd gerllaw'r Ffynnon Galchog, tua chilometr i'r

gogledd-ddwyrain o'r mwynglawdd, yn dangos bod y gofaint wedi ceisio gwneud peth defnydd o'r mwyn anhydrin hwnnw hefyd mor gynnar â 3,500 o flynyddoedd yn ôl.

Heb os, mae mwynglawdd copr cynhanesyddol y Gogarth, sydd ymhlith yr helaethaf yn Ewrop, yn safle archaeolegol o bwys rhyngwladol, a byth ers iddo agor i'r cyhoedd yn 1991 y mae degau o filoedd o ymwelwyr wedi rhyfeddu at allu a champ brodorion y cenhedloedd cynnar. Mae'n olygfa nad oes mo'i thebyg yn unman arall yng ngwledydd Prydain. A thafliad carreg o'r mwynglawdd, oddi mewn i ffiniau Gwarchodfa Natur Genedlaethol Maes y Facrell, ceir golygfa arall heb ei thebyg, gan mai dyma'r unig safle ym Mhrydain lle tyf cotoneaster y Gogarth (*Cotoneaster cambricus*) ymhlith toreth o blanhigion blodeuol, calchgar, prin sydd ar eu gorau'n lliwgar ym mis Mehefin. Yn 1783 y darganfuwyd y cotoneaster nodedig. Hoffai'r naturiaethwr William Condry gredu iddo fwrw gwreiddiau wedi i socan eira a oedd ar ymweliad â'r Gogarth ryw fis Hydref adael baw ar ei hôl a gynhwysai hadau'r planhigyn. Roedd yr hadau y tu mewn i aeron yr oedd yr aderyn wedi'u llyncu ym mynyddoedd Sgandinafia y diwrnod blaenorol!

Trwyn Talacre a'r Parlwr Du

Pentir mwyaf gogleddol tir mawr Cymru yw Trwyn Talacre. O fewn ergyd carreg i'r pigyn o dir, saif pentref glan môr anniben Talacre, 'cyrchfan gwyliau delfrydol i'r teulu' a fyn fod o fewn cyrraedd i gasgliad anghydweddus o atyniadau. Yma, o fewn tafliad carreg i'w gilydd, ceir arcedau difyrion, tafarnau a chlybiau, tai bwyta a siopau tships, meysydd carafannau, traeth euraid a thwyni tywod un o warchodfeydd natur y Gymdeithas Frenhinol er Gwarchod Adar (*RSPB*), Safle o Ddiddordeb Gwyddonol Arbennig, terfynfa nwy a safle un o hen lofeydd mwyaf adnabyddus maes glo gogledd-ddwyrain Cymru.

Safai glofa'r Parlwr Du ar lan moryd Dyfrdwy ychydig i'r de o Drwyn Talacre, ar dir a adenillwyd o'r môr. Aflwyddiannus fu'r ymdrechion yn ystod y 1860 a'r 1870au i gael hyd i unrhyw un o wythiennau'r erwau glo a lechai'n bennaf dan wely'r foryd a'r môr agored. Ond daeth tro ar fyd yn 1890, pan lwyddodd glowyr cwmni Glofa'r Parlwr Du i daro ar wythiennau da o lo rhwym a glo rhydd. O ganlyniad, suddwyd ail siafft hyd ddyfnder o oddeutu 200 metr er mwyn ymelwa ar waddol y fforestydd trofannol a orchuddiai dir y 'Gymru' oedd ohoni ar ddiwedd y cyfnod Carbonifferaidd, tua 310 miliwn o flynyddoedd yn ôl. Wedi i'r diwydiant glo gael ei wladoli yn 1947 suddwyd trydedd siafft hyd ddyfnder o 275 metr ac ymhen dim o dro roedd y lofa, a gyflogai dros 700 o ddynion, yn cynhyrchu dros 200,000 o dunelli o lo'r flwyddyn. Ym mlynyddoedd olaf y gwaith câi holl gynnyrch y pwll ei falu'n shitrws a'i gludo ar drenau i bwerdy

Terfynfa nwy Trwyn Talacre (uchod)
Moryd afon Dyfrdwy a phwerdy Cei Connah (dde)

Fiddlers Ferry ger Warrington, tra llosgid glo Swydd Stafford ar aelwydydd y glowyr a thrigolion eraill y fro! Ddechrau'r 1990au bernid bod digon o lo 'i barhau am ganrif arall' ond caewyd y Parlwr Du, pwll glo dwfn olaf y gogledd-ddwyrain, yn Awst 1996.

Ac eithrio rhan o offer un o'r siafftiau a osodwyd ar safle Parc Treftadaeth Dyffryn Maes Glas, ger Treffynnon, nid oes dim o'r Parlwr Du ar ôl, er bod cynllun ar droed i adleoli'r offer pen-pwll a'u hailosod gerllaw safle glofa fwyaf ffyniannus Sir y Fflint. Ond nid ar dir yr hen bwll, gan mai yno y saif terfynfa nwy Trwyn Talacre y dechreuwyd ei chodi cyn i'r lofa gau, er mwyn gwasanaethu'r meysydd nwy y cafwyd hyd iddynt yn ystod y 1990au yng nghanol y tywodfeini Triasig, 240 miliwn o flynyddoedd oed, dan lawr Bae Lerpwl. Daw'r nwy i'r lan o lwyfannau pedwar maes gwahanol, drwy bibell dros 33 cilometr o

hyd, ac wedi iddo gael ei drin fe'i gyrrir yn ei flaen drwy bibell 26 cilometr o hyd i bwerdy Cei Connah.

O'r llwybr sy'n dilyn pen uchaf clawdd llanw Talacre, swrrealaidd a dweud y lleiaf yw'r olygfa o'r derfynfa a'i chymhlethdod o bibellau arianlliw o'i chymharu â gwarchodfa adar Moryd Dyfrdwy–Y Parlwr Du yr *RSPB*. Moryd Dyfrdwy, gyda'i banciau tywod a fflatiau llaid rhynglanwol ynghyd â'r clytiau o forfeydd heli ar hyd ei glannau, yw un o'r gwlyptiroedd mwyaf a phwysicaf yn y byd. Mae'n nodedig am ei phoblogaethau lluosog o adar dŵr a rhydyddion (adar hirgoes) ac fel noddfa i filoedd lawer o adar mudol yn ystod y gaeaf. Ar benllanw yw'r amser gorau i'w gweld, oherwydd wrth i'r llanw godi gorfodir y rhydyddion, megis piod môr, gylfinirod, pibyddion yr aber a phibyddion y mawn, i symud tua'r lan wrth iddynt fwyta eu gwala o'r creaduriaid di-asgwrn-cefn niferus sy'n trigo yn y llaid a'r tywod dan eu traed.

I gyrraedd Safle o Ddiddordeb Gwyddonol Arbennig Twyni Tywod Gronant a Chwningar Talacre, does dim ond rhaid dilyn y clawdd llanw cyn belled â hen oleudy Trwyn Talacre a ddynodai'r fynedfa i ddyfroedd peryglus moryd Dyfrdwy. Codwyd y tŵr yn 1776 ond mae ei ben uchaf a'r lantern – un o'r enghreifftiau cynharaf yng Nghymru – yn dyddio o'r 1820au. Diffoddwyd golau'r lantern mor gynnar â Rhagfyr 1883, pan ddisodlwyd y goleudy gan oleulong a angorwyd i'r gogledd o'r fynedfa i sianeli'r foryd.

Saif y goleudy a thwyni'r warchodfa, y gellir eu holrhain draw cyn belled â Phrestatyn, ar gyfres o gefnennau gro sy'n rhan o dafod Trwyn Talacre. Mae'r twyni o ddiddordeb arbennig gan eu bod yn cynrychioli'r unig ran sylweddol sy'n weddill o system fawr a oedd, ar un adeg, yn ymestyn ar hyd arfordir gogledd Cymru, cyn iddynt gael eu difetha gan yr hyn a oedd, ym marn y naturiaethwr William Condry, yn 'wasgarfa fawr flêr o fyngalos, cabanau a charafannau'. Gyda'r pennaf o drysorau lliwgar Cwningar Talacre yw'r tegeirianau – tegeirian-y-gors cynnar (*Dactylorhiza incarnata*), tegeirian-y-gors gogleddol (*Dactylorhiza purpurella*) a thegeirian-y-gors deheuol (*Dactylorhiza praetermissa*) – sydd yn eu blodau ddechrau'r haf ac sy'n ffynnu ar lawr y llaciau, y pantiau llaith rhwng y twyni dan orchudd o foresg (*Ammophila arenaria*) yn anad dim, gweiryn a all ddygymod â sychder, tywod symudol a gwyntoedd cryfion.

Ogofâu Dyffryn Clwyd

Mae ogofâu Palaeolithig Cymru yn adnodd prin iawn a hynod werthfawr. O blith y deuddeg safle pwysicaf, tri yn unig sydd yn y gogledd ac mae dau ohonynt i'w canfod yn Nyffryn Clwyd. Yno, ar y naill ochr a'r llall i lawr irlas y dyffryn amaethyddol, rhed brig ffawtiedig a thoredig y garreg galch a pha le bynnag yng Nghymru y deuir ar draws y calchfaen llwydlas hwnnw, gwaddol y moroedd trofannol bas a orchuddiai rannau o 'Gymru' y cyfnod Carbonifferaidd 350 miliwn o flynyddoedd yn ôl, ceir ogofâu ac ynddynt, weithiau, olion ein hynafiaid.

Gyda'r pwysicaf oll o'r ogofâu Palaeolithig yw Ogof Pontnewydd ynghudd ymhlith y coed wrth droed clogwyn calchfaen tua 50 metr uwchlaw glannau gogleddol afon Elwy ac oddeutu naw cilometr o'i chymer ag afon Clwyd, ychydig i'r gogledd o Lanelwy. Arwydd o bwysigrwydd rhyngwladol yr ogof hon, nad yw ar agor i'r cyhoedd ac a ddefnyddiwyd i storio arfau yn ystod yr Ail Ryfel Byd, yw'r cofnod amdani a ymddangosodd yn y *Guinness Book of Records*. Ogof Pontnewydd yw un o'r safleoedd Palaeolithig Isaf (Hen Oes y Cerrig) mwyaf gogledd-orllewinol yn Ewrop ac ynddi cafwyd hyd i'r dannedd dynol hynaf erioed i'w canfod ym Mhrydain. Yn ogystal â hynny, mae'n un o ddau safle yn unig ym Mhrydain sydd yn cynnwys gweddillion dynol cynnar iawn.

Mynedfa Ogof Pontnewydd

Ogofâu Ffynnon Beuno a Chae Gwyn

Daearegwyr fu'r cyntaf i archwilio cynnwys yr ogof a hynny yn ystod y 1870au a'r 1880au, ond cyflawnwyd y gwaith pwysicaf gan archaeolegwyr Amgueddfa Genedlaethol Cymru rhwng 1978 ac 1995. Ym mherfeddion y ceudwll daethpwyd ar draws 19 o ddannedd, ynghyd â rhan o orfant plentyn, sef gweddillion o leiaf bum unigolyn, dau ohonynt yn blant, a drigai yn yr ogof tua 230,000 o flynyddoedd yn ôl. Esblygodd trigolion Neanderthalaidd Pontnewydd – y 'Cymry' cynharaf – o'r un cyff â'r hil ddynol bresennol ond yn wahanol i ninnau (*Homo sapiens*), diflannodd y Neanderthaliaid oddi ar wyneb y Ddaear tua 35,000 o flynyddoedd yn ôl.

Yn ogystal ag esgyrn bodau dynol, darganfuwyd hefyd esgyrn anifeiliaid gwyllt megis yr arth, rhinoseros, blaidd, llewpart, ceffyl a'r bual, ynghyd ag offer cerrig. Awgryma hyn mai cymuned o helwyr-gasglwyr a lochesai yn yr ogof. Roeddynt yn hela eu prae yn nyffryn afon Elwy a Dyffryn Clwyd yn ystod un o'r cyfnodau cynnes, neu led-gynnes, rhyngrewlifol a nodweddai'r Oes Iâ Fawr, a wawriodd oddeutu 2.6 miliwn o flynyddoedd yn ôl ac nad yw eto wedi dod i ben. Mae'r offer cerrig yn cynnwys llawfwyeill, crafellau ac arfau nadd miniog ac fe'u lluniwyd o greigiau igneaidd a fflint yn bennaf, meini dyfod y bu rhewlif yn gyfrifol am eu cludo i'r ardal o fynyddoedd Eryri, neu Ardal y Llynnoedd o bosibl, yn ystod cyfnod rhewlifol cynnar.

Gerllaw pentref Tremeirchion ar ochr ddwyreiniol Dyffryn Clwyd, tua saith cilometr i'r dwyrain o Ogof Pontnewydd, saif ogofâu Ffynnon Beuno a Chae Gwyn ac ynddynt cafwyd hyd i offer dynol y credir eu bod yn dyddio o'r cyfnod Palaeolithig Uchaf Cynnar, tua 30,000–35,000 o flynyddoedd yn ôl. Yn ystod y 1880au yr aed ati i astudio cynnwys y ddwy ogof a hynny gan dîm o archwilwyr dan gyfarwyddyd Dr Henry Hicks, Cymro Cymraeg, meddyg a daearegydd amatur hynod alluog a oedd yn hanu o Dyddewi. (Yn 1885 fe'i hetholwyd yn Gymrawd y Gymdeithas Frenhinol am ei gyfraniad nodedig i ddaeareg.) Mewn haen ar lawr y naill ogof a'r llall, darganfuwyd esgyrn anifeiliaid megis y rhinoseros blewog, y mamoth blewog, ceffyl, ych ac udfil, yn gymysg â'r offer fflint. Yn union y tu allan i'r ogofâu roedd yr un haen dan orchudd o waddodion rhewlifol – haenau o dywod, graean a chlai yn cynnwys darnau o gregyn môr – a ddyddodwyd gan len iâ fawr a lifai tua'r de o'i tharddle yng ngogledd-orllewin yr Alban ac Ardal y Llynnoedd.

Diolch i Hicks, cafodd cyfran o'r esgyrn y daethpwyd ar eu traws yn ogofâu Tremeirchion eu rhoi yn nwylo nifer o wahanol amgueddfeydd yn bennaf, gan gynnwys Amgueddfa Manceinion, ac yn 1971 trefnwyd bod un darn o asgwrn mamoth yn cael ei garbon-ddyddio. Ar sail y dyddiad gwyddys bod y creadur hwnnw, yn ogystal â nifer o'r mamolion eraill yn ôl pob tebyg, yn crwydro Dyffryn Clwyd yn ystod cyfnod rhewllyd oddeutu 21,500 o flynyddoedd yn ôl. Roedd hyn tua 1,500 o flynyddoedd cyn uchafbwynt y Rhewlifiant Diwethaf, pan gladdwyd yr ardal dan y llen iâ honno a adawodd ar ei hôl y gwaddodion rhewlifol a seliodd yr haen gymysg o esgyrn ac offer fflint a orweddai y tu allan i ogofâu Ffynnon Beuno a Chae Gwyn. Ymddengys fod yr offer fflint yn perthyn i gyfnod cynharach nag asgwrn y mamoth blewog a ddyddiwyd, tystiolaeth sy'n awgrymu y cefnodd ein hynafiaid ar Ddyffryn Clwyd ymhell cyn y gwawriodd y cyfnod rhewllyd a ragflaenai ddyfodiad yr iâ.

Ac ystyried pwysigrwydd archaeolegol a daearegol ogofâu Ffynnon Beuno a Chae Gwyn, gresyn na fyddai Prifysgol Bangor ynghyd â Choleg Beuno Sant, ger Tremeirchion, wedi dal eu gafael ar y casgliad o esgyrn y rhoes Henry Hicks iddynt hwy hefyd.

Coleg Beuno Sant

Bryniau Clwyd a Dyffryn Clwyd

Er hardded yw tirweddau'r pum Ardal o Harddwch Naturiol Eithriadol yng Nghymru – Gŵyr, Dyffryn Gwy, Llŷn, Ynys Môn a Bryniau Clwyd a Dyffryn Dyfrdwy – ni all yr un ohonynt hawlio bod eu harddwch yn ganlyniad i weithgarwch prosesau naturiol yn unig. Dwy o nodweddion amlycaf Bryniau Clwyd, Ardal o Harddwch Naturiol Eithriadol a ddynodwyd yn 1985 ac a helaethwyd yn 2011 i gynnwys y rhan honno o Ddyffryn Dyfrdwy rhwng Corwen a'r Waun, yw eu rhostiroedd grug a'u bryngaerau ac y mae'r naill nodwedd a'r llall i'w priodoli i weithgaredd dyn.

Moel Arthur a Phenycloddiau

Mae ehangder a godidowgrwydd yr olygfa o gopa Moel Llys-y-coed (465 m) heddiw yn dra gwahanol i'r hyn ydoedd 10,000 o flynyddoedd yn ôl. Y pryd hwnnw, byddai'r rhan helaethaf o'r tir, gan gynnwys Moel Fama(u) (554 m), yr uchaf o foelydd Clwyd, dan orchudd o goed. Dengys y cofnod paill mewn mawnog ar Foel Llys-y-coed i'r rhostir grug ddechrau datblygu rhwng 10,000 a 6,000 o flynyddoedd yn ôl pan roes aelodau o'r llwythau Mesolithig a Neolithig lleol gychwyn ar y gwaith o glirio'r coedwigoedd brodorol, gorchwyl a aeth rhagddo yn yr oesoedd dilynol, yn enwedig yn ystod

Moel Fama(u)

yr Oes Haearn a'r Oesoedd Canol. Felly, lle bu coed gynt, ceir rhostir grug ynghyd â glaswelltir, rhedyn a blodau'r grug (*Calluna vulgaris*) a dry bennau'r bryniau yn borffor pan fo'r llwyn yn ei flodau ddiwedd haf. Ymhlith y grug ceir llus (*Vaccinium myrtillus*), y llwyn collddail adnabyddus am ei aeron du-las blasus ganol haf, ac eithin mân (*Ulex gallii*) a'i flodau melyn llachar sy'n blodeuo ddiwedd haf–ddechrau hydref. Ond yn eironig ddigon, mae coedwigo a'r gwaith o 'wella' tir at ddibenion amaethyddol wedi arwain at golli tua 40% o'r cynefin rhyngwladol pwysig hwn oddi ar yr Ail Ryfel Byd.

Cofadeiliau amlycaf a mwyaf trawiadol y moelydd yw bryngaerau'r Oes Haearn. Yn coroni'r bryn conigol, serthochrog, yn union i'r gogledd o Foel Llys-y-coed a'r ochr draw i'r bwlch rhwng y naill foel a'r llall, y mae bryngaer gron, gymharol fach, Moel Arthur (456 m). Y mae iddi ragfuriau cryfion ar ei hochr ogledd-ddwyreiniol, dau glawdd mawr a dwy ffos fawr, ond ar ei hochrau deheuol a gorllewinol un clawdd isel yn unig sydd i'w weld. Mwy trawiadol o lawer yw Penycloddiau (440 m), tua dau gilomctr i'r gogledd-orllewin o Foel Arthur. Y fryngaer hon, ac iddi arwynebedd o 21 hectar, yw un

o'r rhai mwyaf yng Nghymru ac oddi mewn ac oddi allan i'w hamddiffynfeydd mawr a chadarn cofnodwyd cyfanswm o 82 o gylchoedd cytiau. Er nad oes unrhyw un o'r gadwyn o bum bryngaer wedi'i chloddio'n drylwyr, y gred yw fod pob un ohonynt yn ganolbwynt tiriogaeth benodol a ymestynnai ar draws Dyffryn Clwyd a thu hwnt iddo, fel y gallai preswylwyr pob caer fanteisio ar yr un adnoddau naturiol.

I'r de o Foel Llys-y-coed, cwyd Moel Fama(u) ei phen. Er na fu erioed yn safle bryngaer, mae'r 'ploryn' sy'n amharu ar amlinell copa'r foel yn dyst i'r ffaith nad yw'n amddifad o hynotbeth. Yn goron ar ei phen saif yr hyn sy'n weddill o Dŵr y Jiwbilî, y gofadail gyntaf yn y dull Eifftaidd i'w hadeiladu ym Mhrydain. Codwyd yr adeiladwaith diolwg yn 1810–12 i ddathlu jiwbilî aur coroniad Siôr III, y brenin 'gwallgof', er i'r obelisg, a safai'n wreiddiol ar ben y podiwm sylweddol ei faint, ddymchwel adeg storm enbyd yn 1862.

Ond hyfrytach o lawer na'r cip a geir o Foel Fama(u) o gopa Foel Llys-y-coed yw'r golygfeydd gwych o Ddyffryn Clwyd, un o ddyffrynnoedd amaethyddol ffrwythlonaf Cymru nad yw ei lawr yn codi yn uwch nag oddeutu 40 metr uwchlaw'r môr yn unman. Hawliai Gwilym R Jones mai 'Eden werdd Prydain yw', man lle 'Mae ôl y Garddwr Mawr / Ar glai Cymreig ei lawr'. Rhan o'r trwch o waddodion rhewlifol y deilliodd y priddoedd cynhyrchiol ohonynt yw'r clai y soniodd y bardd amdano yn ei delyneg, dyddodion a daenwyd ar draws y creigiau Triasig sy'n sail i'r dyffryn yn ystod enciliad y llen iâ ogleddol ei tharddiad a oresgynnodd yr ardal tua 20,000 o flynyddoedd yn ôl.

Twyni tywod a ymffurfiodd mewn diffeithdiroedd poeth tua 240 miliwn o flynyddoedd yn ôl a roes fod i dywodfeini cochion y Triasig, y tywodfaen a ddefnyddiwyd i godi castell Rhuthun yn ystod y 1270au. Ond tywodfeini, cerrig silt a cherrig llaid Silwraidd yw sail Bryniau Clwyd, creigiau a ffurfiwyd wrth i haenau o dywod, silt a mwd ymgasglu ar lawr dyfnfor tua 420 miliwn o flynyddoedd yn ôl. Yn gwahanu'r naill ddilyniant o greigiau oddi wrth y llall y mae Ffawt Dyffryn Clwyd, y rhwyg y gellir priodoli iddo serthrwydd y darren ffawtlin nodedig ar ochr ddwyreiniol y dyffryn, tirffurf y mae modd ei olrhain dros bellter o tua 35 cilomedr o Brestatyn yn y gogledd cyn belled â Phentrecelyn yn y de.

Dyffryn Clwyd

Bryn Trillyn, Mynydd Hiraethog

'Un o'r diffeithleoedd mwyaf llwm' yn y wlad yw llwyfandir tonnog Mynydd Hiraethog, meddai'r bardd a'r golygydd Gwallter Mechain, a wnaeth arolwg o gyflwr amaethyddiaeth gogledd Cymru yn 1810. Ond ym marn M Skuse, awdur erthygl a ymddangosodd yn *Rural Wales* ddwy ganrif yn ddiweddarach, nid diffeithle, sef tir heb ei wella'n amaethyddol, oedd y mynydd-dir, ond un o'r mannau gwyllt olaf un yng Nghymru nad yw wedi'i ddifetha. Rhydd i bawb ei farn, ond nid oes ond rhaid cyrchu copa Bryn Trillyn (496 m) i sylweddoli nad gwylltir, tir heb ei drin a'i reoli, mo Hiraethog, o bell ffordd. Nid cynefin cwbl naturiol mo'r rhostiroedd eang ychwaith. Mae'r olygfa i'r de-ddwyrain o'r bryn yn un a ddifethwyd gan ddatblygiad cynlluniau ymwthgar yr ugeinfed a'r unfed ganrif ar hugain.

Rhoddwyd cychwyn ar y gwaith o blannu coed conwydd estron ar rai o rostiroedd Hiraethog ym mlynyddoedd cynnar y bedwaredd ganrif ar bymtheg. Ond creadigaeth y Comisiwn Coedwigaeth, a sefydlwyd yn 1919, yw Coedwig Clocaenog, a blannwyd yn ystod y 1930au a'r blynyddoedd yn dilyn yr Ail Ryfel Byd. Mae'n gorchuddio tua 60 cilometr sgwâr o dir, gan gynnwys carneddau yn dyddio o'r Oes Efydd, olion hafotai a godwyd tua diwedd yr Oesoedd Canol, neu'n fuan wedi hynny, a thiroedd ambell hen fferm fynydd. 'Coed lle y bu cymdogaeth', er y gall cadwraethwyr gysuro eu hunain drwy

Bryn Trillyn, planigfeydd conwydd a Llyn Brenig

atgoffa ymwelwyr mai Coedwig Clocaenog, un o'r planigfeydd conwydd mwyaf yng Nghymru, yw unig gadarnle'r wiwer goch ar dir mawr y wlad.

Nid nepell o Fryn Trillyn mae Llyn Brân, Llyn Aled a Llyn y Foelfrech yn llenwi pantiau a naddwyd yn nhywodfeini a cherrig llaid Silwraidd Mynydd Hiraethog gan y llen iâ a lifai tua'r gogledd-ddwyrain ar draws yr ucheldir yn ystod y Rhewlifiant Diwethaf. Bach iawn, serch hynny, yw'r tri o'u cymharu â'r ddwy gronfa ddŵr fawr a grëwyd yn ystod yr ugeinfed ganrif, sef Alwen (a adeiladwyd rhwng 1911 ac 1916) a Brenig (a gwblhawyd yn 1976), y llyn mwyaf o ddigon y ceir cip o'i ddyfroedd o gopa Bryn Trillyn. Gan eu bod bellach yn ganolfannau gweithgareddau hamdden poblogaidd, elfennau 'estron' i'w croesawu yn nhirwedd yr ardal yw'r cronfeydd, yn nhyb nifer. Ond mwy dadleuol yw'r ffermydd gwynt. Cwblhawyd ffermydd gwynt Foel Goch a Thir Mostyn, a godwyd ar lethrau'r copaon a gwyd uwchlaw glannau dwyreiniol Llyn Brenig, yn 2005, ac y mae mwy ohonynt yn yr arfaeth yn dilyn penderfyniad Llywodraeth Cymru i ddynodi Coedwig Clocaenog ei hun yn dir y ceir codi tyrbinau gwynt arno.

O'i chymharu ag effeithiau annileadwy fforestydd conwydd, cronfeydd dŵr a ffermydd gwynt ar dirwedd yr ardal, cymharol ddinod oedd effaith weledol y 'caban saethu' a arferai sefyll ar gopa Bryn Trillyn. Serch hynny, yr adeilad rhyfeddol hwnnw, a fwriai ei drem dros yr A543 yn cysylltu Dinbych a Phentrefoelas, oedd am flynyddoedd lawer gyda'r hynotaf o dirnodau unigeddau Mynydd Hiraethog.

Codwyd caban saethu Gwylfa Hiraethog yn 1908 gan Hudson Ewbanke Kearley, groser hynod lwyddiannus a gwleidydd uchelgeisiol o Uxbridge, Middlesex, a grëwyd yn Farwn Devonport ac yn Gadeirydd Awdurdod Porthladd Llundain flwyddyn ar ôl i'r gwaith adeiladu gwreiddiol ddod i ben. Wedi i'r adeilad gael ei ailwampio a'i helaethu yn 1918 honnid mai Gwylfa Hiraethog, plasty bach Jacobeaidd ei wedd, yn cynnwys tair ar ddeg o ystafelloedd gwely, oedd y breswylfod uchaf yng Nghymru ac nad oedd tŷ ym Mhrydain gyfan a allai frolio golygfeydd ehangach na'r rheiny a fwynheid gan deulu Kearley a'u gwahoddedigion cefnog.

Am rai blynyddoedd wedi i Kearley werthu'r plasty bach yn 1925 – yn ogystal â'r heldir, y ffermydd a'r cabanau a oedd yn eiddo iddo – bu'r tŷ yn gartref dros dro i giperiaid y stad hyd nes iddo gael ei adael yn anghyfannedd yn y 1960au. Oddi ar hynny, dirywio'n gyflym a wnaeth yr adeilad, a godwyd o gerrig lleol wedi'u rendro â sment ond gyda cherrig nadd o dywodfaen Gwespyr o amgylch fframiau'r drysau a'r ffenestri. Erbyn heddiw, dolur i'r llygad yw'r murddun nad oes braidd un rhan o'i furiau dadfeiliedig yn weladwy bellach o'r A543.

Llai amlwg hyd yn oed nag adfeilion Gwylfa Hiraethog yw gweddillion y rhesi o safleoedd saethu – cynifer â deg ym mhob rhes – a sefydlwyd ar y rhostiroedd grugog, nythfan y grugiar goch, a amgylchynai gopa Bryn Trillyn. Arferai pob safle gynnig lloches i un heliwr a oedd â'i fryd ar ladd cynifer â phosibl o'r grugieir wedi i'r tymor saethu wawrio ar 12 Awst, 'y Deuddegfed Gogoneddus'. Ond gan fod y safleoedd saethu yn guddiedig dan orchudd o rug a llus, a chan fod Gwylfa Hiraethog wedi hen fynd â'i phen iddi, yr unig symbol arhosol o'r hen stadau saethu, a oedd yn un o nodau amgen tirwedd Mynydd Hiraethog, yw'r rhostiroedd a gâi eu rheoli'n ofalus a'u cynnal er budd Hudson Ewbanke Kearley a'i debyg.

Ffos Anoddun, Betws-y-coed

Nod nifer o'r twristiaid cynnar a heidiai i Fetws-y-coed yn sgil creu priffordd yr A5 oedd chwilio am olygfeydd pictiwrésg, am dirweddau gwyllt a garw. Lle bynnag yr aent, chwilient am ryfeddodau natur lle y gallent ymdeimlo â phresenoldeb Natur ei hun, ac yng nghyffiniau'r dref fach ar lawr Dyffryn Conwy yr oedd mwy na digon o'r rheiny i ryngu bodd y mwyaf chwilfrydig a mentrus yn eu plith. Gyda'r mwyaf adnabyddus o'r atyniadau hynny oedd

Trodwll yng nghreigiau gwely afon Conwy

Rhaeadr Ewynnol ar afon Llugwy, er mai Rhaeadr y Wennol y'i gelwid gan y Gymraes y bu George Borrow yn sgwrsio â hi ar achlysur ei ymweliad â'r llecyn hynod brydferth hwnnw. A phe na bai'r olygfa honno yn plesio roedd geirw afon Lledr a Rhaeadr Machno hefyd o fewn cyrraedd, heb sôn am Raeadr Conwy (mae'n debyg mai Rhaeadr y Greiglwyn oedd yr hen enw) a Ffos Anoddun a oedd i'w gweld rhwng y naill ryfeddod a'r llall.

Un lle a wnaeth gryn argraff ar Borrow oedd Ffos Anoddun, sef yr 'hafn ddofn' islaw Rhaeadr Conwy y llifa'r afon yn drystfawr drwyddi ymhlith y 'creigiau toredig a'i try yn ewyn'. A pha syndod, gan fod yr olygfa a geir ohoni o lan yr afon, wrth droed y grisiau cerrig cul a llithrig, a naddwyd yn rhannol o'r llechfeini lleol, yn rhyfeddol o dlws. Serch hynny, ni ddaw'r ymwelydd o hyd i'r ceunant hudolus dan gysgod coed ffawydd a derw drwy ddilyn arwyddion 'Ffos Anoddun'. O Bont yr Afanc, sy'n cario'r A470 ar draws afon Conwy, y mae pob arwydd, ysywaeth, yn cyfeirio at *'Fairy Glen'*. Hwn ydy'r camenw anghyfiaith a fu ar dafod leferydd o leiaf rai o drigolion yr ardal fyth oddi ar y 1880au, os nad cyn hynny, a barnu yn ôl y ddau enw – 'Ffôs Noddyn [*sic*] / Fairy Glen' – a geir ar fapiau manwl cynharaf yr Arolwg Ordnans.

Er bod Ffos Anoddun a holl raeadrau'r fro yn rhan o ddalgylch afon Conwy heddiw, nid felly yr oedd hi amser maith yn ôl. Arferai afonydd Llugwy, Lledr a Machno ynghyd â'r rhan honno o afon Conwy rhwng Llyn Conwy, ar gyrrau gogleddol y Migneint, a chyffiniau Pentrefoelas, fod yn rhan o ddalgylch afon Dyfrdwy. Yn wreiddiol, llifai'r afon honno drwy'r dyffryn eang a ddilyna'r A5 bresennol rhwng Pentrefoelas a Cherrigydrudion ac yna ymlaen tua'r dwyrain. Yn y cyfamser, roedd y rhan honno o afon Conwy rhwng Trefriw a'r môr yn prysur ymestyn ei chwrs tua'r de drwy fanteisio ar ffawt enfawr Dyffryn Conwy, llinell o wendid daearegol y gellir ei holrhain o Gonwy yn y gogledd hyd yr ardal y tu hwnt i Bont yr Afanc yn y de. Ymhen hir a hwyr, cipiodd afon Conwy afonydd

Crochan Pont yr Afanc

Llugwy, Lledr, Machno a 'Chonwy uchaf', pob un yn ei thro, a'u dargyfeirio tua'r gogledd. O ganlyniad amddifadwyd afon Dyfrdwy o'i blaenddyfroedd a gorfodwyd rhannau isaf y pedair afon a ddargyfeiriwyd i ddilyn llwybrau serth, cul, creigiog a rhaeadrog cyn belled â'u cymerau ag afon Conwy. Er enghraifft, rhwng y Tŷ Hyll a Betws-y-coed disgynna afon Llugwy 105 metr dros bellter o bedwar cilometr yn unig.

Un o nodweddion amlycaf yr afonydd dargyfeiriedig hyn yw'r tyllau crynion, amrywiol iawn eu maint, yng nghreigiau eu gwelyau, ac mae enghreifftiau trawiadol ohonynt i'w gweld drwy gerdded y llwybr sy'n dilyn glannau afon Conwy rhwng Ffos Anoddun a'i chymer ag afon Lledr. Mae nifer o'r tyllau hynny yn llawn cerrig crynion, sef yr 'arfau' a fu'n gyfrifol am dreulio a chreu'r trodyllau wrth iddynt gael eu chwyrlïo gan drolifau chwyrn cenllifoedd, pan lifai'r dŵr ar gyflymder mawr. Er ei bod hi'n bosibl y crëwyd rhai o'r trodyllau hyn o ganlyniad i weithgaredd erydol yr afon bresennol, mae crochan mawr Pont yr Afanc, tirffurf nad oes mo'i debyg yn unman arall yng Nghymru, yn awgrymu mai nodweddion rhewlifol yw nifer ohonynt.

Daeth y crochan rhyfeddol i'r amlwg yn dilyn y gwelliannau a wnaed i'r ffordd fawr yn y 2000au cynnar. Saif ar fin yr A470 wrth odre llechweddau gorllewinol dyffryn Conwy, fry uwchlaw'r afon, mewn man sydd ymhell y tu hwnt i gyrraedd ei dyfroedd. Yn hytrach, crëwyd crochan Pont yr Afanc gan lifeiriant o ddŵr-tawdd a hyrddiai i lawr y llechwedd pan oedd yr ardal gyfan dan orchudd trwchus o iâ'r Rhewlifiant Diwethaf. Y mae'n dra phosibl mai afonydd dŵr-tawdd tanrewlifol a fu'n bennaf cyfrifol am gerfio nifer o'r trodyllau, nid yn unig yng nghreigiau gwelyau afonydd ardal Betws-y-coed, ond ledled Cymru hefyd.

Term Norwyeg ar gyfer trodwll rhewlifol yw *jettegryten*, sef 'crochan y cawr' yn Gymraeg. Mabwysiadwyd y term cyfaddas hwnnw gan y Parchedig D Lloyd Jones, Llandinam, awdur yr erthygl 'Crochanau'r Cewri' a gyhoeddwyd yn y cylchgrawn *Cymru* yn 1903 ac a gynhwysai ddisgrifiad o'r tirffurfiau arbennig hynny, ynghyd â nodweddion rhewlifol eraill. Heb os, yr oedd mab y pregethwr enwog John Jones, Tal-y-sarn, yn ddaearegydd amatur galluog a gyfrannodd nifer o erthyglau daearegol rhagorol i *Cymru* O M Edwards.

Llynnoedd Cowlyd, Geirionydd a Chrafnant

013

Mae clogwyni a natur greigiog llechweddau gorllewinol Dyffryn Conwy yn arwydd pendant fod cyfran helaeth o'r creigiau sy'n sail iddynt yn dra gwahanol eu natur i'r rheiny ar ochr ddwyreiniol y dyffryn, sy'n esmwythach a gwyrddach eu llethrau. I'r dwyrain o Ffawt Dyffryn Conwy, a red drwy ganol y dyffryn, sylfaen yr ucheldir yw cerrig llaid a thywodfeini Silwraidd, creigiau nad ydynt mor galed a di-ildio â chreigiau folcanig a llechfeini Ordofigaidd y mynydd-dir garw i'r gorllewin o'r toriad. Oherwydd gerwindeb y tir, prin yw lonydd yr ardal ac o ddilyn honno sy'n arwain o Drefriw i Gwm Brwynog a Llyn Cowlyd, buan y daw'r gyrrwr i sylweddoli na fwriadwyd y rhannau mwyaf cul, serth a throellog o'r heol i fodurwyr petrusgar.

Gorwedd yr ochr draw i Gefn Cyfarwydd (503 m) y mae Cwm Brwynog, cynefin coediog Tylluan Cwm Cawlwyd y bu negeswyr

Arthur yn ei holi am Fabon fab Modron, yn ôl yr hanes a geir yn chwedl 'Culhwch ac Olwen' yn y Mabinogion. 'Pan ddeuthum i yma gyntaf,' meddai'r aderyn hollwybodus, 'yr oedd y cwm mawr a welwch yn ddyffryn coed. Ac fe ddaeth cenhedlaeth o ddynion iddo ac fe'i difawyd. Ac fe dyfodd ynddo ail dyfiant coed, a hwn yw'r trydydd tyfiant.' Ond di-goed, corsiog ac anghyfannedd yw'r cwm heddiw a murddunnod yw'r ffermdai, megis Brwynog Uchaf ym mhen draw'r lôn wledig, a fu'n gartrefi bywiog hyd ddiwedd y bedwaredd ganrif ar bymtheg.

O Frwynog Uchaf mae lôn raeanog, wastad, sydd hefyd yn llwybr cyhoeddus, yn dilyn glannau afon Ddu cyn belled ag argae Llyn Cowlyd ym mlaenau Cwm Brwynog. Mae'r gronfa ddŵr ar uchder o oddeutu 365 metr a than drem llechweddau ysgithrog

Cwm Brwynog

Benglog (y rhan honno o ddyffryn afon Llugwy rhwng Llyn Ogwen a Chapel Curig) a Dyffryn Conwy. Saif naill ben y llyn dros 110 metr uwchlaw llawr Nant y Benglog a'r llall bron 500 metr uwchlaw creiglawr Dyffryn Conwy ger Dolgarrog, man lle y mae'r creiglawr o leiaf 130 metr o dan lefel y môr! Bylchwyd creigiau'r gefnen rhwng copaon Penllithrig-y-wrach a'r Creigiau Gleision gan lif pwerus o iâ wrth i haenau uchaf y rhewlif a lanwai Nant y Benglog i'w hymylon orlifo dros y cefn deuddwr ac ymuno â rhewlif Dyffryn Conwy, pan oedd y Rhewlifiant Diwethaf ar ei anterth.

Nid Llyn Cowlyd yw'r unig lyn i lenwi bwlch rhewlifol yn y wahanfa ddŵr ac iddi sylfaen o haenau o ludw folcanig a llifau lafa yn bennaf, cynnyrch echdoriadau tanfor grymus a ddigwyddodd tua 450 miliwn o flynyddoedd yn ôl. Iâ gorlifol hefyd a gafnodd y creicafnau yr ymgasglodd dyfroedd llynnoedd Crafnant (dyfnder 22 m) a Geirionydd (dyfnder 15 m) ynddynt y naill ochr a'r llall i grib Mynydd Deulyn (400 m), i'r de-ddwyrain o Lyn Cowlyd. Yr hyfrytaf o'r ddau yw Llyn Geirionydd. Ceir golygfa odidog ohono, a phrydferthwch anial y tir oddi amgylch iddo, o lôn Cwm Brwynog, fry uwchlaw Trefriw. Ar Fryn y Caniadau, bryncyn gerllaw 'graianaidd lan Geirionydd lwys' a'r gofgolofn a godwyd i ddynodi lleoliad bedd honedig Taliesin, yr arferai Gwilym Cowlyd, brodor o Drefriw, gynnal Arwest Glan Geirionydd yn flynyddol rhwng 1865 ac 1890. Ei obaith

Penllithrig-y-wrach (c. 700 m) tua'r gogledd-orllewin, a'r Creigiau Gleision (634 m) tua'r de-ddwyrain. Llyn Cowlyd yw nid yn unig yr hwyaf o holl lynnoedd Eryri (c. 2.75 km o hyd), ond hefyd y dyfnaf yng Nghymru. Ei ddyfnder naturiol yw 68 metr ac fe'i mesurwyd cyn codi'r argae a lefel y dŵr yn y llyn. Thomas John Jehu, brodor o Lanfair Caereinion a benodwyd yn Athro Daeareg a Mwynoleg ym Mhrifysgol Caeredin yn 1913, a gyflawnodd y dasg honno fel rhan o'i astudiaeth o fathymetreg llynnoedd Eryri a gyhoeddwyd yn 1902. Ond gan mai dyfnder y dŵr a fesurwyd gan Jehu, mae'n amlwg fod y basn creigiog (creicafn) dan wely'r llyn, sydd wedi'i lenwi'n rhannol â gwaddodion, yn ddyfnach na 68 metr.

Er dyfned yw'r llyn hirgul, nid ei ddyfnder yw hynodrwydd pennaf Llyn Cowlyd, ond yn hytrach ei leoliad a'i uchder, gan ei fod yn gorwedd ar lawr bwlch dwfn yn y wahanfa ddŵr rhwng Nant y

Argae Llyn Cowlyd a'r bwlch rhewlifol

oedd y byddai'r sefydliad barddol a luniwyd ganddo yn disodli Gorsedd Beirdd Ynys Prydain oherwydd fod honno, yn ei farn ef, yn Seisnigeiddio bywyd llenyddol Cymru.

Mynych y teithiai Alun Llywelyn-Williams, awdur *Crwydro Arfon* (1959), i Lyn Geirionydd a'i gael 'yn baradwys fechan', ond cadwai pysgotwyr draw o'r llyn. Tra bod brithyllod a thorgochiaid i'w cael yn Llyn Cowlyd (pysgod a symudwyd o Lyn Peris adeg adeiladu Pwerdy Dinorwig), a brithyllod a brithyllod seithliw yn Llyn Crafnant, ymddengys fod Llyn Geirionydd yn amddifad o bysgod oherwydd ei fod wedi'i lygru gan ddŵr a lifai o'r hen fwyngloddiau plwm a sinc ar ei lannau. Gyda'r pwysicaf ohonynt oedd mwynglawdd mawr Pandora, a gaeodd yn 1912. Saif y safle picnic a'r maes parcio ym mhen deheuol y llyn ar ei domennydd gwastraff.

Llyn Geirionydd a Bryn y Caniadau

014

Chwarel y Penrhyn, Bethesda

Un o ryfeddodau pennaf gogledd Cymru: dyna beth oedd Chwarel y Penrhyn ym marn y Parchedig W S Symonds, awdur *Records of the Rocks* (1872), cyfrol a luniwyd yn unswydd ar gyfer daearegwyr amatur a oedd, megis yntau, yn hoffi treulio eu horiau hamdden ymhlith y creigiau. Gŵr a fyddai wedi cytuno'n llawen â'r dyfarniad hwnnw oedd John J Evans, rheolwr y chwarel. Yn ei bapur ar 'Daeareg Ardal Bethesda', a gyhoeddwyd yn *Y Traethodydd* (1884), hawliodd mai cynnyrch 'prif wely Llechi Arfon, os nad prif wely llechi yr holl fyd' a gloddid dan ei gyfarwyddyd. At hynny, y chwarel hon, yr aeth Richard Pennant, Arglwydd Penrhyn, ati o ddifrif i'w hagor yn ystod y 1780au, fyddai'r twll mwyaf o waith llaw dyn ar wyneb y Ddaear erbyn blynyddoedd cynnar y bedwaredd ganrif ar bymtheg. Trwy gydol y ganrif honno roedd gyda'r chwarel lechi fwyaf cynhyrchiol yn y byd, ac ym mlynyddoedd ei hanterth, yn ystod y 1860au a'r '70au, pryd y cyflogid dros 3,000 o ddynion ar adegau, arferid cynhyrchu dros 100,000 tunnell o lechi o'r ansawdd gorau yn flynyddol.

Hyd 1800–01, pan agorwyd y dramffordd a gysylltai'r chwarel â Phorth Penrhyn ar lannau'r Fenai ger Bangor, câi'r llechi gorffenedig eu cludo i'r porthladd mewn cewyll ar gefn ceffylau. Ond buan y profai'r dull o dynnu wagenni â cheffylau yn aneffeithiol ac annigonol. Felly, rhwng 1874 ac 1876, aed ati i adeiladu rheilffordd newydd ac, oherwydd fod y llwybr a ddilynai'r 'lein fach' yn llai serth na'r hen dramffordd, gallai'r injans stêm halio degau o wagenni trwmlwythog yn ddidrafferth i Borth Penrhyn a'r rhai gweigion yn ôl i'r chwarel, 168 metr uwchlaw'r môr. Trefi a dinasoedd Lloegr, megis Lerpwl, Birmingham, Bryste a Llundain, oedd y farchnad fwyaf ar gyfer y llechi, ond allforid llwythi hefyd i bedwar ban byd – i ganolfannau fel Hamburg, Trieste, Boston a New Orleans.

Saif Chwarel y Penrhyn yn agos i ben gogledd-ddwyreiniol gwregys llechfaen enwog Bethesda–Llanberis–Dyffryn Nantlle y gellir ei olrhain dros bellter o 20 cilomedr cyn belled â Phen-y-groes. Perthyn creigiau'r gwregys, a adwaenir fel Ffurfiant Llechfeini Llanberis, i'r cyfnod Cambriaidd, creigiau a ymgasglodd yn wreiddiol ar ffurf haenau o laid, ynghyd ag ambell haen o dywod bras ar lawr y môr, rhwng 540 a 520 o filiynau o flynyddoedd yn ôl. Gyda threiglad amser maith, troes y llaid yn haenau o garreg laid lwydlas a phorffor, a'r tywod yn haenau cymharol denau o dywodfaen. Ond aeth dros 100 miliwn o flynyddoedd heibio cyn y trawsnewidiwyd y cerrig llaid yn llechfeini.

Tua 400 miliwn o flynyddoedd yn ôl, ar ddiwedd y cyfnod Silwraidd a dechrau'r Defonaidd, bu gwrthdrawiad penben rhwng dau gyfandir mawr hynafol a arferai orwedd y naill ochr a'r llall i hen gefnfor Iapetws. O ganlyniad, cafodd yr holl greigiau Cambriaidd, Ordofigaidd a Silwraidd a oedd wedi ymgasglu ar wely'r môr eu cywasgu a'u plygu rhwng genau feis tectonig a'u codi'n gadwyn o fynyddoedd mawrion – y Mynyddoedd Caledonaidd – a oedd yn

Cymuned Braichmelyn a Chwarel y Penrhyn

ymestyn o Sgandinafia, drwy'r Alban a Chymru, a hyd Fynyddoedd Appalachia yn nwyrain Gogledd America. Roedd y llechfeini a ffurfiwyd yn meddu ar holltedd llechog, a olygai fod modd eu hollti'n ddalennau gwastad, tenau, ar hyd llinellau cyfochrog, yn gwbl groes, yn amlach na pheidio, i haenau'r cerrig llaid gwreiddiol.

Yn Chwarel y Penrhyn ceir nifer o 'wythiennau' o lechfeini gweithiadwy yn ogystal â rhai nad ydynt o werth masnachol. Porffor neu las yw lliw y rhan fwyaf o'r llechfeini ond ceir hefyd gerrig coch, llwyd a rhai gwyrddion sy'n cynnwys sbesimenau prin o fath arbennig o drilobit cramennog a oedd yn fyw ac yn iach ym môr y cyfnod Cambriaidd cynnar. Byth ers diwedd y ddeunawfed ganrif, penderfynwyd torri'r graig yn bonciau ar batrwm grisiau enfawr agored, dull o gloddio y gwnaed y defnydd cyntaf ohono yn Chwarel y Penrhyn yn 1799 ac a fabwysiadwyd lle bynnag yr oedd y 'gwythiennau' yn goleddu'n serth. (Mewn mannau, megis ardal Blaenau Ffestiniog, lle roedd goledd y 'gwythiennau' yn fwy

cymedrol, byddai'n rhaid dilyn yr 'wythïen' i mewn i'r tir a'i chloddio mewn siambrau tanddaearol.)

Mae Chwarel Dinorwig yn segur bellach, wedi ei chau yn 1969, a chwareli Dyffryn Nantlle hefyd – yr olaf i'w chau oedd Penyrorsedd yn 1984. Ond deil Chwarel y Penrhyn, sydd yn eiddo i gwmni Llechfaen Cymru Cyf., i gynhyrchu amrywiaeth o ddefnyddiau drwy hollti a thrin y clytiau mawr o lechfaen a gloddir ar y ponciau – llechi toi, cerrig palmant, bordydd gwaith, cerrig aelwyd a cherrig wynebu. Cynhyrchir, hefyd, gerrig mân addurnol drwy falu cerrig gwast yn ysglodion bach, yn ogystal â phowdr llechfaen a ddefnyddir, er enghraifft, mewn paent a resinau. Eto i gyd, cerrig gwast yw cyfran helaeth o gynnyrch y gloddfa. Erys y tomennydd, ynghyd â'r twll enfawr llawn dŵr y gall ymwelwyr mentrus Zip World hedfan drosto ar gyflymder o oddeutu 100 milltir yr awr, yn rhan annatod o waddol diwydiant sydd wedi gadael ôl arhosol ar rannau o dirwedd gogledd-orllewin Cymru.

(hawlfraint©Zip World)

Nant Ffrancon

015

'Gallaf sicrhau yr ymdeithydd, yr hwn a ymhyfryda yn natur yn ei gwylltineb, na byddai i ymweliad â Nant Francon [*sic*], o Fangor, yn waith edifar ganddo.' Dyna'r farn bendant a fynegwyd gan Thomas Pennant yn y gyfrol *Teithiau yn Nghymru* (1883), cyfieithiad Syr John Rhŷs o *Tours in Wales*, a gyhoeddwyd yn wreiddiol mewn dwy gyfrol (1778 ac 1781). Yn ôl Pennant, 'ceunant aruthrol' yn hytrach na'r gair 'cwm' a gyfleai orau fawredd y dyffryn, 'y mae rhimyn main o ddoldir yn y gwaelod, yn cael ei ddyfrhau gan yr Ogwen, yr hon yn y pen pellaf a ymfwrw o Lyn Ogwen i lawr hyd wyneb afrywiog y Benglog.'

Heb os, Nant Ffrancon yw un o gafnau rhewlifol mwyaf trawiadol Eryri a thrwyddo rhed rhan o briffordd yr A5, hen ffordd y goets fawr. Cynlluniwyd y lôn bost yn wreiddiol gan y peiriannydd sifil medrus Thomas Telford yn y fath fodd fel na fyddai unrhyw ran ohoni yn serthach na 1:22, o'i gymharu ag 1:6 ar hyd rhannau o'r hen lôn a adeiladwyd yn 1791 i gysylltu Chwarel y Penrhyn, ger Bethesda, â stadau'r Arglwydd Penrhyn yng Nghapel Curig. Roedd ffordd yr Arglwydd Penrhyn yn dilyn ymyl orllewinol llawr y dyffryn hyd y ddringfa serth rhwng Blaen-y-nant (*c.* 220 m) a glannau Llyn Ogwen

(*c.* 310 m). Ond cerfiodd Telford y rhan helaethaf o'i lôn newydd, a adeiladwyd yn gynnar yn y bedwaredd ganrif ar bymtheg, ar draws llechweddau dwyreiniol gorserth Nant Ffrancon. Fodd bynnag, esgorodd y penderfyniad hwnnw ar anawsterau yn ystod y gwaith adeiladu ynghyd â phroblemau cynnal a chadw fyth oddi ar hynny.

Roedd Edward Llwyd yn un a oedd yn gyfarwydd ag ansadrwydd llethrau'r dyffryn hwn, a gawsai ei unioni, ei ledu a'i ddyfnhau gan rewlif Nant Ffrancon yn ystod y Rhewlifiant Diwethaf. Mewn llythyr a anfonodd at y botanegydd John Ray yn Chwefror 1691, nododd fod yn rhaid i drigolion Nant Ffrancon, ynghyd â phobl dda Nant Peris, glirio eu tiroedd yn gyson o'r meini a gâi eu tanseilio ('yn ddiau gan y glawogydd di-baid a'r gwythiennau o ddŵr tanddaearol a grëir ganddynt', yn ôl Llwyd) ac yna eu disodli a'u hysgubo i lawr llechweddau'r cafn rhewgerfiedig yn ystod cyfnodau o law trwm. A sawl gwaith yn ystod yr hanner can mlynedd diwethaf, rhwystrwyd trafnidiaeth rhag teithio ar hyd y rhan honno o'r A5 dan gysgod clogwyni Braich Tŷ Du gan dirlithriadau a chwympiadau creigiau.

Tra gwahanol eu golwg yw llechweddau gorllewinol Nant Ffrancon. Rhwng copa'r Garn (947 m), fry uwchlaw pen ucha'r

Pen uchaf Nant Ffrancon

Peiran Cwm-coch

dyffryn, a Charnedd y Filiast (c. 820 m), i'r de o Chwarel y Penrhyn, ceir cadwyn o fasnau mawr neu beirannau – Cwm Cywion, Cwm-coch, Cwm Bual, Cwm Perfedd, Cwm Graianog a Chwm Ceunant – sef chwe amffitheatr greigiog a gafnwyd gan gyfres o rewlifau bach a fwydai rewlif Nant Ffrancon pan oedd y Rhewlifiant Diwethaf yn ei anterth tua 20,000 o flynyddoedd yn ôl. Mae presenoldeb y tirffurfiau rhewlifol hyn ar un ochr y dyffryn yn unig yn drawiadol. Priodolir y patrwm i'r ffaith y byddai'r eira a roes fod i'r rhewlifau wedi ymgasglu'n wreiddiol mewn pantiau cysgodol fry ar y llethrau a wynebai'r gogledd-ddwyrain, sef y rheiny a oedd y tu hwnt i gyrraedd pelydrau cynnes yr haul am y rhan fwyaf o'r dydd. Er bod pob un o rewlifau mawr a bach Eryri wedi diflannu erbyn tua 15,000 o flynyddoedd yn ôl, adfeddiannodd rewlifau bach y mwyafrif o beirannau'r ardal yn ystod y cyfnod rhewllyd byrhoedlog rhwng 13,000 ac 11,500 o flynyddoedd yn ôl, gan adael marianau twmpathog ar eu holau, megis y rheiny sydd i'w gweld ar lawr chwe chwm Nant Ffrancon.

Am y rhan fwyaf o'r amser ers diflaniad y rhewlifau roedd llyn tri chilometr o hyd yn meddiannu dau fasn dwfn a gafnwyd yn llawr creigiog y dyffryn gan rewlif Nant Ffrancon. Afraid dweud bod y basnau dyfnion hynny wedi hen lenwi â thrwch o waddodion llynnol, yn bennaf, ac ynddynt ceir cofnod o'r newidiadau hinsoddol sydd wedi nodweddu'r 15,000 o flynyddoedd diwethaf.

Gorchuddir y graean a'r clai gwaelodol, a ymgasglodd yn ystod enciliad rhewlif Ffrancon tua 16,000 o flynyddoedd yn ôl, gan fwd ac ynddo baill coed, megis y gorfedwen (*Betula nana*). Yna, wrth i'r hinsawdd oeri drachefn, clai anorganig rhagor na mwd organig a ddyddodwyd fesul haen ar lawr y llyn yn ystod y cyfnod rhewllyd a ddaeth i ben 11,500 o flynyddoedd yn ôl. Ond mae paill coed yn ailymddangos yn y mwd sy'n gorchuddio'r clai, tystiolaeth sy'n dangos bod coed yn araf feddiannu'r tir wrth i'r hinsawdd gynhesu: y gorfedwen yn gyntaf, wedyn yr helygen a'r binwydden, ac yn olaf y dderwen a'r llwyfen. Ymhen hir a hwyr, disodlwyd dyfroedd bas y llyn, a fu'n graddol lenwi a lleihau dros gyfnod o 10,000 a mwy o flynyddoedd, gan fawnogydd yr aeth ffermwyr y fro ati i'w draenio er mwyn creu'r porfeydd brwynog ar ddwylan sianel droellog afon Ogwen.

Cwm Idwal

Mae i Gwm Idwal arwyddocâd arbennig yn hanes gwarchodaeth natur yng Nghymru. Yn 1954 fe'i dynodwyd yn Warchodfa Natur Genedlaethol, y gyntaf yn y wlad, ar gyfrif ei hynodion botanegol a daearegol a fu'n destun astudiaethau arloesol naturiaethwyr enwog, megis John Ray (1627–1705), Edward Llwyd (1660–1709) a Thomas Pennant (1726–98), a daearegwyr o fri, megis William Buckland (1784–1856), Adam Sedgwick (1785–1873) a'i ddisgybl, Charles Darwin (1809–82).

Byth ers dyddiau'r arloeswyr cynnar, gogoniant y cwm i naturiaethwyr yw clogwyni Trigyfylchau (Clogwyn y Geifr) o boptu'r Twll Du, ynghyd â'r llethrau sgri ychydig yn is na'r hafn. Dyma gynefin y planhigion arctig-alpaidd; rhai'n ffynnu ar silffoedd cysgodol y clogwyni ac eraill yn swatio mewn agennau ac ymhlith meini'r sgri. Yma, ar glogwyni mewndirol enwocaf Cymru ac ar lechweddau diffwys eraill Eryri, y darganfu Edward Llwyd frwynddail y mynydd/lili'r Wyddfa (*Lloydia serotina*), y planhigyn bach calchgar ac eiddil ei

Llyn Idwal a Phen yr Ole Wen (978 m): mae'r llyn ar ei gulaf lle mae marian twmpathog yn croesi llawr y cwm

olwg hwnnw nad yw'n tyfu yn unman arall yng ngwledydd Prydain. Silffoedd llaith calchaidd Cwm Idwal yw un o'r ychydig safleoedd hefyd lle tyf y derig (*Dryas octopetala*), sydd yma ar ffin ddeheuol ei diriogaeth ym Mhrydain. Mae i'r planhigyn ddail tebyg o ran eu siâp i ddeilen y dderwen, a blodyn wyth-petalog gwyn yn amgylchynu clwstwr o antherau melyn. I silffoedd llaith y clogwyni y mae'r diolch hefyd am bresenoldeb rhai rhywogaethau a gysylltir yn bennaf â choetiroedd, megis yr eurwialen (*Solidago virgaurea*) a blodyn y gwynt (*Anemone nemorosa*).

Cynnyrch gweithgaredd folcanig tanfor ffrwydrol, a nodweddai'r cyfnod Ordofigaidd tua 450 miliwn o flynyddoedd yn ôl, yw'r rhan fwyaf o greigiau'r cwm. Ceir yma lifau trwchus o lwch a lludw folcanig (sef tyffau llif-lludw) yn ogystal â llifau lafa, rhai ohonynt yn esgor ar

briddoedd calchaidd a'u toreth o blanhigion gwahanol, ac eraill ar briddoedd asidig sur llai cyfoethog eu fflora. Ymhlith y dilyniant folcanig ceir cyfran o greigiau gwaddod hefyd, tywodfeini a cherrig silt yn bennaf, rhai ohonynt yn llawn ffosilau o'r creaduriaid a drigai yn y môr yr oedd cynnyrch y llosgfynyddoedd tanfor ac ambell ynys folcanig fyrhoedlog yn ymgasglu ynddo.

Tua hanner can miliwn o flynyddoedd wedi i fwlcanigrwydd y cyfnod Ordofigaidd chwythu ei blwc, cafodd y pentwr creigiau eu plygu yn ystod cyfnod o symudiadau daear grymus a roes fod i Synclin Eryri, y plyg amlwg ar batrwm trawstoriad soser y cwyd ei ystlysau y naill ochr a'r llall i hafn y Twll Du. Rhan o ystlys dwyreiniol y synclin yw Rhiwiau Caws, yr haenau trwchus o dyffau llif-lludw ger pen uchaf Llyn Idwal. Ar wynebau'r creigiau adnabyddus hyn, sy'n

Llyn Idwal, Rhiwiau Caws a Synclin Eryri (chwith)

goleddu'n serth tua chanol y synclin, y mae cenedlaethau o ddringwyr wedi bwrw eu prentisiaeth cyn troi eu golygon tuag at glogwyni mwy heriol o lawer.

Yng Nghwm Idwal hefyd y bwriodd neb llai na Charles Darwin ran o'i brentisiaeth ddaearegol dan ofal ei fentor, Adam Sedgwick, a oedd yn Athro Daeareg ym Mhrifysgol Caergrawnt. Yn Awst 1831, treuliodd y ddau ddiwrnod cyfan yn archwilio creigiau'r cwm, gan fod Sedgwick, yn ôl Darwin mewn llythyr a luniwyd ganddo ym Mai 1875, yn awyddus iawn 'i ddarganfod ffosilau'. Er i Darwin, yn yr un llythyr, fynegi ei syndod nad oedd ef na'i athro wedi sylwi ar y nodweddion rhewlifol amlwg o'u hamgylch ar achlysur eu hymweliad, y gwir yw nad oedd disgwyl iddynt gyfeirio atynt. Ac eithrio William Buckland, a benodwyd yn Ddarllenydd mewn Daeareg ym Mhrifysgol Rhydychen yn 1819, ni wyddai daearegwyr Prydain ddim oll am y 'ddamcaniaeth rewlifol' hyd nes i Louis Agassiz, rhewlifegwr a brodor o'r Swistir, ymweld â Lloegr, yr Alban ac Iwerddon – ond nid Cymru – yn 1840 gyda'r bwriad o ganfod yn y gwledydd hynny olion rhewlifau'r gorffennol.

Yn y cyfamser, roedd Buckland wedi'i lwyr argyhoeddi o ddilysrwydd 'y ddamcaniaeth rewlifol' yn 1838, yn dilyn ei ymweliad â'i gyfaill Agassiz yn y Swistir. Yn wir, cwta ddeng mis wedi i Agassiz ddychwelyd adref yn Rhagfyr 1840, cafodd Buckland hyd i olion rhewlifol digamsyniol ger Pont Aberglaslyn. Ef oedd y cyntaf i ganfod y fath dystiolaeth yng Nghymru a chofnododd ei ddarganfyddiad chwyldroadol yn Llyfr Ymwelwyr Gwesty'r Afr, Beddgelert, ym mis Hydref 1841. Ddeufis yn ddiweddarach darllenodd bapur gerbron aelodau'r Gymdeithas Ddaearegol a ddisgrifiai'r nodweddion rhewlifol a ddarganfuwyd ganddo yn nyffrynnoedd Eryri, gan gynnwys cyffiniau Cwm Idwal.

Yn ôl ei gyfaddefiad ei hun, drwy lygaid Buckland yr edrychai Darwin ar Gwm Idwal ar achlysur ei ail-ymweliad â'r amffitheatr fawreddog, ac yn ei erthygl 'Notes on the Effects produced by the Ancient Glaciers of Caernarvonshire...' (1842) aeth ati i fanylu ar waith arloesol – ond anghofiedig – cyfaill Agassiz. Cyfeiriodd yn arbennig at y marianau ym mhen isaf ac uchaf Llyn Idwal – 'na feiddia un aderyn ehedeg dros ei ddyfroedd damniol' – ynghyd â'r creigiau rhewgerfiedig oddi amgylch iddo, tirffurfiau a nodweddion y mae eu hanes a'u harwyddocâd yn dal i fod yn destun sylw manwl gwyddonwyr daear.

Y wal o flaen Canolfan Warden Ogwen: coffeir Darwin ond nid Buckland

Camau daearegol Darwin trwy Eryri - 1831

Yn 1831, 65 o flynyddoedd cyn i'r trên bach cyntaf gyrraedd copa'r Wyddfa (1,085 m), roedd mynydd uchaf Cymru eisoes yn un o brif atyniadau'r wlad. 'Nid oes unman yn fwy cyhoeddus na thir uchaf Eryri yn ystod yr haf,' meddai'r clerigwr a'r arlunydd John Parker (1798–1860), a oedd yn dra chyfarwydd ag ardal yr Wyddfa y pryd hwnnw. Ond pa mor niferus bynnag oedd y torfeydd yn ei gyfnod ef, roeddynt yn fach o'u cymharu â'r 12,000 a deithiodd ar y rheilffordd yn unig yn ystod ei thymor cyflawn cyntaf yn 1897. Erbyn heddiw, mae'r ffigwr hwnnw wedi cynyddu i oddeutu 100,000, heb sôn am y 400,000 a mwy o gerddwyr sy'n cyrchu'r copa'n flynyddol drwy ddilyn un o'r pum llwybr mwyaf poblogaidd, a phawb yn ddiwahân yn rhannu'r gobaith na chaent eu '[h]enhuddo yn sydyn ac annysgwyliadwy gan niwl', chwedl Richard Pennant, wedi iddynt gyrraedd pen eu taith.

Ar y diwrnodau anfynych hynny pan fo'r wybren yn las ac yn ddigwmwl mae'r golygfeydd yn ddiguro, ni waeth i ba gyfeiriad yr edrychir. Serch hynny, mae annibendod yr ardal o amgylch y copa a hagrwch y llwybrau llydan – archollion y disgwylir i'r erydiad ar hyd-ddynt ddwysáu wrth i'r newidiadau hinsoddol presennol esgor ar aeafau gwlypach – yn tystio'n groyw i'r ffaith drist fod gogoniannau'r Warchodfa Natur Genedlaethol arbennig hon yn ysglyfaeth i'w phoblogrwydd cynyddol. Er bod Alun Llywelyn-Williams yn ei lyfr *Crwydro Arfon* (1959) yn mynnu mai o ochr Cwm Dyli 'y gwelir y mynydd ar ei fwyaf gosgeiddig a'i fwyaf aruthr', yr olygfa fwyaf dramatig yw honno o Fwlch Glas, rhwng yr Wyddfa a Charnedd Ugain (1,065 m), man cyfarfod pedwar llwybr a all fod 'mor boblog â thraeth y Rhyl' ganol haf. Ar erchwyn y dibyn hwnnw deuir wyneb yn wyneb ag amffitheatr greigiog Glaslyn a Llyn Llydaw. Ar y naill ochr a'r llall i orweddfan Rhita Gawr mae cribau danheddog Crib y Ddysgl a'r Grib Goch (923 m) yn ymestyn tua'r dwyrain, a'r Lliwedd (898 m) tua'r de-ddwyrain. Y mae rhodio'r llwybr caregog cul o naill ben crib y bedol i'r llall yn cynnig profiad nad oes modd ei brofi ar unrhyw fynydd arall ym Mhrydain, ac eithrio ar grib Mynyddoedd Cuillin, Skye.

Yr Wyddfa a chrib y Lliwedd

Glaslyn a Llyn Llydaw

Sail y crib yw creigiau folcanig ac un o orchestion daearegol Andrew Crombie Ramsay, a benodwyd yn gyfarwyddwr cyffredinol yr Arolwg Daearegol yn 1871, oedd datrys hanfodion hanes cymhleth yr ardal folcanig hynafol y mae'r Wyddfa yn rhan ohoni. Cynnyrch echdoriadau grymus a ddigwyddodd ar ynysoedd folcanig ac o dan y môr yw'r rhan fwyaf o ddigon o'r creigiau amrywiol. Yn eu plith ceir tyffau a ffurfiwyd wrth i lifau dudew o lwch a lludw eirias oeri, crisialu ac ymgaledu; llifau lafa; creigiau gwaddod, megis tywodfeini, y deilliai eu deunydd crai o erydiad lafâu a chreigiau folcanig eraill, yn ogystal â haenau caled o lwch a lludw folcanig ac ynddynt ffosilau o gregyn môr, fel y rheiny sy'n brigo ar gopa'r Wyddfa. Mae'n amlwg, felly, fod hyd yn oed yr uchelfan hwn yn rhan o wely'r môr pan oedd llosgfynyddoedd y cyfnod Ordofigaidd ar eu mwyaf byw, tua 450 miliwn o flynyddoedd yn ôl.

Ond nid hanes y creigiau yn unig a aeth â bryd Ramsay. Ar 20 Gorffennaf 1852, priododd Louisa, un o blant y Parchedig James Williams, Rheithor Llanfair-yng-Nghornwy (a hen daid Kyffin Williams), a'i wraig Frances. I'r Swistir yr aethant ar eu mis mêl, lle y syrthiodd y priodfab mewn cariad hefyd â rhewlifau'r Alpau a'r tirffurfiau a grëwyd ganddynt. Y garwriaeth honno a esgorodd ar ei glasur bach o lyfr, *The Old Glaciers of Switzerland and North Wales* (1860). Ynddo mynnai mai'r dyffryn 'mwyaf a'r gwychaf' yng nghalon Eryri oedd Cwm Llydaw lle y 'mae olion rhewlif mor amlwg fel nad oes angen disgrifio pob manylyn'. Y tirffurf rhewlifol amlycaf yw amlinell gribog y peiran sy'n cynnal dyfroedd llynnoedd creicafn Glaslyn (39 metr o ddyfnder) a Llydaw (58 metr o ddyfnder). Ond ar lawr Cwm Dyli hefyd y deuir ar draws arwynebau creigiau wedi'u

llyfnhau a'u crafu gan yr iâ, twmpathau o waddodion rhewlifol a meini gwasgaredig dirifedi. Priodolir y nodweddion hyn i gyd i enciliad y rhewlif olaf a'r mwyaf o'r holl rewlifau bach a feddiannai beirannau ledled Cymru rhwng 13,000 ac 11,500 o flynyddoedd yn ôl, yn ystod y cyfnod rhewllyd byrhoedlog a ddynodai ddiwedd y Rhewlifiant Diwethaf.

Deubeth yn unig a ddifethai wychder yr olygfa ym marn Ramsay: y sianel a gloddiwyd gan weithwyr y mwynglawdd copr ar lan Glaslyn er mwyn gostwng lefel Llyn Llydaw a'r 'sarn hyll' a arweiniai at y gwaith. Anfaddeuol hefyd oedd penderfyniad Awdurdod Parc Cenedlaethol Eryri i osod slabiau o wenithfaen llwyd o Bortiwgal ar lawr ac ar do Hafod Eryri, y ganolfan ddrudfawr oramlwg ar gopa'r Wyddfa, yn hytrach na llechfeini Chwarel y Penrhyn neu wenithfaen Trefor.

Ardal Rhyd-ddu

Prin yw llynnoedd naturiol Cymru. Hyd yn oed yn Eryri, ardal ac ynddi amryw lynnoedd, dim ond mewn un man y mae modd gweld mwy na dau neu dri ohonynt gyda'i gilydd. Ond mae'r olygfa tua'r gorllewin o gyffiniau copa'r Wyddfa gyda'r lletaf a'r tecaf yng Nghymru, ac yn ei harddu mae glasddyfroedd cynifer â saith llyn, gan gynnwys llynnoedd Cwellyn, y Dywarchen a'r Gadair a anfarwolwyd gan T H Parry-Williams, mab enwocaf Rhyd-ddu.

Erydiad rhewlifol a fu'n gyfrifol nid yn unig am greu'r basnau y mae tri o'r llynnoedd yn eu llenwi, ond hefyd am fylchu gwahanfeydd dŵr yr ardal, gan ddrysu ei phatrwm draeniad. Cafnwyd y creicafn 37 metr o ddyfnder y mae Llyn Cwellyn yn ei feddiannu gan y rhewlif a

lifai tua'r gogledd-orllewin ar hyd Nant y Betws. Yn yr un modd, y rhewlif a greodd Fwlch y Gylfin, yr hafn ddramatig rhwng clogwyni gwenithfaen Craig y Bera (c. 620 m) a chreigiau folcanig copa'r Garn (633 m) ym mlaenau Dyffryn Nantlle, a dyrchodd hefyd y basnau yn 'llechi Lleu' lle cronnodd llynnoedd Nantlle Uchaf ac Isaf. Ond ys dywedodd R Williams Parry, "does ond un llyn ym Maladeulyn mwy'. Am fod dyfroedd y llyn isaf yn peryglu chwarel lechi Dorothea, fe'i draeniwyd a chladdwyd ei wely dan domennydd o gerrig rwbel.

Llyn creicafn hefyd yw Llyn y Dywarchen fel y tystia'r ynys greigiog yn ei ganol, talp o graig igneaidd galed (dolerit) yng nghanol y llechfeini llai gwydn sy'n brigo dan gysgod Clogwynygarreg (336 m).

Bwlch y Gylfin dan drem Craig y Bera a'r Garn

Tomennydd chwarel lechi Glanrafon

Garw a serth yw llechweddau gogleddol yr ynys o'u cymharu â'r llethrau esmwythach deheuol. Mae'n batrwm sy'n dynodi y cafodd y graig, yn yr achos hwn, ei mowldio a'i lliflunio gan rewlif a lifai o'r de i'r gogledd. Tua 20,000 o flynyddoedd yn ôl roedd Eryri gyfan dan orchudd o iâ ond, drwy garbon-ddyddio deunydd organig a ymgasglodd ar wely llyn bach diflanedig wrth droed dwyreiniol Clogwynygarreg, daeth yn amlwg fod rhewlifau'r ardal yn prysur ddiflannu erbyn oddeutu 17,000 o flynyddoedd yn ôl, gan adael trwch o waddodion rhewlifol ar loriau'r dyffrynnoedd. Llenwi pantiau ymhlith y cyfryw waddodion y mae llynnoedd Glas, Coch a'r Nadroedd ar lawr peiran mawreddog Cwm Clogwyn dan gopa'r Wyddfa.

Dim ond 'ychydig o ddŵr wedi cronni ar wyneb cors fawnoglyd ar dipyn o dir gweddol wastad', chwedl Parry-Williams, yw Llyn y Gadair ym mlaenau Nant Colwyn. Ond, er gwaethaf ei leoliad, nid yw ei fasddwr yn rhan o ddalgylch afon Colwyn, sy'n llifo tua'r de hyd ei chymer ag afon Glaslyn ym Meddgelert. Wrth ymadael â'r llyn, troi i'r gogledd a wna afon Gwyrfai gan groesi'r hen wahanfa ddŵr yng nghyrrau Rhyd-ddu cyn ei bwrw hi drwy Nant y Betws ar ei thaith tua'r môr. Drwy'r un bwlch yn y wahanfa ddŵr y rhedai'r ffordd fawr a hefyd y 'lein bach' – y *North Wales Narrow Gauge Railways* – a gysylltai Dinas, ger Caernarfon, â Rhyd-ddu, ac a agorwyd yn 1881.

Prif swyddogaeth y rheilffordd oedd gwasanaethu chwarel lechi Glanrafon, ar lechweddau dwyreiniol blaenau Nant y Betws, a hefyd y ddwy chwarel fach ar lan dde-orllewinol Llyn y Gadair. Ond drwy enwi'r orsaf derfyn yn South Snowdon, yn hytrach na Rhyd-ddu, mae'n amlwg y gobeithiai hyrwyddwyr y lein fanteisio hefyd ar y fasnach dwristaidd. Yn wir, yn 1875, ymhell cyn dyddiau Rheilffordd yr Wyddfa, roedd eu bryd ar adeiladu rheilffordd rac a phiniwn o Ryd-ddu hyd gopa'r Wyddfa. Ni wireddwyd y freuddwyd uchelgeisiol honno na'r cynllun arfaethedig i ymestyn y lein cyn belled â Beddgelert a oedd, erbyn blynyddoedd cynnar yr ugeinfed ganrif, yn gyrchfan twristiaid poblogaidd. Yna, yn ystod blynyddoedd dreng y Rhyfel Byd Cyntaf, bu'n rhaid rhoi'r gorau i gludo teithwyr. At hynny, gwelwyd cau chwarel Glanrafon, lle yr arferid cloddio llechfeini llwydlas Ordofigaidd, gwahanol iawn eu pryd a'u gwedd i lechfeini Cambriaidd cochlyd a phorfforaidd Dyffryn Nantlle.

Er i'r rheilffordd gau am gyfnod byr yn 1922, fe'i hailagorwyd yng Ngorffennaf y flwyddyn honno gan gwmni'r *Welsh Highland Railway* a fu'n gyfrifol am ymestyn y lein drwy Feddgelert i Borthmadog, gwaith a gwblhawyd ym Mai 1923. Ond sigledig oedd seiliau ariannol y cwmni ac ymhen cwta bedair blynedd, bu'n rhaid ei roi yn nwylo'r derbynnydd. Gwaetha'r modd, aflwyddiannus fu'r ymdrechion i ddatrys y trafferthion ariannol, ac o ganlyniad darfu'r rheilffordd yn 1937. Codwyd y cledrau ar ddechrau'r Ail Ryfel Byd.

Gan nad oedd dim ar ôl ac eithrio rhannau o hen wely'r lein, mentrodd Alun Llywelyn-Williams gyhoeddi yn blwmp ac yn blaen yn ei gyfrol *Crwydro Arfon* (1959) '[nad] oes gobaith y gwelir byth eto y trên bach yn pwffian trwy Aberglaslyn a Rhyd-ddu'. Ond daeth tro ar fyd. Agorwyd rhan gyntaf Rheilffordd Eryri yn Hydref 1994 ac erbyn Awst 2003 gallai'r trên bach bwffio unwaith yn rhagor o Gaernarfon i Ryd-ddu, a phob cam i Borthmadog erbyn Chwefror 2011.

Clogwyn Du'r Arddu

019

Unig wir ogoniant Llwybr Llanberis yw'r olwg a geir o Glogwyn Du'r Arddu a'r Clogwyn Coch o gyffiniau gorsaf reilffordd Clogwyn, a hynny er mor drawiadol yw'r olygfa draw i gyfeiriad y Foel Goch (605 m) a Moel Cynghorion (674 m) a geir wrth rodio'r llwybr sy'n dilyn y rheilffordd ar draws llechweddau dwyreiniol Cwm Brwynog am y rhan helaethaf o'r ffordd tua chopa'r Wyddfa. Nid dyma'r clogwyn uchaf yng Nghymru, o bell ffordd, ond myn Jim Perrin, yr awdur arobryn a'r dringwr creigiau o fri, mai'r diffwys hwn, a gwyd tua 300 metr uwchlaw glannau Llyn Du'r Arddu, yw'r gwychaf ym Mhrydain. Rhwng 1926 ac 1986, cyflawnwyd pob cynnydd yn hanes y gamp o ddringo creigiau ar slabiau moel y dibyn arswydlon hwn a hyd heddiw mae'r dringfeydd heriol – dros 200 ohonynt, gan gynnwys rhai a ystyrir yn drybeilig o anodd – yn dal i ddenu dringwyr lu.

Yn briodol ddigon, Cymro a ymgymerodd â'r ddringfa-graig gyntaf i'w chofnodi yng Nghymru. Y gŵr hwnnw oedd y Parchedig Peter Bailey Williams, Rheithor Llanberis, ac yn ôl y naturiaethwr a'r awdur toreithiog William Bingley, cafodd ef 'y syniad gwallgof o geisio dringo'r dibyn serth' pan grwydrodd y ddau ohonynt draw i Glogwyn Du'r Arddu yn 1798, gyda'r bwriad o chwilio am rai o'r planhigion 'yr oedd Edward Llwyd a John Ray wedi'u disgrifio yn tyfu yno' tua chanrif yn gynharach. Heb os, y mae'r clogwyn hwn ymhlith un o safleoedd botanegol cyfoethocaf Eryri. Yma yn 1639 y canfu'r arloeswr botanegol cynnar Thomas Johnson ferwr-y-cerrig y Gogledd (*Arabis petraea*) ynghyd â rhedyn a chnwpfwsoglau arctig-alpaidd sy'n tyfu ar silffoedd cul ac mewn agennau creigiau cysgodol, nad ydynt o fewn cyrraedd na phelydrau cynnes yr haul na safnau defaid llwglyd.

Cymharol ddi-nod yw blodau bach gwyn berwr-y-cerrig y Gogledd o'u cymharu â rhai o rywogaethau eraill y cynefin arbennig hwn. Amlycach a harddach yw'r clustogau o flodau pinc gludlys mwsoglog (*Silene acaulis*), blodau coch tormaen porffor (*Saxifraga*

Craith hyll llwybr treuliedig Llanberis

oppositifolia), pennau clystyrog o fân flodau melyn pren y ddannoedd (*Sedum rosea*) a blodyn chwe-phetalog gwyn brwynddail y mynydd/lili'r Wyddfa (*Lloydia serotina*), y mae ei enw Lladin yn dwyn i gof Edward Llwyd a ddarganfu'r planhigyn am y tro cyntaf ar daith yn Eryri yn ystod y 1680au.

Mae'r amrywiaeth o blanhigion sydd i'w canfod ar y clogwyn i'w briodoli i natur y creigiau, i raddau helaeth. Amodau calchgar sydd wrth fodd planhigion blodeuol megis gludlys mwsoglog a thormaen porffor a hefyd redyn fel rhedynen-Woodsia Alpaidd (*Woodsia alpina*) a ffiolredynen frau (*Cystopteris fragilis*), ond mae cnwp-fwsogl Alpaidd (*Diphasiastrum alpinum*) a chnwp-fwsogl mawr (*Huperzia selago*), dau o'r cnwp-fwsoglau mwyaf cyffredin, i'w cael yn tyfu ar glytiau tenau o bridd asidig.

Ac eithrio un haenen o dywodfaen calchaidd, pentwr o greigiau folcanig yw Clogwyn Du'r Arddu, cynnyrch echdoriadau tanfor grymus – a chatastroffig ar brydiau – a siglodd sylfeini'r rhan hon o Gymru'r cyfnod Ordofigaidd, tua 450 miliwn o flynyddoedd yn ôl. Llifau tyrfol trwchus o lwch a lludw folcanig eiriasboeth a roes fod i'r

creigiau hynaf sy'n brigo rhwng troed pen gorllewinol y clogwyn a'r teras gorllewinol glaswelltog (neu'r *Western Terrace*, fel y'i gelwir gan ddringwyr), y mae ei arwyneb yn goleddu'n serth tua'r dwyrain a chanol y synclin (plyg ar ffurf bwa wyneb i waered). Wrth oeri, weldiodd y cymysgedd o lwch, lludw a phwmis yn graig solet (Twff Rhyolitig), sy'n esgor ar bridd asidig wrth hindreulio. Fodd bynnag, mae'r teras ei hunan yn cyfateb i frigiad tywodfaen calchaidd ac ynddo ffosilau, gweddillion trilobitau a physgod cregyn a drigai ar wely'r môr yn ystod egwyl o dawelwch rhwng y ffrwydradau tanllyd tanfor.

Yn gorchuddio'r tywodfaen y mae haen drwchus o ryolit, math o lafa a fewnwthiwyd i ganol creigiau'r ardal pan oedd ar ffurf magma (craig dawdd) gludiog. Rhyolit yw sail y clogwyni i'r gorllewin o echelin y synclin ond nid i'r dwyrain ohoni. Mewn perthynas â hanner gorllewinol Clogwyn Du'r Arddu, gwthiwyd yr hanner dwyreiniol ar i fyny ar hyd ffawt fertigol ac o ganlyniad mae'r haen o ryolit yn gyfyngedig i hanner uchaf y clogwyn yn unig. Yn ddiweddarach, manteisiodd corff o fagma du ei olwg (dolerit) ar wendid y ffawt drwy godi tua'r wyneb ar hyd-ddo. Mae hindreuliad dolerit hefyd yn rhoi bod i briddoedd ac ynddynt fymryn o galch.

Natur ac adeiledd y creigiau sydd wedi dylanwadu ar bryd a gwedd Clogwyn Du'r Arddu ond y rhewlif mawr a feddiannai Gwm Brwynog 20,000 o flynyddoedd yn ôl a fowldiodd ehangder gwyllt y dyffryn. Diflannodd y rhewlif hwnnw tua 15,000 o flynyddoedd yn ôl ond yna, rhwng 13,000 ac 11,500 o flynyddoedd yn ôl, adfeddiannodd rhewlif bach yr amffitheatr greigiog dan gysgod Clogwyn Du'r Arddu a'r Clogwyn Coch, gan ddyddodi'r marianau sydd bellach yn rhannol gyfrifol am gronni dyfroedd gwyrddlas y llyn. A dim ond wedi i'r iâ hwnnw ddiflannu y daeth y safle yn gadarnle i rai o blanhigion arctig-alpaidd prinnaf Cymru.

Brwynddail y mynydd / lili'r Wyddfa (hawlfraint©Gerallt Pennant)

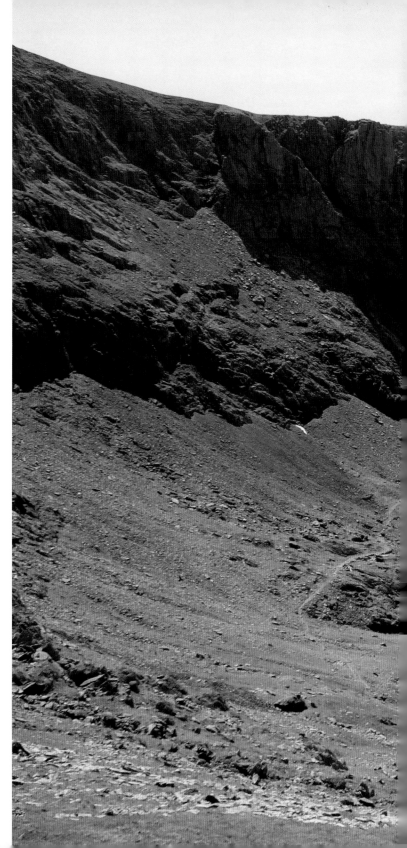

020

Moel Tryfan a Chwarel Alexandra

Mae Moel Tryfan (427 m) yn bwrw ei drem dros Y Fron, Carmel a Rhosgadfan, tri o'r pentrefi gwasgaredig a ddatblygodd yn bennaf yn ystod y bedwaredd ganrif ar bymtheg yn sgil y gwaith yn chwareli llechi'r fro. Rhwng copa'r Foel a Nantlle a Thal-y-sarn, ar lannau afon Llyfni, gorwedda'r rhan helaethaf o ardal chwarelyddol Dyffryn Nantlle a ddisgrifiwyd gan Alun Llywelyn-Williams, awdur *Crwydro Arfon* (1959), fel 'un chwalfa o domennydd ac o byllau dŵr dyfnion, tywyll, a pheryglus hefyd, lle bu unwaith gafnau'r chwareli sydd wedi cau'. Yr uchaf o'r hen gloddfeydd hynny yw Chwarel Alexandra ar lechweddau de-ddwyreiniol Moel Tryfan ac oddi yno ceir golwg ar y gwastadeddau rhwng Caernarfon a'r Eifl, ar lwyfandir arfordirol Môn y tu draw i'r Fenai ac ar gopaon Crib Nantlle, rhwng Craig Cwm Silyn a'r Garn. Ond yn hynotach nag ysblander y

golygfeydd hynny yw'r cipolwg a geir ar y gwaddodion a ddarganfuwyd gan Joshua Trimmer ar ymylon pwll y chwarel ddiwedd y 1820au, dyddodion ac iddynt hanes rhyfeddol.

Ganed Trimmer yng Nghaint, ond pan oedd yn blentyn, ymsefydlodd y teulu yn Brentford, Middlesex, lle roedd ei dad, gŵr busnes a chanddo ddiddordeb mewn daeareg, yn berchen ar waith a gynhyrchai friciau a theils. Buddsoddodd gyfran o'i arian ym mwyngloddiau copr Eryri (y rheiny ym mlaenau Dyffryn Nantlle, yn ôl pob tebyg) ac yn 1814 anfonodd ei fab, 19 mlwydd oed, i oruchwylio un ohonynt. Ymhen ychydig flynyddoedd troes y gŵr ifanc tua thref gan gymryd gofal fferm yn Middlesex. Ond yna, yn 1825, wedi i'w dad gymryd prydles ar chwareli llechi yn ardal Llanllechid, dychwelodd i Gymru er mwyn goruchwylio'r fenter. Erbyn hynny, roedd Trimmer,

megis ei dad, wedi magu cryn ddiddordeb mewn daeareg. Wrth grwydro Moel Tryfan, daeth ar draws trwch o dywod a graean ac ynddynt gregyn môr a meini estron ar uchder o oddeutu 410 metr uwchlaw'r môr, yn gorwedd ar ben y llechfeini Cambriaidd, cochlyd a phorfforaidd eu lliw, a gloddid yn Chwarel Alexandra. Go brin y sylweddolai hynny ar y pryd, ond roedd ei ddarganfyddiad a'i ddehongliad o arwyddocâd y gwaddodion morol, a fu'n destun papur a gyhoeddwyd ganddo yn 1831, yn gyfrifol am ddrysu a chamarwain daearegwyr Prydain dros gyfnod o hanner canrif a mwy.

Ac ystyried uniongrededd y cyfnod, nid yw'n syndod i Trimmer, a ymgartrefodd am rai blynyddoedd ym Maladeulyn, briodoli'r cyfryw waddodion i'r Dilyw y cofnodir ei hanes yn llyfr Genesis: 'Cryfhaodd y dyfroedd gymaint ar y ddaear nes gorchuddio'r holl fynyddoedd uchel ym mhob man dan y nefoedd...' Ond yna '[c]iliodd y dyfroedd yn raddol oddi ar y ddaear, ac wedi cant a hanner o ddyddiau aeth y dyfroedd ar drai' gan adael ar lechweddau Moel Tryfan drwch o dywod a graean a oedd yn cynnwys gweddillion dros ddeugain o wahanol rywogaethau o bysgod cregyn.

Chwedl rhagor na ffaith oedd y Dilyw ym marn y rhan fwyaf o ddaearegwyr hanner cyntaf y bedwaredd ganrif ar bymtheg. Yn nhyb nifer o hoelion wyth byd daearegol y cyfnod, gwŷr megis Andrew Crombie Ramsay a benodwyd yn Gyfarwyddwr yr Arolwg Daearegol yng Nghymru, Lloegr a'r Alban yn 1845, nid dyfroedd y Dilyw a foddodd y tir, ond y tir ledled Prydain a gorllewin Ewrop a suddodd o dan y môr a'i donnau. Yn ystod yr egwyl pan ymgasglai'r gwaddodion cregynnog ar lechweddau Moel Tryfan, hawliai Ramsay

Yr Eifl o gyrion Chwarel Alexandra

Graean yn gymysg â thywod dan haen o fawn

67

mai dim ond copaon uchaf mynyddoedd Eryri a godai ar ffurf ynysoedd uwchlaw'r môr mawr. Yna, yn ôl Ramsay, cododd y tir i'w lefel flaenorol, er na chafwyd ganddo unrhyw eglurhad o'r broses a achosodd yr ymgodiad na'r gostyngiad gwreiddiol.

Yn yr argraffiad diwygiedig o'i gyfrol *The Geology of North Wales*, a gyhoeddwyd yn 1881, mynnai Ramsay mai dim ond gŵr beiddgar, onid rhyfygus, a fyddai'n mentro awgrymu bod yr haenau o dywod a graean ar Foel Tryfan wedi'u codi oddi ar wely'r môr a'u gwthio rywsut neu'i gilydd bron cyn uched â chopa'r mynydd. Ond mentro a wnaeth Thomas Belt gan roi mynegiant i'w ddamcaniaeth heriol mewn papur yn dwyn y teitl 'The glacial period' a ymddangosodd yn y cylchgrawn *Nature* yn 1874. Rhagwelai'r

daearegwr hirben hwnnw mai corff anferthol o iâ, llen iâ gyda'i tharddiad ym mynyddoedd gogledd Iwerddon, Ardal y Llynnoedd a gogledd-orllewin yr Alban, a fu'n gyfrifol am godi'r dyddodion morol oddi ar lawr basn Môr Iwerddon ac yna eu gwthio ar i fyny a'u gadael yn ddiseremoni ar y llethrau islaw copa Moel Tryfan – ac roedd Belt yn llygad ei le.

Yn ôl pob tebyg, dyddio o'r Rhewlifiant Diwethaf, a ddaeth i'w uchafbwynt tua 20,000 o flynyddoedd yn ôl, y mae dyddodion Moel Tryfan. Gwaetha'r modd, fodd bynnag, dim ond cyfran fechan o'r trwch gwreiddiol sydd wedi goroesi'r gweithgareddau chwarelyddol dinistriol. Gan hynny, mae dyfodol un o nodweddion daearegol unigryw safle gwarchodedig Moel Tryfan yn y fantol.

Lle cyfleus i waredu sbwriel yw safle gwarchodedig Moel Tryfan, yn ôl rhai

Trefor a Chwarel yr Eifl

021

Wedi'r hir edwino, byw ydy Nant Gwrtheyrn, y Ganolfan Iaith Genedlaethol sydd â chopa Mynydd y Garnfor yn gefndir cadarn iddi. Mynydd Gwaith y gelwir y mynydd yn lleol a'r trum hwn ydy'r mwyaf gorllewinol o driban yr Eifl. Ond segur a mud yw'r tair chwarel wenithfaen – Cae'r Nant, Porth y Nant a Charreg y Llam – gweithfeydd a oedd yn eu hanterth ddiwedd y 1880au ac a fu'n gynhaliaeth i drigolion y pentref chwarelyddol hyd ddiwedd y 1940au.

Cwta bum mlynedd wedi i'r gwaith cloddio ddechrau yn y Nant yn 1851, gosodwyd carreg sylfaen Trefor, pentref newydd a fyddai, ymhen ugain mlynedd, yn meddiannu'r badell o lawr gwlad wrth odre llechweddau gogleddol serth Mynydd Gwaith (444 m). Enwyd y pentref ar ôl y gŵr a gafodd y fraint o osod y garreg sylfaen, sef Trefor Jones, fforman y *Welsh Granite Company*, a chyflawnwyd hynny ar 12 Ebrill 1856. Ysywaeth, bu farw Trefor Jones ar 17 Mehefin 1860 ac felly ni fu'n dyst i ddatblygiad Chwarel yr Eifl (neu'r Gwaith

Mawr, fel y'i gelwid yn lleol), cloddfa gerrig a oedd, erbyn y 1880au, y fwyaf ymhlith chwareli sets y byd.

Tyfodd y Gwaith Mawr, a gyflogai gynifer â mil o ddynion ar adegau prysur iawn, i fod yn chwarel o ddeg ponc, a'r uchaf ohonynt oddeutu 100 metr yn unig dan gopa Mynydd Gwaith. Ar y llwyfannau hyn yr enillai'r creigwyr y clytiau mawr o wenithfaen llwydlas a llwydbinc ei liw a chrisialog ei wedd; yma hefyd y gweithiai'r setswyr yn eu cytiau, gan gelfydd hollti'r garreg yn giwbiau cymen. Yna, câi'r sets eu llwytho ar wagenni a anfonid i lawr yr inclein serth, a agorwyd yn 1867, ac ymlaen cyn belled â chei 'newydd' Trefor, a gwblhawyd yn 1869. Yno y pentyrrid y sets a allforid yn eu cannoedd o filoedd, meini a gâi eu defnyddio i balmantu strydoedd dinasoedd a threfi mawrion Lloegr yn bennaf, megis Lerpwl, Manceinion a Llundain. Prif rinwedd sets Trefor oedd eu gwydnwch, cerrig na fyddai'n treulio'n llithrig dan garnau ceffylau nac olwynion cerbydau. Ym mlynyddoedd cynnar yr ugeinfed ganrif roedd y Gwaith Mawr nid yn unig yn cynhyrchu ac yn allforio tua 50,000 o dunelli o sets yn flynyddol, ond hefyd fetlin (cerrig ffordd), cynnyrch a oedd, erbyn diwedd y bedwaredd ganrif ar bymtheg, yn raddol leihau'r galw am sets.

Nid oes ond rhaid crwydro strydoedd Trefor i werthfawrogi pa mor ddeniadol yw'r gwenithfaen lleol. Craig igneaidd ydyw a ymffurfiodd wrth i fagma (craig dawdd) araf oeri a chrisialu mewn siambr enfawr yn ddwfn yng nghramen y Ddaear, tua 450 miliwn o flynyddoedd yn ôl, pan oedd yr ardal yn rhan o dalaith folcanig a ymestynnai o Lŷn i Eryri. Ond mae'r garreg hefyd i'w gweld mewn mannau eraill yng Nghymru, oherwydd ohoni hi y naddwyd rhai o gofebion cenedlaethol mwyaf trawiadol a phwysicaf y wlad, megis y gofeb i'r ddau ryfel byd a saif ar gopa Ynys Galch, Porthmadog, a'r cerflunwaith yn Waunfawr i goffáu John Evans (1770–99), un o feibion enwocaf y pentref hwnnw. Fe aeth ef i chwilio am yr 'Indiaid Cymreig' – llwyth y Mandaniaid – a drigai yng nghyrrau uchaf afon Missouri ac a oedd, yn ôl traddodiad, yn ddisgynyddion Madog ab Owain Gwynedd.

Er pwysiced y cofebion uchod, ceir yng Nghymru dair cofeb sy'n haeddu amgenach sylw gan bob gwladgarwr a gwladgarwraig. Yn 1952, dadorchuddiwyd slabyn caboledig o wenithfaen y Gwaith Mawr ym Mhencader i goffáu 'Hen Ŵr Pencader', a roes fynegiant i'w ffydd

Meini cwrlo (isod)

yn nyfodol ei genedl mewn geiriau a gofnodwyd gan Gerallt Gymro. Lluniwyd geiriau heriol a di-ildio'r hynafgwr gwladgarol anhysbys, sydd i'w gweld ar y garreg, yn ymateb i ymholiad haerllug Harri II a oresgynnodd Ddeheubarth yn 1136. Yng Nghorwen, saif y cerflun ysblennydd o Owain Glyndŵr, o waith Colin Spofforth, ar ben blocyn wyth tunnell o wenithfaen llwydlas yr Eifl. Fe'i dadorchuddiwyd ar 13 Medi 2007, dridiau cyn dathlu pen blwydd y dydd y cyhoeddwyd Glyndŵr yn Dywysog Cymru yng Nglyndyfrdwy ar 16 Medi 1400.

Ond prif gofgolofn cenedl y Cymry yw honno yng Nghefn-y-bedd (Cilmeri), gerllaw'r fan ar lan afon Irfon lle y lladdwyd Llywelyn ein Llyw Olaf ar 11 Rhagfyr 1282. Yn 1956 disodlwyd yr obelisg di-lun, a

godwyd yn 1902, gan ddarn garw o wenithfaen Trefor, 4.6 metr o uchder, a'i osod i sefyll ar dwmpath gwyrddlas lle yr 'Erys ei her i'r oes hon'.

Daeth y gwaith cloddio mawr yn Nhrefor i ben yn ystod y 1960au, gan adael y ponciau a llwybr yr inclein yn dystion mud i'r prysurdeb a fu. Er hynny, mae Chwarel yr Eifl a'r gweithdy prysur yn y pentref, sydd yn eiddo i Trefor – ie, Trefor Davies – yn dal i fod yn ffynhonnell sets, cerrig addurniadol a hefyd feini cwrlo. Fe'u paratoir ar ran y *Canada Curling Stone Company*, yr unig gwmni yn y byd sy'n meddu ar yr hawl i ddefnyddio gwenithfaen Trefor, carreg nad oes ei rhagorach ar gyfer cynhyrchu meini cwrlo o'r ansawdd gorau.

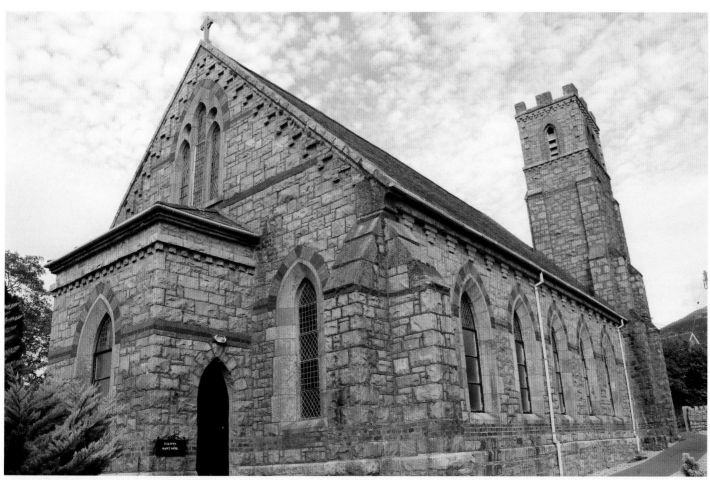

Eglwys San Siôr, Trefor, a godwyd o'r garreg leol tua 1880

022

Y Foel Gron, Mynytho

Di-nod yw'r Foel Gron o'i chymharu â moelydd a charnau amlycaf Llŷn. Saif y bryncyn, nad yw'n codi fawr uwch na 30 metr uwchlaw'r tir oddi amgylch iddo, o fewn tafliad carreg bron i Neuadd Mynytho, a enwogwyd gan yr englyn adnabyddus o eiddo R Williams Parry sydd ar ei mur. Ond o gyrchu copa'r foel ar ddiwrnod clir, cyferchir y cerddwr gan olygfa eang o arfordir Cymru o Garreg yr Imbill, ger Pwllheli, hyd fryniau Penmaendewi yr ochr draw i ddyfroedd Bae Ceredigion. Ys dywed y bwrdd gwybodaeth ar y copa grugog ac eithinog, 'cynefin yr ehedydd a'r glöyn byw' yw'r clwt hwn o dir comin heddiw, lle i 'ymlacio yn hytrach nag ymlafnio'. Ond yma 'slawer dydd yr ymlafniai cominwyr yr ardal wrth iddynt hel grug a ddefnyddid i doi eu bythynnod gwael eu gwedd a gwneud ysgubau, a chasglu coed tân ar rostir cyfagos Comin Mynytho. Nid bod y gweithgaredd hwnnw yn gallu mynd rhagddo'n ddi-baid gydol y flwyddyn. Tanau hafau sych a rwystrai'r gwaith ac yn ôl ei ddyddiadur, *Blwyddyn yn Llŷn* (1990), mynnai R S Thomas y byddai'r 'Foel druan yn ei chael hi bob blwyddyn ryw ffordd neu'i gilydd... [gan] amharu ar y grug sy'n ei gwneud hi mor drawiadol bob haf'.

Sirioli a bywiocáu'r olygfa y mae porffor y grug i'r gorllewin o'r
Foel hefyd, lliw sy'n gymaint nodwedd o rostir Mynydd Tir Cwmwd
ganol haf. Yn wir, mae'r pentir cromennog hwnnw, a ymestynna i'r
môr i'r de o Lanbedrog, ac a gwyd i uchder o 133 metr, yn cynnal
ardal eang o rostir iseldirol sydd bellach gyda'r enghraifft fwyaf o'r
cynefin arbennig hwn yn Llŷn. Ac eithrio grug (*Calluna vulgaris*), grug
y mêl (*Erica cinerea*) a'r eithinen fân (*Ulex gallii*), prin yw'r
rhywogaethau sy'n nodweddu'r cynefin hwn, er bod ambell glwt o
fawn dyfnach na'i gilydd ar lechweddau deheuol y mynydd hefyd yn
cynnal grug croesddail (*Erica tetralix*) a chlwbfrwynen y mawn
(*Trichophorum cespitosum*).

Craig igneaidd yw sail Mynydd Tir Cwmwd, corff cymharol fawr o
wenithfaen mân-grisialog (microwenithfaen). Cynnyrch
gweithgaredd folcanig yw'r gwenithfaen. Fe'i ffurfiwyd wrth i siambr
fawr o graig dawdd (magma), a fewnwthiwyd i ganol cerrig llaid yr
ardal, araf oeri a chrisialu tua 450 miliwn o flynyddoedd yn ôl.
Digwyddodd hynny oddeutu 25 miliwn o flynyddoedd wedi i'r cerrig
llaid ac ynddynt ffosilau ymgasglu ar lawr môr yn gynnar yn ystod y
cyfnod Ordofigaidd (488–443 miliwn o flynyddoedd yn ôl). Gelwir y
math hwn o wenithfaen, ac ynddo rai crisialau mwy na'i gilydd, yn
wenithfaen porffyritig, a chan ei fod yn gymharol brin yng nghyd-
destun hanes yr Ordofigaidd yng ngwledydd Prydain, mae'r safle o
ddiddordeb gwyddonol arbennig i ddaearegwyr. Arferid cloddio'r
graig – a ddefnyddid i gynhyrchu sets i'w hallforio yn bennaf – mewn
tair chwarel i'r de o Drwyn Llanbedrog, gweithgaredd a ddaeth i ben
yn fuan wedi'r Ail Ryfel Byd.

Adleisio hanes daearegol a masnachol Mynydd Tir Cwmwd y
mae'r Foel Gron, er bod y chwarel fach lle yr arferid cloddio'r
microwenithfaen cochlyd bellach yn faes parcio hwylus ar fin y
B4413. Corff o graig igneaidd galed (microdiorit), hefyd, yw'r graig y
naddwyd Carn Fadrun ohoni (372 m). Y garn serthochrog honno,
ychydig i'r gogledd o'r Foel Gron, yw'r uchaf a'r amlycaf o ddigon o
holl gernydd Pen Llŷn i'r de-orllewin o'r Eifl, ac yn goron ar ei phen
caregog a grugog y mae olion waliau sychion a chylchoedd cytiau
bryngaer yn dyddio o'r Oes Haearn. Codwyd amddiffynfeydd
cynharaf y gaer tua 2,300 o flynyddoedd yn ôl ond fe'i helaethwyd
200 mlynedd yn ddiweddarach, gan amgáu 16 hectar o dir bron yn
gyfan gwbl. Yna, yn ystod yr Oesoedd Canol, codwyd oddi mewn i

Chwarel fach y Foel Gron (dde)

furiau'r fryngaer hynafol gaer ddinesig y cyfeiriodd Gerallt Gymro ati tra oedd yntau a'i gydymaith, yr Archesgob Baldwin, ar eu taith recriwtio o amgylch Cymru yn y flwyddyn 1188. Yn ôl Gerallt, a oedd wedi cyrraedd gwlad Llŷn ar ôl ffarwelio ag Ardudwy a chroesi'r Traeth Mawr, cafodd y gaer ddinesig, 'a oedd yn eiddo i feibion Owain' (sef Owain Gwynedd a fu farw yn 1170) ei hadeiladu o gerrig yn hytrach na'i chodi o bren a thywyrch yn unol ag arfer llywodraethwyr brodorol Gwynedd yn y cyfnod hwnnw.

Ond dewis diystyru arwyddocâd militaraidd caerau Carn Fadrun a wnaeth Cynan, un o ychydig feirdd rhyfel go iawn y Rhyfel Byd Cyntaf. Yn ei gerddi rhyfel, nid cyfeirio at y drin a wnâi ond rhoi mynegiant i'w brofiadau uniongyrchol o erchyllderau maes y gad yn Salonika a Ffrainc. Nid rhyfedd i Cynan, felly, ac yntau'n un o feibion Llŷn, ddyheu yn ei gerdd 'Hwiangerddi' am deimlo awelon tyner y garn wrth iddo ymladd yn ofer am ei gwsg yn sŵn y 'ffrwydradau ar bob tu':

O! na ddeuai chwa i'm suo
O Garn Fadryn ddistaw, bell,
Fel na chlywn y gynnau'n rhuo
Ond gwrando am gân y dyddiau gwell.

Nant Gadwen a Mynydd y Rhiw

023

Mae hen fwyngloddiau metel, lle y câi cyflenwadau o fwynau plwm, sinc, arian, copr, haearn, aur neu fanganîs eu codi o grombil y ddaear, i'w cael ym mhob un o hen siroedd Cymru. Er hynny, maent ar eu mwyaf niferus yn y rhannau hynny o'r wlad lle y ceir y creigiau hynaf. Yn y mannau hynny deuir ar draws ardaloedd a oedd yn nodedig am fathau arbennig o fwyn, megis gweithfeydd plwm–sinc–arian gogledd Ceredigion a gorllewin Sir Drefaldwyn, cloddfeydd copr Mynydd Parys ac Eryri, a mwyngloddiau aur cyffiniau Dolgellau. Llai niferus a llai adnabyddus yw gweithfeydd

mango Pen Llŷn, er gwaetha'r ffaith y codwyd y rhan fwyaf o ddigon o fwyn manganîs a gynhyrchwyd yng ngwledydd Prydain yn ystod yr ugeinfed ganrif o ddau fwynglawdd nid nepell o Aberdaron, ac i raddau llai o nifer o fwyngloddiau bach y Rhinogydd, rhwng Trawsfynydd a'r Bermo.

Gerllaw eglwys fach ddiarffordd Llanfaelrhys, a saif ar lecyn agored nid nepell o glogwyni'r môr, dilyna llwybr cyhoeddus lannau Nant Gadwen cyn belled â'r man lle y mae ei dyfroedd yn plymio i'r môr ym Mhorth Alwm. I'r cerddwyr sy'n dewis troedio'r llwybr tawel

Cerrig wast o fwynglawdd Nant Gadwen

hwnnw heddiw, a ddilynid gynt gan fwynwyr ar eu ffordd yn blygeiniol i waith mango Nant Gadwen, mae olion y prysurdeb diwydiannol a fu i'w gweld o boptu glannau'r nant: lefelau a yrrwyd i mewn i odreon y llechweddau er mwyn draenio'r tramwyfeydd tanddaearol a chynnig mynediad i'r crynodiadau o fwyn manganîs; siafft agored, ddofn ar lefel uwch na'r nant, a thomen o gerrig gwrthodedig ar lawr y dyffryn.

Dechreuwyd cloddio'r mwyn ar raddfa fach yn ystod y 1850au ond roedd y mwynglawdd ar ei fwyaf cynhyrchiol ym mlynyddoedd cynnar yr ugeinfed ganrif yn dilyn adeiladu'r pier wrth droed clogwyni Porth Alwm yn 1902–3 ar gost o £182. Oddi yno câi'r mwyn mango ei allforio i Ellesmere Port ac yna ymlaen i ffwrneisi dur Brymbo, ger Wrecsam, lle y'i defnyddid i galedu a gwydnhau'r dur yr oedd galw amdano wrth gynhyrchu cledrau rheilffyrdd ac adeiladu llongau. O'r un pier hefyd yr allforid cynnyrch gwaith Benallt–Y Rhiw (neu 'Gwaith y Rhiw' fel y'i gelwid yn lleol) ar gyrion pentre'r Rhiw. Roedd yn fwynglawdd brig yn wreiddiol, ond yna suddwyd cyfres o siafftiau dyfnion er mwyn cyrraedd y gwythiennau mwynol a oedd

Olion Gwaith y Rhiw (isod)

i'w canfod ymhlith yr haenau plyg a thoredig o gerrig llaid a'r creigiau igneaidd cysylltiedig a ffurfiwyd tua 475 miliwn o flynyddoedd yn ôl. Mae'n debyg y cronnodd y mwyn o amgylch agorfeydd ar ffurf simneiau (mygdyllau du) ar lawr môr y cyfnod Ordofigaidd, mygdyllau y llifai ohonynt hylifau chwilboeth yn llawn manganîs.

Ar reilffordd y cludid manganîs Benallt–Y Rhiw i'r pier ym Mhorth Alwm. O'r mwynglawdd, gollyngid y wagenni llwythog i lawr inclein hyd ben uchaf y rheilffordd ac yna, wedi siwrnai o oddeutu 1.6 cilometr, câi'r wagenni eu gollwng i lawr inclein arall o ben y bryn uwchlaw pen isaf Nant Gadwen hyd y pier. Mae gweddillion yr offer dirwyn a saif ar ben uchaf y rhan honno o'r inclein agosaf at y môr i'w gweld hyd heddiw, gan atgoffa'r sawl sy'n cerdded y rhan honno o Lwybr Arfordir Cymru rhwng Porth Neigwl a Bae Aberdaron nad 'lle i enaid gael llonydd' oedd y rhan yma o Lŷn yn ystod oes y rheilffordd a'r pier.

Caewyd mwynglawdd Nant Gadwen yn 1927 a chwe blynedd yn ddiweddarach datgymalwyd y pier, penderfyniad a olygai y byddai'n rhaid cludo'r mwyn a gynhyrchid yng ngwaith Benallt–Y Rhiw ar gefn lorïau cyn belled â Phwllheli o hynny ymlaen ac yna ar y rheilffordd i Frymbo neu Shotton. Hyd yn oed ym mlynyddoedd olaf Gwaith y Rhiw, a gaeodd yn 1945, enillai tua 150 o ddynion eu bywoliaeth yn y mwynglawdd. Yn wir, bu'n gyfrifol am y rhan fwyaf o ddigon o'r 196,000 tunnell a mwy o fwyn mango a gynhyrchid yn yr ardal rhwng 1894 ac 1945.

Ond bu twrio ar Fynydd y Rhiw ymhell cyn bod sôn am y gweithfeydd mango. Yn 1958–9, darganfu archaeolegwyr olion hen chwareli bwyeill cerrig a ddyddiai o'r cyfnod Neolithig, a hynny ar gopa'r mynydd. Yna, yn 2005–6, ailymwelodd archaeolegwyr o Amgueddfa Genedlaethol Cymru â'r safle er mwyn ymgymryd ag arolwg daearegol a thopograffig ynghyd â gwaith cloddio pellach. Ymestynnai'r hen gloddfeydd, a oedd yn eu hanterth tua 5,300 o flynyddoedd yn ôl, dros rai cannoedd o fetrau a hyd ddyfnder o ddau fetr mewn mannau wrth i'r gwneuthurwyr arfau ddilyn yr wythïen o garreg laid y gellid ei naddu'n fwyeill ac offer cerrig eraill, oherwydd iddi gael ei chaledu gan wres tanbaid y graig dawdd a roes fod i greigiau igneaidd y fro. Ond yn wahanol i gynnyrch y gweithfeydd mango, diwallu anghenion y gymuned leol yn unig a wnâi'r gwaith bwyeill ar Fynydd y Rhiw.

Boeler hen injan stêm, Gwaith y Rhiw

024

Mynydd Mawr ac Ynys Enlli

Roedd R S Thomas yn bendant o'r farn mai'r 'tywydd a'r môr sy'n gwneud Llŷn yr hyn ydi'. Oedd, roedd y môr, yn ôl ei gyfaddefiad ei hun, yn ei waed ac yn ei lyfr *ABC Neb* (1995), sy'n gasgliad lliwgar o rai o fyfyrdodau mwyaf personol y bardd, mynnodd na fedrai feddwl am forlun 'gwell na'r un wrth edrych o Fynydd Mawr [c. 150 m] tuag at Enlli... yn enwedig ar dywydd mawr pan gaiff yr ewyn ei chwipio oddi ar wyneb y môr a'i chwythu'n uwch na chopa'r mynydd'. Yno yr âi ar dro i wylio adar y môr, gan aros yn llonydd ac yn amyneddgar ar y llethr serth a chreigiog islaw hen gwt Gwylwyr y Glannau ac uwchlaw dwndwr tonnau Swnt Enlli yn torri yn erbyn godreon y clogwyni.

Yn 1953, ychydig dros ddeng mlynedd ar hugain cyn y dyrchafwyd yr ynys yn Warchodfa Natur Genedlaethol, fe'i dynodwyd yn Safle o Ddiddordeb Gwyddonol Arbennig. Yn yr un flwyddyn sefydlwyd Gwylfa Adar a Maes Ynys Enlli, elusen sy'n rhwydo ac yn modrwyo miloedd o adar bob blwyddyn er mwyn deall eu patrymau mudo yn

Meini mawr o gwartsit gwyn yng nghlogwyni Trwyn Maen Melyn

well. Yn ogystal â bod yn gartref i adar megis y gigfran, pioden y môr, y dylluan fach a'r frân goesgoch, mae'n nythfa dymhorol i lursod, gwylogod, gwylanod coesddu, adar drycin y graig a miloedd lawer o adar drycin Manaw. Dodwy a deor eu hwyau mewn hen dyllau cwningod y mae adar drycin Manaw, gan gadw cwmni i'r 20,000 o seintiau sydd, yn ôl traddodiad, wedi'u claddu yn niogelwch tir cysegredig 'Enlli, Porth y Nef'.

Enlli oedd un o'r cyrchfannau mwyaf poblogaidd i bererinion yng Nghymru'r Oesoedd Canol ac ystyrid tair pererindod i'r ynys gystal ag un i Rufain. Ac yn y gilfach rhwng troed llechweddau deheuol Mynydd Mawr a llethrau gorllewinol Mynydd y Gwyddel (99 m) y tardd dŵr perloyw Ffynnon Fair, er bod y môr a'r heli yn golchi drosti ar benllanw. Yma, yn ôl traddodiad, yr arferai pererinion blinderus a sychedig ddrachtio'n ddwfn ohoni cyn croesi'r Swnt, cymal olaf eu taith. Fodd bynnag, mae'n debyg mai i hen Eglwys Hywyn Sant, Aberdaron, chwaer eglwys i Abaty Awstinaidd y Santes Fair ar Enlli, yr elai'r pererinion i weddïo cyn mentro ar draws y genlli. Myn eraill mai traeth cysgodol cyfagos Porth Meudwy oedd man cychwyn y fordaith fer – ond arw, yn aml – i ddwys dangnefedd Enlli.

Yn amlach na pheidio y mae daeareg pob ynys yn adlewyrchu

natur ddaearegol y tir mawr cyfagos. Ac felly y mae hi yn hanes y creigiau y naddwyd Enlli ohonynt. Yn Llŷn y daeth R S Thomas yn 'ymwybodol o amser daearegol' ac yn benodol am 'oed ofnadwy ac anhygoel creigiau Aberdaron'. Ond natur, rhagor nag oed, creigiau Ynys Enlli a'r rheiny sy'n sail i'r llain honno o dir rhwng Portin-llaen a Mynydd Mawr sydd wedi hawlio sylw daearegwyr. Maent i'w gweld ar eu gorau wrth droed Mynydd Mawr ac yn enwedig yng nghlogwyni Trwyn Maen Melyn. Y gair Ffrangeg *mélange*, sy'n golygu 'cymysgedd', a ddefnyddir i'w disgrifio yn Saesneg ond rhagorach o lawer yw'r gair Cymraeg 'cybolfa', sef 'casgliad di-drefn cymysglyd'. Wedi'r cyfan, casgliad o ddarnau mân (yn mesur ychydig gentimetrau ar draws) ac enfawr (yn mesur sawl cilometr ar draws) o greigiau gwaddod ac igneaidd o bob lliw a llun yn gymysg â thywod a llaid yw Cybolfa Gwna ac iddo drwch o 3,000 metr mewn mannau. Yng nghlogwyni Trwyn Maen Melyn mae'r gybolfa yn cynnwys meini

Tarddle Ffynnon Fair

mawrion amlwg o gwartsit gwyn (math o dywodfaen ac ynddo ronynnau cwarts) ond talpiau enfawr o lafa basaltig sydd i'w gweld yn y gilfach wrth droed llechweddau gorllewinol Mynydd y Gwyddel.

Cynnyrch tirlithriad tanfor anferthol yw'r gybolfa a sbardunwyd, yn ôl pob tebyg, gan ryw ddigwyddiad catastroffig a oedd yn gysylltiedig â symudiadau daear grymus gannoedd o filiynau o flynyddoedd yn ôl. Yn wir, arferid credu bod y gybolfa yn dyddio o'r Cyn-Gambriaidd, y cyfnod daearegol cynharaf oll, dyfarniad a enynnodd yr ymateb a ganlyn gan R S Thomas: 'Here I think of the centuries, / Six million of them, they say.' Ond gwyddys fod Cybolfa Gwna hefyd yn cynnwys darnau o Wenithfaen Coedana o Ynys Môn, craig igneaidd a grisialodd 614 miliwn o flynyddoedd yn ôl. Felly, mae'n amlwg y digwyddodd y tirlithriad a esgorodd ar y gybolfa ymhell ar ôl i'r gwenithfaen ymffurfio. At hynny, mae presenoldeb microffosilau yn dyddio o'r cyfnod Cambriaidd mewn creigiau ar Ynys Llanddwyn, y credir eu bod o'r un oed â Chybolfa Gwna, yn awgrymu nad yw creigiau hynaf Llŷn cyn hyned â chwe miliwn o ganrifoedd oed wedi'r cwbl. Eto i gyd, mae Cybolfa Gwna nid yn unig yn ffurfiant hynod anghyffredin ond hefyd yn un o'r enghreifftiau gorau yn y byd o gybolfa.

Lafa clustog ger Ffynnon Fair

Y Graig Ddu, Morfa Bychan

025

Pentir yn ymestyn i'r môr rhwng dau draeth eang yw'r Graig Ddu (50 m). Tua'r gorllewin mae traeth graeanog Rhiwfor Fawr yn ymestyn hyd dref lan môr Cricieth, a thua'r dwyrain gellir olrhain traeth euraid Morfa Bychan, ardal eang o dywod glân gwastad sy'n cynnig milltiroedd o foddhad i ymwelwyr haf, cyn belled ag Ynys Cyngar, y pentir creigiog ar lan ogleddol aber afonydd Glaslyn a Dwyryd. Sail pentir y Graig Ddu, ynghyd â'r tir bryniog rhyngddo a Moel y Gest (262 m), yw'r cerrig llaid a cherrig silt a ymgasglodd fesul haen ar lawr y môr yn ystod y cyfnod Cambriaidd, tua 500 miliwn o

flynyddoedd yn ôl. Y gwir yw, fodd bynnag, na fyddai'r creigiau Cambriaidd hyn wedi llwyddo i wrthsefyll llach y tonnau pe na baent wedi'u hatgyfnerthu. Dyna a ddigwyddodd yn ystod y cyfnod Ordofigaidd dilynol pan gododd craig dawdd (magma) o grombil y ddaear gan ymgaledu ar ffurf un ddalen drwchus o graig igneaidd galed (dolerit) ymhlith yr haenau o greigiau gwaddod llai gwydn. Cyfateb i'r ddalen arbennig honno o ddolerit llwydlas, tywyll, y mae trwyn y Graig Ddu a bryncyn cyfagos Carreg yr Eryr (53 m). Ond yn eironig ddigon, mae'r ddalen denau o ddolerit sydd i'w gweld yn y

clogwyn gerllaw'r trwyn wedi profi i fod yn llinell o wendid yn hytrach na chryfder, gwendid y mae'r môr wedi manteisio arno drwy danseilio'r ddalen o graig igneaidd a chreu ogof yng ngwaelod y clogwyn. Erydiad ar hyd ffawtiau a roes fod i nifer o'r ogofâu bach eraill.

Talp o graig igneaidd wydn hefyd yw'r bryncyn y saif Castell Cricieth yn herfeiddiol uchel ar ei ben. Codwyd y gaer gan Lywelyn Fawr yn gynnar yn y 1230au ac ychwanegwyd ati gan Lywelyn ap

Gruffudd a chan Edward I, a'i cipiodd oddi ar y Cymry ddiwedd gaeaf 1283. Aeth Edward II ati i ailgodi rhannau o'r cadarnle yn ystod y bedwaredd ganrif ar ddeg ond yna, yn 1404, fe'i dinistriwyd yn ystod gwrthryfel Owain Glyndŵr. Er gwaethaf ei hanes cythryblus a gwaedlyd, disgrifiwyd y murddun yn gofiadwy gan Jan Morris fel y 'castell mwyaf cyfeillgar' yng Nghymru, oherwydd ei fod, ym marn yr awdur, yn edrych fel pe bai wedi'i osod yn addurn ar gopa'r penrhyn creigiog.

Gwedd golofnog dolerit y Graig Ddu

Yr haen o ddolerit a'r ogof

Craig igneaidd y penrhyn a ddefnyddiwyd yn rhannol i godi'r castell a gellir canfod darnau treuliedig o'r garreg gochwyn, hawdd ei hadnabod, ymhlith cerrig y traeth graeanog wrth odre'r Graig Ddu. Ffynhonnell y cerrig yw'r gwaddodion rhewlifol a wasgarwyd nid yn unig dros rannau o'r tir – megis y clog-glai sy'n brigo yng nghlogwyni Morannedd ym mhen dwyreiniol rhodfa lan môr Cricieth – ond hefyd y tu hwnt i'r morlin presennol gan y rhewlif a lifai tua'r de oddi ar dir mawr Cymru ac ar draws llawr Bae Ceredigion yn ystod y Rhewlifiant Diwethaf. Ac mae olion y rhychiadau a'r rhigolau a grëwyd gan grafiadau'r cerrig a oedd yn sownd yng ngwadn y llif iâ i'w gweld yn blaen ar arwynebau dolerit rhewgerfiedig y Graig Ddu.

Wrth i lefel y môr godi ar ddiwedd y Rhewlifiant Diwethaf, cafodd y cerrig yng nghorff y dyddodion rhewlifol eu graddol olchi tua'r lan, gan greu'r argae o ro ar draws ceg afon Cedron, rhwng clogwyni Rhiwfor Fawr a'r Graig Ddu. Y tu ôl i'r argae cronnodd dyfroedd bas Llyn Ystumllyn a ymestynnai'n wreiddiol cyn belled â Phentrefelin ar fin y ffordd fawr rhwng Porthmadog a Chricieth. Gwlyptir bellach, yn hytrach na llyn, yw'r llain hon o dir, Safle o Ddiddordeb Gwyddonol Arbennig a nodweddir yn bennaf gan blanhigion corsleoedd megis cyrs (*Phragmites australis*), pefrwellt (*Phalaris arundinacea*), brwyn pabwyr (*Juncus effusus*) a briwydd y gors (*Galium palustre*).

Yn ogystal â Llyn Ystumllyn, mae'r Safle o Ddiddordeb Gwyddonol Arbennig yn cwmpasu traeth Rhiwfor Fawr a chlogwyni Morannedd, a hefyd draeth a thwyni tywod Morfa Bychan. Mae egin-dwyni, wedi'u gorchuddio'n rhannol â marchwellt y twyni (*Elytrigia juncea*) a helys pigog (*Salsola kalî*), i'w gweld yn datblygu ar hyd y draethlin, a'r tu cefn iddynt ceir twyni melyn dan orchudd o foresg (*Ammophila arenaria*). Ond hwnt ac yma ymhlith y gwair ymledol cwrs a gwydn, deuir ar draws coesau cnawdog gwyrdd llaethlys y môr (*Euphorbia paralias*) a dail pigog llwydlas celyn y môr (*Eryngium maritimum*).

Penderfyniad i'w groesawu oedd dynodi'r twyni a'r traeth yn ardal warchodedig, oherwydd bu sawl datblygiad arfaethedig a menter, megis y rasys beic modur swnllyd yr arferid eu cynnal ar y traeth 'slawer dydd, yn fygythiad i'w cynefinoedd bregus yn ystod y blynyddoedd a aeth heibio. Ond hyd heddiw caniateir i yrwyr ceir gyrchu'r traeth a gyrru ar hyd-ddo er gwaetha'r ffaith fod eu cerbydau nid yn unig yn anharddu'r olygfa, ond hefyd yn bygwth cynefin ac einioes llyngyr y traeth, pysgod cregyn a chreaduriaid tyrchol eraill sy'n byw yn y tywod mân a bras rhwng marc penllanw a marc distyll.

026

Traeth Mawr ac afon Glaslyn

Ni fedrai John Wesley, y clerigwr a'r diwinydd o Sais a ymwelodd â Chymru bymtheg ar hugain o weithiau rhwng 1739 ac 1790, ddeall pam yr oedd angen cymorth tywysydd i groesi'r Traeth Mawr. Cofnododd ei farn ryfygus yn ei ddyddiadur, nos Fawrth, 11 Ebrill 1749, wedi iddo groesi'r traeth am y trydydd tro heb help tywysydd lleol, ond nid heb gwmni cyfeillion a fu'n cyd-deithio ag ef bob cam o Ddinas Mawddwy i Gaernarfon. At hynny, roedd yn fwy na pharod i dderbyn cwmni 'Cymro gonest', na siaradai air o Saesneg, cyn iddo fentro croesi enbydrwydd y traeth ar ei daith o Ddolgellau i Gaernarfon ym Mawrth 1756. Er yn fyrrach o lawer na'r llwybr trafferthus a ddilynai lannau moryd afon Glaslyn, drwy Lanfrothen, Aberglaslyn a Phren-teg, roedd y siwrnai ar draws tywod twyllodrus y Traeth Mawr, rhwng Minffordd a Phenmorfa, yn daith hynod beryglus a fu'n gyfrifol am hawlio bywydau nifer fawr o deithwyr a thywyswyr, fel ei gilydd, cyn y gwireddwyd un o freuddwydion mawr

William Alexander Madocks, a brynodd stad Tan-yr-allt, Penmorfa yn 1798. Drwy godi'r morglawdd – y Cob (1808–12) – ar draws aber afon Glaslyn, darparodd Madocks dramwyfa ddiogel rhwng Meirionnydd ac Arfon ond difethodd ei gynllun beiddgar naturioldeb moryd odidocaf Cymru. Ys dywedodd J A Steers, awdur y gyfrol gampus *The Coastline of England and Wales* (1946), yr hyn a wnaeth ei gynllun oedd 'ychwanegu at diriogaeth Sir Gaernarfon ardal fawr o dir nad oedd yn werthfawr iawn, ond go brin iddo wella ei harddwch naturiol'.

Prin yw'r wybodaeth ynglŷn ag union natur y dyddodion sy'n llenwi llawr y foryd rhwng Pont Aberglaslyn a chymer afonydd Glaslyn a Dwyryd y tu draw i'r Cob. Eto i gyd, mae'n amlwg mai trwch anferthol o waddodion rhewlifol – clog-glai a haenau o dywod a graean, yn bennaf – a adawyd ar ôl wedi enciliad a diflaniad rhewlif Glaslyn tua 15,000 o flynyddoedd yn ôl yw'r rhan fwyaf ohonynt. Yna,

Traeth Mawr a Chraig Bwlch-y-moch ger Tremadog

Traeth Mawr, ynys fach goediog Ynys y Gwely a rhan orllewinol Hir Ynys, a Moel y Gest (262 m)

wedi i'r môr gyrraedd ei lefel bresennol tua 6,500–7,000 o flynyddoedd yn ôl, gorchuddiwyd y gwaddodion hynny dan ychydig fetrau o lifwaddod – tywod a silt – afon Glaslyn.

Ar drai, byddai 'gloywddwr Glaslyn' yn ymrannu'n rhwydwaith cymhleth o sianeli bach a mawr rhwng banciau tywod a silt amrywiol eu maint a chyfnewidiol iawn eu patrwm. At hynny, byddai morfeydd heli i'w gweld hwnt ac yma ar hyd y glannau mwyaf cysgodol. Ond tra gwahanol fyddai'r olygfa ar benllanw. Y pryd hwnnw, câi'r foryd ei thrawsffurfio'n fôr a fyddai'n ymestyn cyn belled ag Aberglaslyn adeg llanw mawr. Yn codi uwchlaw wyneb y dyfroedd roedd cyfres o ynysoedd creigiog, rhai yn fach iawn megis Carreg y Gwartheg y saif Eglwys y Santes Fair, Tremadog arni, ac eraill yn fwy sylweddol eu maint, megis Hir Ynys, nid nepell o'r Garreg, Llanfrothen. Er yn amrywiol eu maint, mae bron pob ynys (ac eithrio Ynys Fawr ger Pren-teg), yn ogystal â'r pentiroedd – megis Garreg, Llanfrothen, a'r Garth, Minffordd – a'r clogwyni trawiadol sy'n bwrw eu trem dros Dremadog, yn cyfateb i frigiadau creigiau folcanig caled y gellir eu priodoli i'r fwlcanigrwydd a nodweddai'r cyfnod Ordofigaidd, tua 450 miliwn o flynyddoedd yn ôl.

Aros mae'r hen ynysoedd, ond trawsnewidiwyd cymeriad yr ardal yn dilyn agoriad y Cob ar 17 Medi 1811. Yn sgil y digwyddiad hwnnw, a fu'n destun dathlu mawr, aed ati i ddraenio'r Traeth Mawr, gan amddifadu miloedd o adar dŵr a rhydyddion yn fwyaf arbennig o gynefin a fu am filoedd o flynyddoedd yn fodd i'w cynnal, yn enwedig

Afon Glaslyn, Yr Wyddfa a Cnicht

Cnicht, Moelwyn Bach a Chwarel Minffordd

dros fisoedd y gaeaf. Nid bod y newid hwn wedi digwydd dros nos. Aeth blynyddoedd lawer heibio cyn y cyfyngwyd afon Glaslyn i un sianel droellog ac i borfeydd glas ymledu ar draws y gwastadeddau. I'r gogledd o arglawdd lein y Cambrian rhwng Minffordd a Phorthmadog, rheilffordd a agorwyd yn 1867, aeth y gwaith o gau a sychu'r tir rhagddo ar raddfa fawr, ac o ganlyniad adenillwyd hectarau lu o dir amaethyddol. Ond ni chafodd y corsydd rhwng y rheilffordd a'r Cob eu draenio. Erys y rhan fach honno o'r Traeth Mawr ar lannau afon Glaslyn nid yn unig yn wlybtir cyfoethog ei fywyd gwyllt ac yn noddfa arbennig i adar yn ystod misoedd y gaeaf, ond hefyd yn flaendir atyniadol i'r olygfa ysblennydd honno o ben y Cob o fynyddoedd Eryri – Moel Hebog, Yr Wyddfa, Cnicht a'r Moelwynion.

Er gwaetha'r holl newidiadau pellgyrhaeddol eu dylanwad ar amgylchedd y Traeth Mawr, mae'r morfa bellach yn gartref tymhorol i walch y pysgod. Ers i'r pâr cyntaf o'r adar ysglyfaethus prin hynny nythu yn yr ardal yn 2004, mae dros 200,000 o bobl wedi ymweld â'r ganolfan gerllaw Pont Croesor, nid nepell o Bren-teg, er mwyn gweld lluniau byw ohonynt yn pysgota afonydd Glaslyn a Dwyryd ac yn magu eu cywion, cyn iddynt ymadael â Chymru a threulio'r gaeaf yng ngorllewin Affrica.

Y Moelwynion a Thanygrisiau

027

Gwnaeth Duw'r ddau Foelwyn, meddant i mi,
O garreg nad oes ei chadarnach hi.

Camarweiniol yw'r wybodaeth ddaearegol a geir yng nghwpled agoriadol 'Y Moelwyn Mawr a'r Moelwyn Bach', telyneg o eiddo William Jones a geir yn ei gasgliad o farddoniaeth, *Adar Rhiannon a Cherddi Eraill*, a gyhoeddwyd yn 1947. Sail y Moelwynion yw cerrig llaid a cherrig silt a drawsnewidiwyd yn llechfeini digon brau, a dyna'r creigiau sy'n brigo ar gopa'r Mawr (770 m) a'r Bach (710 m), ac ar gopa cyfagos Moel-yr-hydd (648 m). Eto i gyd, y mae llechweddau deheuol y tri chopa wedi'u hatgyfnerthu gan greigiau igneaidd caled. Yn gyntaf, gan drwch o lwch a lludw folcanig (tyffau) ynghyd â thalpiau o lafa, a ymgasglodd ar lawr y môr tua'r un pryd â'r cerrig llaid a'r cerrig silt, o ganlyniad i echdoriadau tanfor a ddigwyddodd yn ystod y cyfnod Ordofigaidd, oddeutu 460 miliwn o flynyddoedd yn ôl. Yn ddiweddarach atgyfnerthwyd y llechfeini a'r tyffau wrth i

Moelwyn Bach, Moelwyn Mawr, Moel-yr-hydd a Chwmorthin

graig dawdd (magma) gael ei mewnwthio i'w canol ac yna oeri a chrisialu ar ffurf dalennau trwchus iawn o ryolit, craig igneaidd fân-grisialog. Gwytnwch a chadernid y creigiau hyn sy'n sail i gefnfur yr amffitheatr greigiog a gwyd uwchben dyfroedd Llyn Stwlan. Maent hefyd yn sylfaen cadarn i glogwyni cyfagos Clogwyn y Bustach a Chlogwyn yr Oen, a Chraig yr Wrysgan a Chraig Nyth y Gigfran, y naill ochr a'r llall i ddyffryn crog Cwmorthin, y cwm anghyfannedd uwchlaw Tanygrisiau a adawyd i amser ac atgofion.

Llyn naturiol oedd Stwlan, a feddiannodd y creicafn ar lawr y peiran wedi diflaniad y rhewlif a'i creodd yn ystod y Rhewlifiant Diwethaf. Ond fe'i helaethwyd yn 1898 gan yr Yale Electrical Power Company (cwmni a ffurfiwyd gan berchenogion chwarel lechi Foty) fel rhan o gynllun trydan-dŵr Dolwen. Ar lan afon Goedol ychydig i'r de o Danygrisiau y codwyd y pwerdy a gyflenwai drydan i'r chwarel a safai ychydig i'r gogledd o Flaenau Ffestiniog. Yna, rhwng 1957 ac 1962, aed ati unwaith yn rhagor i helaethu Llyn Stwlan – neu Lyn Trwystyllon fel y'i gelwid yn wreiddiol – drwy godi argae concrit dros

370 o fetrau o hyd ac oddeutu 34 metr o uchder, adeiladwaith mwyaf gweladwy ac ymwthgar cynllun trydan-dŵr Tanygrisiau. Saif yr orsaf bŵer ar lan Llyn Tanygrisiau, cronfa ddŵr isaf y system bwmpio-storio a grëwyd drwy foddi llawr dyffryn nant Ystradau. Y cynllun hwn, a gwblhawyd yn 1963, oedd y system bwmpio-storio gyntaf ym Mhrydain a rhagflaenydd cynllun trydan-dŵr uchelgeisiol Dinorwig a agorwyd yn 1984.

O ddilyn y lôn sy'n arwain o lannau Llyn Tanygrisiau i Lyn Stwlan, dringfa o tua 300 metr, ceir cyfle i ryfeddu at serthrwydd yr inclein hynodwych a gysylltai chwarel Wrysgan â Rheilffordd Ffestiniog, y ddolen gyswllt rhwng holl chwareli llechi ardal Blaenau Ffestiniog a phorthladd Porthmadog. Ac yn y cerrig llaid llwyd tywyll sy'n brigo ar ochr uchaf y cyntaf o droeon igam-ogam y lôn, mae'r wythïen amlwg o gwarts gwyn ac ynddo drwch o sffalerit (mwyn sinc) a galena (mwyn plwm) yn dwyn i gof y mwyngloddio a fu ar y llechweddau islaw argae'r llyn, mor ddiweddar â'r 1910au a'r 1920au.

Cronfa ddŵr Llyn Stwlan

Inclein chwarel Wrysgan

Argae ymwthgar Llyn Stwlan

Ac eithrio'r pentyrrau o gerrig gwrthodedig diwerth, prin yw olion chwarel lechi'r Moelwyn. Fe'i hagorwyd yn y 1820au ar uchder o oddeutu 520 metr ar gefnfur creigiog, noethlwm y peiran ac yn nannedd rhewyntoedd gerwin y gaeaf. Hyd nes i'r gloddfa danddaearol – ac aflwyddiannus i raddau helaeth – gau tua 1900, clydwch cymharol y barics yn unig a gynigiai rywfaint o gysur i'r chwarelwyr ar ddiwedd y caledwaith dyddiol. Gwaetha'r modd, difrodwyd rhannau helaeth o'r inclein benigamp a gysylltai'r chwarel â Rheilffordd Ffestiniog, ac a ddefnyddid gydol ail hanner y bedwaredd ganrif ar bymtheg, yn ystod y gwaith o greu'r cynllun

trydan-dŵr. Y lein bach hefyd a gludai'r sets a'r cerrig mân a gynhyrchid yn hen chwarel wenithfaen Moel Ystradau, a saif gyferbyn â phwerdy Tanygrisiau. Y gwenithfaen mân-grisialog hwn (microwenithfaen), a gloddiwyd am y tro olaf yn ystod y 1930au, yw craig ieuaf yr ardal. Fe'i ffurfiwyd wrth i gronfa fawr o fagma araf oeri a chrisialu yn ddwfn yng nghramen y Ddaear tua 440 miliwn o flynyddoedd yn ôl.

Ond ar yr amod nad yw'r Moelwyn yn gwisgo'i gap, nid Moel Ystradau (296 m) yn unig a welir o argae Stwlan. I'r de, y tu hwnt i adeiladau Atomfa Trawsfynydd, a fu'n cynhyrchu trydan dros gyfnod o chwe blynedd ar hugain cyn y diffoddwyd y ddau adweithydd niwclear yn 1991, mae cribau'r Rhinogydd a tharren fawreddog Cadair Idris yn wledd i'r llygad. Cyfateb i greigiau folcanig Ordofigaidd y Moelwynion y mae'r rheiny sy'n sail i Gadair Idris ac ar un adeg roeddynt yn ymestyn yn ddi-dor dros greigiau gwaddod Cambriaidd Cromen Harlech, dilyniant o dywodfeini bras-ronynnog a cherrig llaid yn bennaf. Fe'u dyddodwyd fesul haen ar wely cefnfor hynafol rhwng 542 a 488 miliwn o flynyddoedd yn ôl, pan orweddai 'Cymru' ymhell i'r de o'r cyhydedd.

028

Dinas Brân a Chreigiau Eglwyseg

Er nad oes gan y dref fach ar lannau afon Dyfrdwy fawr i'w gynnig o ran swyn a chymeriad trefol, y mae Llangollen wedi bod yn gyrchfan teithwyr a thwristiaid ers diwedd y ddeunawfed ganrif. A hyd yn oed os haeddai'r bont hynafol â'i phedwar bwa pigfain gael ei rhestru ymhlith 'saith rhyfeddod Cymru', difethwyd ei chymeriad gwreiddiol gan yr angen i'w lledu, ar fwy nag un achlysur, i gwrdd â gofynion trafnidiaeth y bedwaredd ganrif ar bymtheg a'r ugeinfed ganrif. Gogoniant y dref yw'r uchelfannau o boptu Dyffryn Llangollen: copaon pen gogledd-ddwyreiniol y Berwyn tua'r de, a Dinas Brân a Chreigiau Eglwyseg a Threfor tua'r gogledd.

Mae'r hafddyddiau hynny pryd y gallai ymwelwyr â'u bryd ar gyrraedd pen Dinas Brân logi mul i'w hebrwng igam-ogam i fyny llechweddau serth Allt y Mulod wedi hen fynd heibio. Cau hefyd fu hanes y snacbar a gedwid gan wraig ar y copa ac a gyflenwid gyda chymorth mul pwn. I gyrraedd y copa heddiw (320 m), tua 250 metr uwchlaw glannau Dyfrdwy, rhaid dringo'r llethrau serthochrog. Ond mawr yw'r wobr ar derfyn y daith egnïol gan fod y golygfeydd o Ddyffryn Llangollen a'r ucheldiroedd cyfagos yn wirioneddol ysgubol. Tua'r dwyrain mae ruban arianlas Camlas Llangollen, a gynlluniwyd gan Thomas Telford ac a agorwyd yn 1808, yn cyfeirio'r llygad tuag at un o gampweithiau'r peiriannydd enwog hwnnw ac un o nodweddion pensaernïol godidocaf camlesi Prydain, sef traphont

'Cymru' o fewn golwg i'r cyhydedd. Fodd bynnag, o ganlyniad i symudiadau daear, filiynau o flynyddoedd yn ddiweddarach, mae'r haenau bellach yn goleddu'n raddol tua'r dwyrain. Nodwedd amlycaf y clogwyni llwydwyn yw eu gwedd haenog, ond islaw iddynt ceir llethrau sgri, blociau onglog o'r graig a ddrylliwyd o ganlyniad i waith rhewi-dadmer wedi diflaniad rhewlifau'r Rhewlifiant Diwethaf, ond cyn i hinsawdd y cyfnod ôl-rewlifol ddechrau cynhesu o ddifrif tua 11,500 o flynyddoedd yn ôl.

'Slawer dydd, roedd y clogwyni a'r llethrau sgri yn ffynhonnell cerrig adeiladu dra phwysig (codwyd yr hen arfdy yn Llangollen o'r calchfaen lleol) yn ogystal â chalch, a ddefnyddid mewn morter calch ac fel gwrtaith amaethyddol. O gerdded tua'r gogledd cyn

Adfeilion Castell Dinas Brân

ddŵr Pontcysyllte sy'n cario'r gamlas 39 metr uwchlaw dolydd afon Dyfrdwy. Gerllaw Eglwys Llantysilio, tua 2.5 cilometr i'r gorllewin o Ddinas Brân, mae'r gored fwaog ei ffurf (Rhaeadr y Bedol) yn dynodi'r man lle y dargyfeirir peth o ddyfroedd yr afon i ben uchaf y gamlas.

Er hyfryted yr olygfa o Ddyffryn Llangollen a'r tir mynyddig sy'n gefndir iddo, ni all gystadlu â gwychder 'mur cawraidd' Creigiau Eglwyseg tua'r gogledd. Y graig sy'n sail i'r darren fawreddog yw trwch o Galchfaen Carbonifferaidd, gweddillion creaduriaid môr yn bennaf a ddyddiodwyd fesul haen led-lorweddol ar wely môr trofannol bas, tua 350 miliwn o flynyddoedd yn ôl, pan orweddai

Creigiau Eglwyseg (uchod)
Llangollen, cartref yr Eisteddfod Gerddorol Ryngwladol (isod)

belled â Chraig y Forwyn, ar hyd y rhan honno o Lwybr Clawdd Offa sy'n dilyn godre Creigiau a Dyffryn Eglwyseg, deuir ar draws sawl odyn galch ddadfeiliedig.

Yn ddaearegol, mae'r llwybr y gellir ei olrhain o'r bwlch wrth droed llethrau gogleddol Dinas Brân yn dilyn ffawt mawr sy'n dod â'r Calchfaen Carbonifferaidd benben â chreigiau Silwraidd tua 400–420 miliwn o flynyddoedd oed. Y creigiau hyn, o leiaf 50 miliwn o flynyddoedd yn hŷn na'r garreg galch, yw sail Dinas Brân, 'bryn mawreddog', chwedl George Borrow, yn foel ei gorun oni bai am bresenoldeb olion bryngaer gynhanesyddol a chastell canoloesol Cymreig. Mae'n debyg fod y fryngaer unglawdd, ac iddi arwynebedd o oddeutu 1.5 hectar, yn ddinas noddfa i rai o drigolion yr Oes Haearn ac oddi mewn i'w hamddiffynfeydd ceir olion sylfeini nifer o gytiau.

Dyddio o'r drydedd ganrif ar ddeg y mae'r castell ac fe'i codwyd yng nghornel gogledd-orllewinol y fryngaer gan Gruffudd ap Madog, rheolwr Powys Fadog a mab Madog ap Gruffudd Maelor a sefydlodd abaty Sistersaidd cyfagos Glyn y Groes. Ond byrhoedlog fu hanes y castell oherwydd yn ystod gwrthryfel 1277 fe'i llosgwyd gan y Cymry, cyn i'r Sais Henry de Lacy, Iarll Lincoln, gipio'r safle. Wedi hynny, mynd â'i ben iddo ac araf ddadfeilio fu hanes yr hen le y bu i Jan Morris, awdur *The Matter of Wales* (1986), gyffelybu'r olygfa ohono o Langollen i 'set o hen ddannedd pwdr'! Ond nid dyna a welodd George Borrow. Iddo ef, edrychai'r murddun yn hynod debyg i goron!

Yr adfeilion mwyaf trawiadol o ddigon yw gweddillion muriau'r gorthwr a'r ddwy ffos ddofn, amddiffynnol a gloddiwyd, yn ôl pob tebyg, er mwyn sicrhau cyflenwadau o gerrig adeiladu. Ond craig anodd i'w thrin yw'r garreg laid Silwraidd, llwyd-ddu, sy'n brigo ar ochrau'r ffosydd, a dichon mai hyn sydd i gyfrif am arwder waliau Castell Dinas Brân, y cadarnle y canodd Taliesin o Eifion (Thomas Jones, 1820–76) yn hiraethus amdano:

Englyn a thelyn a thant – a'r gwleddoedd
Arglwyddawl ddarfuant;
Lle bu bonedd Gwynedd gant,
Adar nos a deyrnasant.

Morfa Harlech a Morfa Dyffryn

029

Un o safleoedd mwyaf di-nod yr Ymddiriedolaeth Genedlaethol yng Nghymru yw Allt y Môr, cae bach rhedynog ar ben y clogwyn uwchlaw'r môr ar fin yr A496, ychydig i'r de o Harlech. Eto i gyd, mae'r olygfa oddi yno yn syfrdanol: amlinell Llŷn a'i fryniau tua'r gorllewin, ac i'r gogledd cwyd copaon yr Wyddfa yn gefndir i wastadeddau'r Traeth Mawr. Yn y blaendir, ymestyn traeth tywodlyd crwm, saith cilometr o hyd, cyn belled â chymer afonydd Dwyryd a Glaslyn, ac yn gefn iddo ceir un rhes ddi-dor o dwyni tywod sy'n rhan annatod o Warchodfa Natur Genedlaethol Morfa Harlech. Er na all yr olygfa tua'r de o Allt y Môr gystadlu â'r panorama gogleddol, mae twyni Gwarchodfa Natur Genedlaethol Morfa Dyffryn cyn bwysiced, os nad yn bwysicach, na thwyni Morfa Harlech.

Mae'r twyni hyn, sydd wedi datblygu ar ben dau dafod o raean, yn hynod bwysig ac ystyried pa mor wael eu cyflwr yw gweddill twyni tywod Cymru. Yn hytrach na bod yn dirweddau dynamig symudol a chyfnewidiol eu ffurf, mae'r rhan fwyaf ohonynt naill ai wedi'u difetha

neu eu dinistrio o ganlyniad i weithgareddau dynol, neu ynteu wedi'u ffosileiddio dan orchudd o lystyfiant trwchus. Nid nad yw twyni morfeydd Harlech a Dyffryn wedi dioddef niwed hefyd. Wrth i ffermwyr ar hyd y canrifoedd adennill y morfeydd a ddatblygodd rhwng y ddau dafod graean a'r hen glogwyni môr – rhwng Llandecwyn a Harlech yn achos Morfa Harlech, a rhwng Llanfair a Llanaber yn achos Morfa Dyffryn – bu lleihad yn arwynebedd y twyni. Yn wir, dengys gwaith ymchwil diweddar y cafodd maint yr ardal o dywod symudol, moel, ei haneru rhwng y 1940au a'r dwthwn hwn o ganlyniad i'r un gweithgaredd amaethyddol.

Er mor ymddangosiadol ddigroeso ac ansefydlog yw'r egin-dwyni bach moel gerllaw'r marc pen llanw, ynghyd â'r twyni ifanc wedi'u gorchuddio'n rhannol â moresg, mae hyd yn oed y cynefin hwn sydd yn nannedd y prifwyntoedd yn gartref i blanhigion ac anifeiliaid arbennig. Tua'r tir, mae'r twyni sydd dan orchudd o lystyfiant yn fwy sefydlog, ac yn ystod y gwanwyn a'r haf mae'r pantiau llaith

rhyngddynt yn fôr o liw, gan eu bod yn gartref i nifer o wahanol fathau o degeirianau lliwgar eu blodau, ynghyd â rhywogaethau prin o flodau gwylltion eraill, cennau a mwsoglau.

Eto i gyd, nid yw'r twyni mwyaf sefydlog yn ddiogel rhag rhaib grym erydol y prifwyntoedd. Un o brif nodweddion twyni Morfa Dyffryn yw'r chwythbantiau mawrion, lleiniau o dywod chwyth noeth sy'n bylchu'r tywodfryniau, gan greu cynefinoedd newydd yng nghanol y twyni sefydlog. Tyst nodedig arall i symudoledd y twyni a chyfnewidioldeb y forlin yw Eglwys Tanwg Sant. Ar un adeg, safai gryn bellter o'r môr ond, ar fwy nag un achlysur yn ddiweddarach yn ei hanes, bu ond y dim i'r eglwys fach ganoloesol hon, a saif bellach yng nghanol y twyni, gael ei llwyr gladdu dan drwch o dywod. Erbyn 1853 roedd yr adeilad mewn cyflwr enbyd ond fe'i hachubwyd yn 1884 gan y Gymdeithas er Gwarchod Adeiladau Hynafol. Ymhlith y beddau a ddatgladdwyd oedd gorweddfan y bardd Siôn Phylip, a foddodd ym Mhwllheli ym mis Chwefror 1620 ac yntau ar ei ffordd

Twyni Llandanwg a Mochras

yn ôl i'w gartref ym Mochras – ychydig i'r de-orllewin o'r eglwys – ar ôl taith glera drwy Fôn a gwlad Llŷn.

Bryncyn o waddodion rhewlifol yw 'ynys' Mochras sy'n dynodi pen dwyreiniol Sarn Badrig, cefnen o glog-glai ac iddi orchudd o glogfeini, coblau a graean y gellir olrhain ei chrib nadreddog tua'r de-orllewin, dros bellter o tua 18 cilometr dan ddyfroedd Bae Tremadog. Dim ond ar y trai isaf y daw rhannau ohoni i'r golwg. Mae'n ymddangos mai marian o ryw fath yw'r sarn, cefnen o ddyddodion rhewlifol a ymgasglodd, o bosibl, ar ffurf marian canol rhwng rhewlif Dwyryd–Glaslyn a rhewlif Mawddach a lifai i mewn i Fae Ceredigion yn ystod y Rhewlifiant Diwethaf.

Daeth Mochras i amlygrwydd daearegol yn ystod y 1970au cynnar yn dilyn cyhoeddi canlyniadau'r twll turio a suddwyd yng nghanol y twyni tywod hyd ddyfnder o ychydig dros 1,938 metr,

rhwng 1967 ac 1969. Sail y Rhinogydd, sy'n edrych dros Forfa Dyffryn a Morfa Harlech, yw creigiau gwaddod Cambriaidd a ffurfiwyd dros 500 miliwn o flynyddoedd yn ôl. Ond er mawr syndod i ddaearegwyr, y creigiau hynaf y daethpwyd ar eu traws ar waelod twll turio Mochras oedd tywodfeini, yn bennaf, a ddyddodwyd ar ddiwedd y cyfnod Triasig, tua 200 miliwn o flynyddoedd yn ôl, yn unig. Uwchben y tywodfeini Triasig, ceir dilyniant o greigiau diweddarach, gan gynnwys, ym mhen uchaf y twll turio, dros 70 metr o ddyddodion rhewlifol. Daeth yn amlwg, felly, fod llinell yr hen glogwyni môr rhwng Llandecwyn a Llanaber yn cyfateb i ffawt enfawr, a bod llawr y basn gwaddodol i'r gorllewin ohono wedi gostwng filoedd o fetrau – o leiaf 3,750 metr yn ôl un amcangyfrif! – mewn perthynas â'r tir mawr hynafol i'r dwyrain o'r rhwyg.

Bwlch Tyddiad a Rhinog Fawr

Yn 1831 rhoes y Parchedig Adam Sedgwick (1785–1873), un o hoelion wyth byd daearegol y bedwaredd ganrif ar bymtheg a'r cyntaf i'w benodi'n Athro Daeareg ym Mhrifysgol Caergrawnt, gychwyn ar ei waith ymchwil arloesol ymhlith creigiau hynaf Cymru. Arweiniodd ei ymchwiliadau yn hen siroedd Caernarfon, Meirionnydd, Dinbych a Threfaldwyn at gydnabod bodolaeth y cyfnod daearegol, yn 1835, y rhoddodd iddo'r enw Cambriaidd (Cambria oedd enw'r Rhufeiniaid am Gymru). Yn ôl Sedgwick, ymestynnai creigiau'r cyfnod hwnnw dros y rhan helaethaf o Wynedd ond cyfyngwyd yn sylweddol ar faint eu tiriogaeth yn 1879 yn dilyn cydnabod bodolaeth creigiau'r cyfnod Ordofigaidd (a enwyd ar ôl yr Ordofigiaid, prif lwyth gogledd-orllewin Cymru yn ystod yr Oes Haearn). Byth ers hynny, Cromen Harlech, plyg enfawr sydd â'i graidd i'r de o Lyn Trawsfynydd, yw tiriogaeth helaethaf y creigiau Cambriaidd yng ngogledd Cymru. Ar ystlys gorllewinol y plyg, cwyd y Rhinogydd, mynyddoedd y mae eu natur greigiog, eu toreth o feini gwasgaredig, eu mân glogwyni dirifedi a'u llethrau sgri, ynghyd â'u gorchudd toreithiog o rug a llus mewn mannau, yn eu gwneud yn

galetach o lawer i'w troedio – ond nid i'w diadelloedd o eifr lled-wyllt – nag unrhyw ardal fynyddig arall yng Nghymru.

Eu llynnoedd diarffordd niferus yw un o nodweddion eraill y Rhinogydd, mynydd-dir nad yw, yn ôl pob tebyg, wedi newid fawr ddim ers y ddeunawfed ganrif pan aeth Ellis Wynne o'r Lasynys am dro ar hyd yr uchelderau hyn un 'haf hirfelyn tesog'. Llenwi basnau a gafnwyd yn y creigiau gan rewlifau y mae'r rhan fwyaf o ddigon o'r llynnoedd ac, ym marn y llenor a'r mynyddwr Ioan Bowen Rees, y perffeithiaf o holl greiglynnoedd Cymru yw Llyn Hywel, wrth droed llechweddau deheuol Rhinog Fach (712 m). Efallai wir, ond gyda'r hyfrytaf yw llyn hudolus Cwmbychan, tarddiad afon Artro sy'n llifo i'r môr nid nepell o Landanwg.

Er bod y ffordd sy'n arwain o Lanbedr yn dod i ben ger pen uchaf y llyn a ffermdy Cwm Bychan, dyma fan cychwyn y llwybr sy'n araf ddringo tuag at Fwlch Tyddiad wrth droed llethrau gogleddol Rhinog Fawr (720 m). Y tu uchaf i'r coed derw a bedw, lle y mae canu telor yr helyg, y tingoch a'r gwybedog brith i'w clywed ym misoedd y gwanwyn a'r haf, mae'r creiglethrau yn cau am lwybr ar ffurf rhes o

Bwlch Tyddiad: yr olygfa tua'r dwyrain

Creigiau rhewgerfiedig, moel

risiau cerrig. Er mor enwog yw'r Grisiau Rhufeinig, ni fu'r un llengfilwr blin yn eu tramwyo. Fe'u lluniwyd, mae'n debyg, rywbryd yn ystod yr Oesoedd Canol, er na ŵyr neb i sicrwydd pwy a'i defnyddiai nac i ba ddiben. Ond o'u dilyn hyd ben dwyreiniol hafn creigiog Bwlch Tyddiad, ar uchder o oddeutu 440 metr uwchlaw'r môr, mae'r olygfa yn wledd i'r llygad. Tua'r de-ddwyrain, y tu hwnt i Goed-y-Brenin, cwyd Rhobell Fawr (734 m) ei phen, safle gweddillion llosgfynydd a oedd yn fyw ar ddechrau'r cyfnod Ordofigaidd, tua 480 miliwn o flynyddoedd yn ôl. Ac i gyfeiriad y gogledd-ddwyrain, tu draw i

fawnogydd Trawsfynydd, creigiau igneaidd gwydn Ordofigaidd yw sail Arennig Fawr (854 m) hefyd, er na wawriodd y cyfnod folcanig a roes fod iddynt tan tua 465 miliwn o flynyddoedd yn ôl.

Ond tra gwahanol oedd yr olygfa tua 20,000 o flynyddoedd yn ôl pan oedd y Rhewlifiant Diwethaf yn ei anterth. Y pryd hwnnw yr oedd y llen iâ a orchuddiai'r rhan fwyaf o Gymru ar ei mwyaf trwchus. I'r de o Drawsfynydd dilynai haenau gwaelodol yr iâ ddyffrynnoedd afonydd Eden a Mawddach tua'r de, ond llifai'r haenau uchaf tua'r gorllewin ar draws copaon y Rhinogydd. Grym

Llyn Cwmbychan

erydol y llif didostur hwn a dyrchodd fylchau meinion yr ucheldir, megis Bwlch Tyddiad ynghyd â Bwlch Drws Ardudwy rhwng Rhinog Fawr a Rhinog Fach, gan fanteisio ar linellau o wendid yn y creigiau, megis ffawtiau. Ar arwynebau rhewdreuliedig, moel, yr haenau o dywodfaen sy'n sail i'r Rhinogydd, ceir rhychiadau dirifedi a grëwyd wrth i'r cerrig a oedd yn sownd yng ngwadn yr iâ grafu a rhigoli'r creigiau y cawsent eu llusgo drostynt.

Mae goroesiad y rhychiadau, ers diflaniad yr iâ tua 15,000 o flynyddoedd yn ôl, i'w briodoli i wytnwch a chaledwch Grutiau'r Rhinogydd. Dilyniant o haenau trwchus o dywodfaen llwydwyrdd, gan gynnwys rhai haenau teneuach o gerrig silt a cherrig llaid, yw'r Grutiau ac fe'u dyddodwyd fesul haen raddedig gan amlaf ar lawr y môr tua 500 miliwn o flynyddoedd yn ôl. Datblygodd pob haen raddedig wrth i lwythi o dywod, a gâi eu hysgubo i'r môr oddi ar dir cyfagos, gael eu hyrddio i'r dyfnderoedd gan gerhyntau tyrfol cryf. Ond wedyn, wrth i'r cerhyntau arafu ar wely'r môr, gollyngid gafael yn gyntaf ar y tywod bras ac yna, ymhen amser, ar y gronynnau mân. Y broses ailadroddus hon a esgorodd ar bryd a gwedd haenog y ddwy Rinog, nodwedd a ddisgrifiwyd gan Andrew Crombie Ramsay, awdur *The Geology of North Wales* (1866), fel 'yr olygfa wychaf yng Nghymru'.

Wyneb gogleddol Rhinog Fawr

Gwynfynydd– Maes Aur Dolgellau

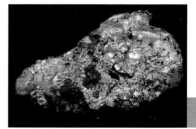

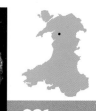

Aur: metel meddal, disglair, hydrin, hynod atyniadol a gwerthfawr iawn, mwyn y bu galw mawr amdano ers cyn cof. Ar hyd yr oesoedd y mae dyn wedi bod yn barod i deithio i bedwar ban byd, yn ogystal â dioddef caledi enbyd, yn ei ymdrech i ddod o hyd i aur. Daeth yr arfer o deithio i bellteroedd byd i'w benllanw yn ystod y bedwaredd ganrif ar bymtheg, canrif y rhuthradau aur pan heidiai pobl yn eu miloedd i ba gornel bynnag o'r byd y cafwyd hyd i grynoadau digonol ohono.

Yn anad un digwyddiad arall, y darganfyddiad yn Sutter's Mill, Callifornia, ar 24 Ionawr 1848, a sbardunodd y chwilota mawr. Ond bum mlynedd cyn bod sôn am Sutter's Mill, darganfu Arthur Dean, peiriannydd a weithiai yng ngwaith plwm Cwm Heisian ar lan afon Mawddach, y tamaid lleiaf o'r mwyn melyn disglair yng ngogor y mwynglawdd. Bu'r darganfyddiad yn destun papur a gyflwynodd gerbron aelodau'r Gymdeithas Brydeinig yn eu cyfarfodydd a gynhaliwyd yn Efrog yn 1844. Afraid dweud yr achosodd y cyhoeddiad gryn gyffro, ond bu'n rhaid aros hyd 1859 cyn y cafwyd hyd i wythïen gyfoethog gyntaf Maes Aur Dolgellau – y maes mwyaf llewyrchus o ddigon yng ngwledydd Prydain – a hynny ym mwynglawdd Clogau, tua chilometr i'r gogledd o'r Bont-ddu ar lan ogleddol aber afon Mawddach. Dros gyfnod o ddeng mlynedd rhwng 1860 ac 1869 cynhyrchwyd tua 13,900 owns (1 owns = 28.35 g) o aur – gwerth dros £10 miliwn yn ôl pris aur ar farchnad y byd yn Chwefror 2014!

Gwawriodd oes aur Gwynfynydd, y mwynglawdd a sefydlwyd ar lan afon Mawddach, nid nepell o Gwm Heisian, ar 11 Gorffennaf 1887. Roedd yr wythïen y daethpwyd ar ei thraws yn tu hwnt o gyfoethog ac ymhen cwta ddwy flynedd llwyddwyd i gynhyrchu tua 12,000

Adfeilion gwaith aur Gwynfynydd

owns o aur. Ac eithrio ambell gyfnod dilewyrch a llwm, parhaodd yr oes aur hyd 1915 ac yn ystod y blynyddoedd da hynny cynhyrchwyd bron i 41,000 owns – gwerth dros £30 miliwn heddiw!

Ond, yn ôl yr arfer, roedd pris i'w dalu am lewyrch y blynyddoedd rhwng 1887 ac 1915. Er mwyn ennill yr aur bu'n rhaid malu dros 95,000 tunnell o gwarts gwyn, caled a di-werth yn y felin fawr a godwyd rhwng Rhaeadr Mawddach a Phistyll Cain. Ar y gorau, ni lwyddwyd i ennill mwy nag oddeutu 50 gram o'r metel gwerthfawr am bob tunnell o gwarts a falwyd, sef y prif fwyn sy'n ffurfio'r gwythiennau ac ynddynt ronynnau neu strimynnau tenau o aur, ynghyd â phyrit ('aur ffyliaid'), sffalerit (mwyn sinc) a galena (mwyn plwm). At hynny, bu'n rhaid cloddio cannoedd o filoedd o dunelli o'r graig gysefin – cerrig llaid a cherrig silt yn bennaf, yn ogystal â chreigiau igneaidd caled – er mwyn canfod y gwythiennau a dilyn eu hynt di-ddal yng nghrombil y ddaear. Ymgasglodd y cerrig llaid du, sy'n cynnwys y rhan fwyaf o'r gwythiennau, ar lawr y môr yn ystod y cyfnod Cambriaidd, tua 500 miliwn o flynyddoedd yn ôl. Ond perthyn i'r cyfnod Ordofigaidd y mae'r gwythiennau eu hunain. Fe'u ffurfiwyd wrth i hylifau poeth, a ddeilliai o losgfynydd hynafol Rhobell Fawr a chwythodd ei blwc tua 480 miliwn o flynyddoedd yn ôl, ddyddodi eu trysorau mwynol yn y creigiau gwaddod Cambriaidd.

Prin fu dyddiau da Gwynfynydd wedi 1915. Bu'r codiad ym mhris aur yn y 1930au yn hwb i'r diwydiant, ond yna ym mis Chwefror 1935, dinistriodd tân y felin atgyweiriedig yr oedd ei thyrbinau yn

Adfeilion gwaith plwm Cwm Heisian

Afon Mawddach

Rhaeadr Mawddach a rhan o weddillion melin Gwynfynydd

ddibynnol ar ddŵr a dynnid o afon Mawddach gerllaw Rhaeadr Mawddach. Bu'n rhaid aros hyd 1983 cyn y cafwyd hyd i wythïen gyfoethog arall ond profodd y costau o'i datblygu yn drech na pherchenogion y mwynglawdd. Methiant hefyd fu'r ymgais yn y 1990au i ddatblygu Gwynfynydd yn atyniad i dwristiaid, a daeth y gwaith cloddio tanddaearol i ben yn 1998. Serch hynny, ni ddaeth y gwaith i ben yn gyfan gwbl tan 2007. Am gyfnod bu un o gyn-fwyngloddwyr Gwynfynydd yn gwneud bywoliaeth drwy ailweithio rhai o'r tomennydd o gerrig gwastraff ac adennill yr ychydig aur a oedd yn weddill ynddynt, mwyn metel a oedd, ac sydd, gyda'r drutaf yn y byd ar gyfrif ei brinder a'i gysylltiadau Celtaidd a brenhinol.

Mae sŵn y peiriannau gogru a golchi, a oedd yn atseinio yn y rhan hon o Goed-y-Brenin, wedi hen ymdawelu a mynd yn fud. Erbyn heddiw mae adfeilion anolygus, ond hanesyddol bwysig, yr hen waith yn graith ac yn staen ar y llecyn hardd hwn o Barc Cenedlaethol Eryri. Ond ni pheidiodd y chwilota am y metel gwerthfawr, yn enwedig ymhlith yr anturiaethwyr hynny sy'n hyddysg yn y grefft o drin padell a rhaw. Oherwydd ei ddwysedd uchel, mae rhai gronynnau aur wedi ymgasglu yn y tywod a'r graean ar welyau afonydd yr ardal a hyd heddiw daw ambell gnepyn bach gloyw o aur coeth Cymru i'r golwg ym mhadell y chwilotwr amyneddgar â'i fryd ar wneud ei ffortiwn a'r ysfa yn dwymyn yn ei waed.

Llyn Tegid, Y Bala

Dywed Jan Morris nad yw hyd yn oed hyfrydwch Llyn Maggiore yn yr Eidal nac ychwaith Lyn Annecy yn Ffrainc yn fywiocach na disgleirdeb hudol Llyn Tegid ar ddiwrnod tesog o haf. Tebyg oedd ymateb Ioan Pedr hefyd i'r 'llen brydferth o ddwfr', er iddo yntau yn ei ysgrif 'Llyn Tegid a Daeareg', a gyhoeddwyd yn *Y Traethodydd* yn 1876, fentro'r farn fod y llyn naturiol mwyaf o ddigon yng Nghymru gyda'r 'prydferthaf yn y byd'. Er hynny, nid ar sail ei harddwch digamsyniol, na'i ddaeareg o ran hynny, y'i dynodwyd yn Safle o Ddiddordeb Gwyddonol Arbennig. Y mae a wnelo diddordeb arbennig y llyn â'i fywyd gwyllt: ei blanhigion dyfrol; un rhywogaeth arbennig o falwen, a'r pysgod sy'n ffynnu yn y dyfroedd cymharol brin eu maetholion.

Mewn ambell fan rhwng y dŵr agored a'r glannau sychach ceir tyfiant toreithiog o berfwellt yr adar (*Phalaris canariensis*), hesgen ylfinfain (*Carex rostrata*) a hesgen chwysigennaidd (*Carex vesicaria*). Ac yn yr haf mae blodau gwyn briwydd y gors (*Galium palustre*), melyn euraid gold y gors (*Caltha palustris*) a phinc carpiog y gors (*Lychnis flos-cuculi*) yn sirioli'r clytiau llai o hesg chwysigennaidd.

Ond prinnach o lawer na'r prinnaf o blanhigion y basddyfroedd yw'r falwen ludiog, un o falwod dŵr croyw mwyaf prin Ewrop a gofnodwyd yn Llyn Tegid gyntaf yn ystod y 1850au. Gan mlynedd yn ddiweddarach nid oedd arwydd o'r creadur bach i'w weld yn unman a'r gred oedd ei fod wedi darfod o'r tir. Ond yna, ym Medi 1998, ailddarganfuwyd y falwen nad oes cofnod ohoni mewn unrhyw lyn arall yng ngwledydd Prydain.

Y mwyaf nodedig o bysgod y llyn hirgul, a chyda'r enwocaf o bysgod dŵr croyw Cymru, yw'r gwyniad. Arferai'r pysgodyn hwn fudo i'r môr cyn i'r hinsawdd gynnes a nodweddai'r cyfnod wedi i iâ'r

Delta afon Llafar sy'n ymestyn i mewn i'r llyn ger Gwersyll Glan-llyn

Rhewlifiant Diwethaf ddiflannu o'r ardal tua 15,000 o flynyddoedd yn ôl beri i dymheredd afon Dyfrdwy godi. Gan na fedrai'r pysgodyn ddioddef dŵr cynhesach yr afon, fe'i caethiwid yn nyfroedd dyfnion, oer Llyn Tegid ac yno yr esblygodd yn rhywogaeth anymfudol, wahanol. Yn wir, mae'n debyg fod goroesiad y gwyniad i'w briodoli i'r basn 42 metr o ddyfnder y mae'r llyn yn ei lenwi.

Rhewlif a gafnodd greicafn dwfn Llyn Tegid, er nad yw llethrau'r dyffryn rhwng Llanuwchllyn a'r Bala yn dwyn olion erydiad rhewlifol dwys; maent yn esmwyth iawn o'u cymharu â llechweddau serthochrog cafnau rhewlifol creigiog megis Nant Peris yn Eryri. Ffawt y Bala a fu'n bennaf cyfrifol am hwyluso gwaith erydol y rhewlif, y toriad enfawr, bron 100 cilometr o hyd, yr amlinellwyd ei lwybr gan Ioan Pedr: 'Rheda o Dowyn Meirionydd, heibio Cadair Idris, drwy ganol Llyn Tegid, ar y chwith i Gorwen, drwy Fryn Eglwys, ac ymgladda o dan y Tywodfaen coch newydd ychydig tu draw i Gaergwrle.' Rhwng Bae Ceredigion a'r Gororau mae'r ffawt yn effeithio ar greigiau o wahanol oed, ffaith sy'n tystio bod symudiadau llorweddol a fertigol ar hyd y rhwyg wedi digwydd o bryd i'w gilydd dros gyfnod o 500 miliwn a mwy o flynyddoedd. Mae'n bosibl hefyd fod ambell symudiad bach wedi digwydd yn ystod y cyfnod hanesyddol, er ei bod hi'n annhebygol mai Ffawt y Bala a achosodd y daeargryn di-nod a siglodd y dref ar 23 Ionawr 1974. Fodd bynnag, o ganlyniad i'r llu symudiadau a ddigwyddodd dros gannoedd o filiynau o flynyddoedd, nodweddir y ffawt gan lain o greigiau mâl, llinell o wendid sydd ar ei gwannaf lle y cafodd creigiau, a oedd eisoes yn gymharol wan, eu malu'n gandryll, megis y cerrig llaid a cherrig silt sy'n sail i ardal Penllyn. Drwy dyrchu'r creigiau maluriedig hynny y creodd y rhewlif a lanwai ddyffryn afon Dyfrdwy fasn Llyn Tegid, basn sydd gryn dipyn yn fwy na'r llyn presennol.

Byth ers diflaniad yr iâ, bu afonydd yr ardal yn prysur sgubo cruglwythi o raean a thywod ynghyd â rhai meini mawrion i mewn i'r llyn. Dywed Ioan Pedr mai'r 'llif mawr yn Llanuwchllyn' ym Mehefin 1781 'a symudodd wely yr afon Twrch, drwy lanw i fyny yr hen wely â'r defnyddiau a'r meini anferthol a gludid i lawr gan y rhyferthwy'. A thystia'r dyddodion sydd wedi ymgasglu ym mhen uchaf y llyn, o ganlyniad i weithgaredd afonydd Dyfrdwy a Thwrch, ac yn ei ben isaf dan ddylanwad afon Tryweryn, fod Llyn Tegid, ar un adeg, dros dri chilometr yn hwy na'i bum cilometr a hanner presennol. At hynny,

mae ei led rhwng deltâu afonydd Llafar a Glyn, ar y naill ochr a'r llall i'r llyn, hanner yr hyn ydyw gerllaw Eglwys Beuno Sant, Llanycil, a saif ar ddelta bach caregog Abercelyn. Wedi iddi gael ei datgysegru, prynwyd yr eglwys gan Gymdeithas y Beibl yn 2007 gyda'r bwriad o'i throi'n ganolfan ymwelwyr. Agorodd Canolfan Byd Mari Jones i'r ar 5 Hydref 2014 i gyd-fynd â daucanmlwyddiant marw y Parchedig Thomas Charles, Y Bala, y gŵr a fu'n rhannol gyfrifol am sefydlu Cymdeithas y Beibl yn 1804 ac a gladdwyd ym mynwent Eglwys Llanycil.

Delta bach Nant Pant-y-march gyferbyn â Gwersyll Glan-llyn

Pistyll Rhaeadr

033

Yn ôl y rhigwm Saesneg a ysgrifennwyd yn niwedd y ddeunawfed ganrif neu'n gynnar yn y bedwaredd ganrif ar bymtheg, Pistyll Rhaeadr yw un o saith rhyfeddod Cymru. Ac er nad oedd yr un o'r cyfryw ryfeddodau – ac eithrio'r Wyddfa – i'w canfod y tu hwnt i ogledd-ddwyrain Cymru, yn ôl awdur anhysbys ac unllygeidiog y rhigwm, y mae Pistyll Rhaeadr, nid nepell o bentref Llanrhaeadr-ym-Mochnant, yn ddigon o ryfeddod. Yn wir, cydnabuwyd pwysigrwydd y rhaeadr atyniadol hon drwy ei dynodi'n Safle o Ddiddordeb Gwyddonol Arbennig, 'Y 1000fed SoDdGA yng Nghymru' ys dywed y geiriau ar y llechen a ddadorchuddiwyd ar 22 Mai yn y flwyddyn 2000 i ddathlu'r digwyddiad nodedig, a oedd ar y pryd yn garreg filltir bwysig yn hanes y wlad a Chyngor Cefn Gwlad Cymru (a ddaeth yn rhan o'r corff amgylcheddol Cyfoeth Naturiol Cymru ar 1 Ebrill 2012).

Pistyll Rhaeadr yw rhaeadr uchaf Cymru, lle y mae afon Disgynfa, sy'n tarddu wrth odre crib dde-orllewinol mynyddoedd y Berwyn, yn plymio 75 metr i ben uchaf Cwm Blowty. Ond nid un ddisgynfa ddi-dor mohoni. Ar ôl cwympo 50 metr i mewn i blymbwll, mae'r afon yn llifo o dan fwa naturiol trawiadol ac yn disgyn 25 metr yn ychwanegol i mewn i blymbwll dyfnach wrth droed y rhaeadr fawr, cyn dilyn sianel greigiog dan bont Tan-y-pistyll, lle y gall ymwelwyr fwynhau golygfa ragorol o'r pistyll ysblennydd.

Creodd yr olygfa gryn argraff ar George Borrow ar achlysur ei ymweliad â'r 'rhyfeddod' yn haf 1854. Ond er iddo gyfaddef na welodd ef erioed 'ddŵr yn cwympo mor osgeiddig', ni chafodd ei lwyr fodloni, oherwydd nid da ganddo o gwbl y 'bont ddu hyll neu'r hanner cylch o graig, tua dwy droedfedd [0.6 m] ar draws ac oddeutu ugain troedfedd [6 m] o uchder' a oedd, yn ei dyb ef, yn ei atal rhag gwerthfawrogi'r rhaeadr yn ei chyfanrwydd. Yn wir, mynegodd y gobaith y byddai llifeiriant ffrydwyllt, ryw ddydd, yn chwalu ac yn sgubo ymaith y 'gwrthrych diolwg'! Yn ogystal â hynny, cafodd wybod gan y wraig a'i tywysodd cyn belled â'r bwa

tramgwyddus, lle y bu ond y dim iddo gael ei ddallu gan drochion ac ewyn, y gallai'r 'golofn o ddŵr gorwyllt' fod yn arswydus yn enwedig yn ystod y gaeaf, pan fyddai'n 'rhuo megis taran neu darw cynddeiriog'. Ymgartrefai'r tywysydd o Gymraes yn y bwthyn Swisaidd ei olwg, adeilad y bu Syr Watkin Williams-Wynn (1789–1840) yn gyfrifol am ei bryd a'i wedd anarferol ac a saif hyd heddiw ar bwys maes parcio bach yr atyniad poblogaidd.

Yn ddaearyddol, mae Pistyll Rhaeadr yn dynodi'r ffin rhwng dau ddyffryn ac iddynt nodweddion tra gwahanol i'w gilydd. Dilyn llwybr serth drwy sianel yn llawn cerrig mawrion y mae afon Disgynfa uwchlaw'r rhaeadr. Ond islaw'r cwymp a'r tu hwnt i gymer afon Disgynfa â Nant y Llyn, sy'n tarddu yn Llyn Lluncaws wrth droed cefnfur creigiog peiran Moel Sych (827 m), mae afon Rhaeadr (fel y'i gelwir y tu hwnt i'r cymer) yn ymddolennu ar draws llawr lled-wastad

cafn rhewlifol gorddwfn a nodweddir gan olion hen sianeli a cherlannau. Sail y clogwyn y mae afon Disgynfa yn llamu drosto yw haen wydn, 15 metr o drwch, o lwch a lludw folcanig (ignimbrit), cynnyrch echdoriad ffrwydrol, byrhoedlog, a ddigwyddodd tua diwedd y cyfnod Ordofigaidd, oddeutu 450 miliwn o flynyddoedd yn ôl. Wrth i'r llwch a'r lludw eirias oeri, datblygodd craciau colofnog (bregion) ar ongl sgwâr i arwyneb y llif ac y mae'r bregion lled-fertigol hynny i'w gweld yn wyneb y clogwyn. Oddi tan yr haen o ignimbrit ceir dilyniant o lechfeini Ordofigaidd, a ymgasglodd yn wreiddiol ar ffurf haenau o laid ar lawr y môr. Drwy fanteisio ar wendidau yn y llechfeini hyfriw hyn, sy'n llai abl i wrthsefyll erydiad na'r graig igneaidd, llwyddodd afon Disgynfa i naddu'r bwa a oedd yn gymaint briw i lygad Borrow. Ar y naill ochr a'r llall i droed y rhaeadr ceir llethrau sgri, sef darnau o'r llechfeini a chwilfriwiwyd yn ystod y tywydd rhewllyd a nodweddai ddiwedd y Rhewlifiant Diwethaf.

Ys dywedodd Thomas Pennant, 'Y mae y rhaiadr nodedig yma yn terfynu dyffryn anarferol o gul...', hafn coediog braf, er nad felly yr oedd hi yn ôl y naturiaethwr a'r hynafieithwr o Chwitffordd, awdur *Tours in Wales* (1778, 1781). 'Diffyg mawr y dwfr-ddisgynfa yma,' meddai Pennant (yn *Teithiau yn Nghymru*, y fersiwn Cymraeg o'i gyfrol), 'ydyw ei ymddifadrwydd o goed.' Erbyn cyfnod Borrow, fodd

bynnag, tyfai 'llwyni o binwydd' ar y llechweddau o boptu'r rhaeadr, egin-goetir sydd bellach yn cynnwys coed ffawydd a derw, ynn a masarn, nifer ohonynt a blannwyd dros ganrif yn ôl. Ac yn gorchuddio arwynebau'r creigiau dan gysgod trwm y coed, ceir toreth o fwsoglau, rhedyn, cennau a llysiau'r afu, llystyfiant gwyrddlas, ir, sy'n ffynnu dan amodau microhinsawdd laith yr hafn.

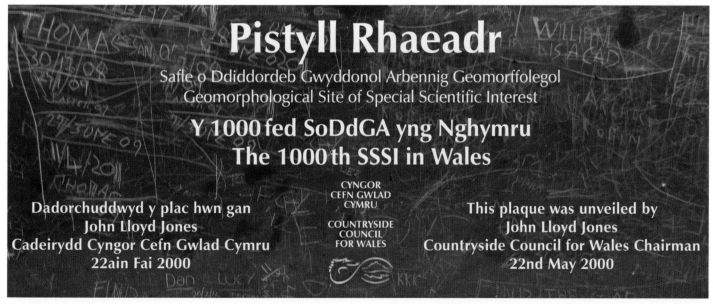

Bwlch y Groes a'r ddwy Aran

Mynnai Ioan Bowen Rees, y mynyddwr brwd ac awdur *Dringo Mynyddoedd Cymru* (1965), fod i'r ddwy Aran ddwy wedd gyferbyniol. 'Llyfn, gwelltog ac anniddorol', meddai, yw'r olwg arnynt o'r gorllewin – o brifordd y Bala–Dolgellau, dyweder – ond gwelai fod 'stamp creigiog cewri Eryri arnynt' o edrych i gyfeiriad eu hochr ddwyreiniol, anghysbell o gyrrau Bwlch y Groes, yr adwy y rhed ffordd fynyddig Llanuwchllyn–Llanymawddwy drwyddi. Mae dau o'r cewri hynny, sef Arennig Fawr a'r Wyddfa ei hun, i'w gweld o'r bwlch ac yn achos y naill a'r llall, ynghyd â chlogwyni wyneb dwyreiniol y ddwy Aran, gellir priodoli eu natur greigiog a'u llymder i galedwch y creigiau folcanig Ordofigaidd y naddwyd y mynyddoedd ohonynt.

Yn ystod yr echdoriadau folcanig grymus, lleol, a ddigwyddodd tua 465 miliwn o flynyddoedd yn ôl, troes y llifau o lwch a lludw eirias (tyffau llif-lludw) yn greigiau cadarn wrth iddynt oeri ac mae'r ffin rhyngddynt a'r cerrig llaid diweddarach, sy'n sail i'r tir wrth odre'r darren greigiog, yn amlwg dan gopaon Aran Fawddwy (905 m) ac Aran Benllyn (885 m). Ar gownt cadernid y tyffau, bernir bod y clogwyni uwchben Creiglyn Dyfi, dan gysgod Aran Fawddwy, yn ddelfrydol ar gyfer dysgu dringo. Dyna farn bendant Owen Glynne Jones, y Cymro ifanc a oedd, yn ôl Ioan Bowen Rees, yn un o arloeswyr pwysicaf y grefft o ddringo creigiau, cyn ei farwolaeth annhymig yn dilyn damwain frawychus yn yr Alpau yn 1899.

Aran Benllyn yn bwrw ei threm dros Gwm Croes

I Thomas Pennant, y ddwy Aran oedd Alpau ei wlad ac, megis y mynyddoedd mawreddog hynny, mae olion y rhewlifau a'u lluniodd yn gwbl amlwg. Tystio i'r newidiadau hinsoddol naturiol a nodweddai ddiwedd y cyfnod rhewlifol a ddaeth i ben tua 11,500 o flynyddoedd yn ôl y mae eu tirffurfiau. Grym erydol rhyfeddol y rhewlifau a ymffurfiodd dan gysgod crib y ddwy Aran a greodd y ddau beiran blaen-dyffryn mawr, y naill ym mhen uchaf Cwm Llaethnant a'r llall ym mhen uchaf Cwm Croes, yn ogystal â'r ddwy amffitheatr greigiog lai a'r ddau greicafn y mae Creiglyn Dyfi a Llyn Lliwbran wedi cronni ynddynt. Dyffrynnoedd a drawsnewidiwyd yn gafnau rhewlifol serthochrog gan yr afonydd o iâ a lifai ar hyd-ddynt yw Cwm Croes a Chwm Llaethnant, y naill ochr a'r llall i'r wahanfa ddŵr rhwng blaenddyfroedd afonydd Dyfrdwy a Dyfi. At hynny, mae Cwm Llaethnant yn enghraifft glasurol o ddyffryn crog. Wrth odre clogwyni'r Ogof Ddu ceir creigris tua 120 metr o uchder y mae dyfroedd brochus Llaethnant yn rhaeadru drosto cyn cyrraedd dolydd afon Dyfi, dyffryn a ddyfnhawyd gan rewlif grymusach o lawer na hwnnw a feddiannai Gwm Llaethnant tua 20,000 o flynyddoedd yn ôl.

Wrth i'r hinsawdd gynhesu, diflannu fu hanes y rhewlifau. Ond wedi'r egwyl gynnes rhwng oddeutu 15,000 a 13,000 o flynyddoedd yn ôl, oerodd yr hinsawdd drachefn ac adfeddiannwyd y ddau beiran lleiaf gan rewlifau bach, cyn i'r rheiny ddadmer a diflannu tua 11,500 o flynyddoedd yn ôl, ar ddechrau'r cyfnod ôl-rewlifol cynnes. Atgof o dywydd rhewllyd rhewlifiannau'r gorffennol yw'r planhigion arctig-alpaidd a mynydd, megis y tormaen serennog (*Saxifraga stellaris*), tormaen llydandroed (*Saxifraga hypnoides*), briweg felen (*Sedum rupestre*) a'r cnwp-fwsogl mawr (*Huperzia selago*) a ddarganfuwyd gan Edward Llwyd ymhlith y creigiau uwchben Llyn Lliwbran, yn Ebrill 1682.

Hyd yn oed yn ystod y cyfnod cynhanesyddol, ni ellir llwyr ddiystyru'r posibilrwydd fod gweithgareddau dynol wedi dylanwadu ar hynt yr hinsawdd. Eto i gyd, mae'n debyg mai newidiadau hinsoddol naturiol yn bennaf a esgorodd ar yr hinsawdd wlypach, glaear a nodweddai ucheldiroedd Cymru tua 6,000 o flynyddoedd yn ôl. Yr amodau hyn a fu'n gyfrifol am sbarduno twf gorgorsydd y wlad, megis yr haenau trwchus hynny o fawn a oedd yn wreiddiol yn ymestyn yn ddi-dor ar draws llwyfandir tonnog y Clipiau Duon a Llechwedd Du, rhwng Cwm Llaethnant a Bwlch y Groes.

Aran Fawddwy

Torlannau treuliedig o fawn sych

Hawliai Thomas Pennant y rhoddai'r fawnog nid yn unig 'nawdd i luoedd o ieir cochion y mynydd, ac ychydig o rai duon' (y grugiar goch a'r grugiar ddu), ond bod y 'mawn rhagorol' hefyd o bwysigrwydd anfesuradwy i'w gyfoeswyr a drigai yn yr ardal yn ystod y ddeunawfed ganrif. Dyma, meddai, 'welyau tanwydd yr holl drigolion', er mor ddiarffordd oedd y gwelyau lle y lleddid y mawn, ac er mor llafurus oedd y gwaith o'i gludo i'w cartrefi. Corsiog yw'r tir hyd heddiw, cynefin gwahanol rywogaethau o figwyn (*Sphagnum*) a phlanhigion megis grug (*Calluna vulgaris*), plu'r gweunydd (*Eriophorum angustifolium*) a'r tuswau o laswellt y gweunydd (*Molinia caerulea*) a all ddygymod â'r amodau asidig. Ond ysywaeth, bu'r arfer o dorri mawn, ynghyd â'r gwaith o ddraenio rhannau o'r orgors er mwyn creu porfeydd ar gyfer defaid, yn niweidiol i iechyd y fawnog, fel y tystia'r torlannau treuliedig o fawn sych. Bu'n niweidiol i'r amgylchedd hefyd, oherwydd wrth i'r mawn sychu ac ocsideiddio, rhyddheir i'r atmosffer garbon deuocsid, y pwysicaf o'r nwyon tŷ gwydr sy'n sbarduno'r cynhesu byd-eang y mae gweithgareddau dynol bellach yn bennaf cyfrifol amdano.

Dolydd afon Dyfi wrth odre clogwyni'r Ogof Ddu

Cwm Cywarch

035

Oboptu i Gwm Cerist y mae dau gwm na ŵyr y rhan fwyaf o bobl sy'n gyrru ar hyd priffordd yr A470 yng nghyffiniau Dinas Mawddwy am eu bodolaeth, heb sôn am eu prydferthwch. Y lleiaf o'r ddau a'r mwyaf dirgel yw Cwm Maesglasau, y 'cwm bychan "ymhell o firi pobl"' y ceir portread hyfryd ohono yn *O! Tyn y Gorchudd*, nofel Angharad Price a enillodd Fedal Ryddiaith yr Eisteddfod Genedlaethol yn 2002 a gwobr Llyfr y Flwyddyn yn 2003. Megis afon Cerist, sy'n derbyn dyfroedd Nant Maesglasau, un o isafonydd Dyfi yw afon Cywarch ac o'i haber y mae'n daith o oddeutu tri chilometr

a hanner ar hyd lôn wledig gul er mwyn cyrraedd y maes parcio bach a sefydlwyd wrth odre Craig Cywarch ym mlaen y cwm gan Awdurdod Parc Cenedlaethol Eryri.

Trawiadol yw gerwinder clogwyni tywyll Craig Cywarch o'u cymharu â llyfnder a gwyrddni llechweddau gorserth y dyffryn amaethyddol, cyferbyniad sydd i'w briodoli i greigiau Cwm Cywarch a'r grymoedd rhewlifol a'u cerfiodd. Cynnyrch echdoriadau folcanig a'r llifau trwchus o lwch a lludw eiriasboeth y rhoes y ffrwydradau grymus fod iddynt yw sail creigiau caled (tyffau llif-lludw) Craig

Cywarch a Chreigiau Camddwr, ynghyd â'r ddwy Aran i'r gogledd-ddwyrain ohonynt. Ond pentwr o gerrig llaid Ordofigaidd a ymgasglodd fesul haen ar lawr môr tua 460 miliwn o flynyddoedd yn ôl, wedi i danau'r llosgfynyddoedd ddiffodd, yw'r creigiau meddalach y naddwyd y dyffryn ohonynt, a hynny gan gyfuniad o ddau rewlif: ymffurfiodd y naill dan gysgod Craig Cywarch a'r llall yn y peiran dan gopa Pen Main (680 m) ym mhen uchaf yr Hengwm. Daeth y ddau ynghyd gerllaw cymer presennol afon Camddwr ac afon yr Hengwm a safle hen waith mwyn Cowarch [*sic*], lle y gwelir tyffau wedi'u mowldio a'u lliflunio gan rym llif yr iâ.

Ar y topiau anghyfannedd rhwng Glasgwm (774 m), uwchlaw Craig Cywarch, a chopa Aran Fawddwy (905 m) ceir sawl hen siafft a lefel a suddwyd yn y gobaith o ddod o hyd i ambell 'wythïen o fwyn odiaethol' yn y creigiau folcanig. Ond ofer fu pob ymdrech. Yr unig waith mwyn gwerth sôn amdano oedd mwynglawdd Cowarch dan gysgod Creigiau Camddwr, er mai ychydig o'i olion sydd wedi goroesi. Gwyddys y bu'r gwaith yn weithredol am rai blynyddoedd cyn 1770 ac yn ystod y flwyddyn honno, a chafodd sawl lefel a siafft newydd eu gyrru i grombil y ddaear yn ystod y 1840au. Er hynny, ni lwyddwyd i ddod o hyd i unrhyw wythïen o werth, yn ôl tystiolaeth un mwynwr anhysbys. Aflwyddiannus ar y cyfan hefyd fu'r ymdrech i ailagor y mwynglawdd dan ei enw newydd, Great Cowarch, ym mlynyddoedd cynnar y 1850au. Eto i gyd, wedi cyfnod arall o segurdod, fe'i hailagorwyd drachefn dan yr enw Penyrallt, mwynglawdd na fu braidd sôn amdano wedi 1862, y flwyddyn y llwyddwyd i gynhyrchu 21 tunnell pitw o fwyn plwm.

Olion mwynglawdd a oedd wedi hen ddod i ddiwedd ei oes a gofnodwyd gan swyddogion yr Arolwg Ordnans a fu wrthi'n tirfesuro'r ardal yn 1887, ychydig dros ddegawd wedi i ddau addoldy bach y cwm, sef Bethlehem (1876), capel yr Annibynwyr, a Tarsus (1877), capel y Methodistiaid Calfinaidd, agor eu drysau ar adeg pan oedd y cwm ar ei fwyaf poblog. Caeodd y ddau achos yn ail hanner yr ugeinfed ganrif, cyfnod a welodd godi bwthyn Bryn Hafod ar safle un o hen adeiladau'r gwaith mwyn. Mae'r adeilad hwnnw, sy'n eiddo i Glwb Mynydda Stafford, yn tystio i boblogrwydd yr ardal ymhlith ymwelwyr â'u bryd ar gyrchu'r ddwy Aran, neu ddringo bwtresi Craig Cywarch a Chreigiau Camddwr. Yn eu man uchaf cwyd y clogwyni dros 560 metr uwchlaw gwastatir y Fawnog Fawr, gwaddol

mawnaidd a charegog llif ewynnog, grymus y nentydd a'r cornentydd a dardd ymhlith y creigiau.

Yn ystod y 1950au y cofnodwyd y cyntaf o'r 250 o wahanol ddringfeydd ar glogwyni blaen Cwm Cywarch, pob un wedi'i disgrifio a'i graddoli yn ôl anawsterau'r ddringfa, a phob un, yn ôl arferiad dringwyr dibris o ddiwylliant y Cymry, wedi'i chofrestru dan enw Saesneg. Er bod y graig folcanig yn cynnig gafaelion da, mae'n debyg fod eu gwlypter, yn ôl a ddywed awduron gwefan summitpost.org/glasgwm-craig-cywarch, yn boendod i ddringwyr, gan fod gofyn iddynt, o bryd i'w gilydd, ymgymryd â'r 'dasg ddiddiolch' o glirio 'llystyfiant soeglyd' oddi ar wynebau'r creigiau. Anghyfrifol ac annerbyniol, a dweud y lleiaf, yw'r fath weithgaredd. Mae'r ychydig galch a geir yng nghreigiau'r clogwyni yn cynnal toreth o blanhigion mynydd nodedig, gan gynnwys duegredynen werdd (*Asplenium viride*), suran y mynydd (*Oxyria digyna*), arianllys bach (*Thalictrum minus*), pren y ddannoedd (*Sedum rosea*), cronnell (*Trollius europaeus*) a thormaen llydandroed (*Saxifraga hypnoides*). Trueni o'r mwyaf fyddai colli unrhyw un o'r trysorau hyn o ganlyniad i weithgareddau dringwyr anystyriol.

Craig wedi'i mowldio a'i lliflinio gan rewlif

Bwthyn Bryn Hafod a thomen yr hen waith mwyn (chwith)

036

Dyffryn Mawddach a Llwybr Cynwch

Ioan Bowen Rees, awdur y perl hwnnw o gyfrol, *Bylchau: Ysgrifau Mynydd a Thaith* (1995), a ddysgodd 'yn gynnar ar Foel Faner a Moel Cynwch... nad oes hafal i gopa isel yng nghyffiniau copaon mawr am olygfa'. Ac ym mhen deheuol Llwybr Cynwch, fry uwchlaw dolydd afon Mawddach ac oddeutu 50 metr islaw'r hen gaer sy'n goron ar Foel Faner (290 m), cymdoges Foel Cynwch (c. 320 m), ceir golygfa wych o wyneb gogleddol Cadair Idris, panorama a ddisgrifiwyd gan yr un awdur yn ei lyfr *Galwad y Mynydd: Chwe Dringwr Enwog* (1961) yn un a oedd 'yn deilwng o'r Alpau'. Canolbwynt y trum hir, creigiog, sy'n ymestyn o'r Gau Graig yn y dwyrain hyd y Tyrau Mawr tua'r gorllewin yw Pen y Gadair (893 m), a gwyd uwchlaw'r peiran y mae Llyn y Gadair yn gorwedd ar ei lawr. O'r

cwm hwnnw, a'r peirannau eraill rhyngddo a'r Gau Graig, y llifai cyfran fach o'r iâ a fwydai'r ffrydlif mawr o iâ a ddilynai ddyffryn Mawddach ar ei hynt tua Bae Ceredigion oddeutu 20,000 o flynyddoedd yn ôl. I'r ffrydlif grymus hwnnw y gellir priodoli gwedd ffiordaidd dyffryn harddwych Mawddach, yr 'harddaf o holl aberoedd gwychion Gwynedd', chwedl Jan Morris, awdures *Cymru o'r Awyr* (1990).

Ar sail dyddiadau radiocarbon y gwaddodion organig hynaf ar lawr Llyn Gwernan, sy'n llenwi un o'r cafnau creigiog ymhlith y bryniau rhwng Pen y Gadair a Phenmaen-pŵl, mae'n amlwg fod yr iâ a lanwai ran isaf Dyffryn Mawddach wedi hen ddiflannu erbyn 16,500 o flynyddoedd yn ôl. Yna, wrth i lefel y môr godi yn dilyn diflaniad yr iâ, ymgasglodd trwch o glai, tywod a graean ar lawr y dyffryn

Llyn Cynwch a Chadair Idris

(cofnodwyd o leiaf 48 metr o'r gwaddodion hyn mewn twll turio a suddwyd dan ben gogleddol tafod y Friog, gyferbyn â'r Bermo), sydd bellach yn sail i orlifdir yr afon. Yn gymysg â'r gwaddodion hynny y mae gronynnau o aur a gafodd eu hysgubo o'r bryniau i'r gogledd a'r dwyrain o Ddolgellau gan afon Mawddach a'i hisafonydd dros y canrifoedd. Er prinned yw'r gronynnau aur, y mwyn yr arferid ei gloddio yn hen fwyngloddiau enwog Clogau a Gwynfynydd ymhlith eraill, dyma'r metel y bu corfforaeth fwyngloddio ryngwladol Rio Tinto Zinc (RTZ) yn ei lygadu yn ystod y 1970au cynnar.

Yn ogystal ag archwilio'r gwaddodion yng ngwelyau'r afonydd, ymgymerodd daearegwyr y cwmni ag arolygon seismig ym moryd afon Mawddach yn Ebrill a Mai 1970. Bwriad RTZ, yn ôl y sôn, oedd

adennill y gronynnau aur drwy gloddio a rhidyllu'r gwaddodion ar lawr y rhan honno o'r dyffryn rhwng pont reilffordd y Bermo a phont Penmaen-pŵl. Er mawr ryddhad i'r llu protestwyr, ym mis Mawrth 1972 cyhoeddodd y cwmni nad oedd yn fwriad ganddynt i fwrw ymlaen â'r cynllun, a fyddai wedi llwyr ddifetha harddwch naturiol y foryd.

Ond nid aur yn unig y llygadai RTZ. Yng Ngorffennaf 1971, rhoes y Swyddfa Gymreig, rhagflaenydd Cynulliad Cenedlaethol Cymru, sêl ei bendith ar gais cynllunio'r cwmni i chwilio am fwyn copr yn ardal Capel Hermon, yng nghanol Coed-y-Brenin, cwta bum cilometr i'r gogledd o Foel Cynwch. Drwy dyllu, profwyd bod creigiau hynafol yr ardal, tua 500 miliwn o flynyddoedd oed, yn ymgorffori dyddodyn

Peiran Llyn y Gadair dan gysgod Pen y Gadair

copr iselradd, sef tua 200 miliwn tunnell o fwyn ac ynddo 0.3% o gopr. Oherwydd fod y mwyn copr wedi'i wasgaru'n denau drwy'r dyddodyn, yr unig ddull economaidd o'i gloddio fyddai drwy agor mwynglawdd agored anferthol, tebyg i waith glo brig.

Ar sail ei faint a'i leoliad oddi mewn i ffiniau Parc Cenedlaethol Eryri, roedd y datblygiad arfaethedig yn gwbl annerbyniol ym marn nifer fawr o bobl, yn ogystal â mudiadau a sefydliadau amgylcheddol megis Ymgyrch Diogelu Cymru Wledig, Cyfeillion y Ddaear a Chymdeithas Eryri. Roedd eraill, megis Cyngor Gwledig Dolgellau, o blaid y cynllun, gan ddadlau mai bach fyddai maint unrhyw gloddfa o'i chymharu ag arwynebedd y Parc Cenedlaethol ac yn bwysicach fyth y byddai'r fenter, yn nhyb y cynghorwyr, yn debygol o gyflogi 500 o weithwyr. Ond cyn diwedd y 1970au daeth yn amlwg nad oedd RTZ am fwrw ymlaen â'r cynllun, nid o achos cryfder y gwrthwynebiad, ond yn hytrach o ganlyniad i'r cwymp ym mhris copr ar farchnadoedd y byd.

Yn ei adroddiad sy'n dwyn y teitl *Cynllun Datblygu Lleol Eryri: Papur Cefndir 9: Mwynau* (Diweddariad Mawrth 2011), dywed Awdurdod Parc Cenedlaethol Eryri ei bod hi'n 'anodd iawn rhagweld unrhyw amgylchiadau yn y dyfodol agos lle y byddid yn ystyried ei bod yn dderbyniol i echdynnu o gloddfa cloddio agored' y dyddodyn copr yng Nghoed-y-Brenin. Anodd iawn, efallai, ond mae'r awdurdod yn cydnabod y câi cais cynllunio ei ystyried 'os nad oes unrhyw ffordd arall o gwrdd â'r angen o'r tu allan i'r parc cenedlaethol'. Ni waeth pa mor amgylcheddol sensitif yw dalgylch afon Mawddach, y mae'n anodd credu na fyddai cwmni megis RTZ yn troi ei olygon tua'r ardal unwaith yn rhagor pe cofnodid cynnydd aruthrol ym mhris copr.

Afon Mawddach wrth droed Foel Cynwch

Castell y Bere a Chraig Aderyn

037

Y mae i Gastell y Bere swyn ac arwyddocâd arbennig i bob Cymro a Chymraes wlatgar. Er gwaethaf ei gyflwr dadfeiliedig, y cadarnle hwn yw'r harddaf a'r mwyaf o'r holl gestyll Cymreig. Fe'i hadeiladwyd gan Llywelyn ap Iorwerth (Llywelyn Fawr) yn ystod y 1220au, nid yn unig yn arwydd o'i benderfyniad i osod ei awdurdod ar Feirionnydd, ond hefyd yn gadarnle milwrol yn neau Gwynedd, y 'rhan fwyaf garw ac anwar yng Nghymru gyfan', yn ôl a ddywedodd yr hanner Norman Gerallt de Barri/Gerallt Gymro ganrif ynghynt.

Amddiffynfa'r Bere oedd cadarnle'r gwrthryfel yn erbyn gormes y Saeson yn 1282–3, ac o achos hynny y penderfynodd Edward I anfon byddin gref i Ddyffryn Dysynni, er mwyn gosod y castell dan warchae. Ar 25 Ebrill 1283, ar ôl deng niwrnod o warchae, bu'n rhaid i'r Cymry ildio a daeth y rhyfel i ben. Ond yn eironig ddigon, dinistriwyd y castell gan y Cymry yn ystod gwrthryfel Madog ap Llywelyn yn 1294 ac, er gwaethaf awydd y Saeson i'w ailgipio, fe'i gadawyd i ddadfeilio.

Sail y gefnen greigiog, hirgul, y saif adfeilion y castell arni yw 'ynys' fechan o greigiau folcanig, a fowldiwyd gan rewlif y mae ei olion i'w gweld ar ffurf rhychiadau ar arwyneb caboledig y graig sy'n brigo ar bwys y fynedfa i'r safle dramatig. I'r gelyn, yn cyrchu o'r mynyddoedd tua'r gogledd-ddwyrain neu o'r môr tua'r de-orllewin, diau yr edrychai'r castell yn gamarweiniol o ddi-nod. Wedi'r cyfan, nid oedd yr adeilad, a godwyd o flociau garw o'r graig leol, yn lletach na 40 metr yn unman. Ond rhwng tyrau'r gogledd-ddwyrain a'r de-orllewin roedd yn 128 metr o hyd. At hynny, a heblaw am y ddwy ffos ddofn a gloddiwyd i amddiffyn mynedfa'r cadarnle, roedd amddiffynfeydd naturiol yn amgylchynu'r castell, sef llethrau creigiog serth a godai, ar dair ochr y gefnen, uwchlaw dolydd gwastad Dyffryn Dysynni. Yng nghyfnod Llywelyn roedd y tir hwn yn gorstir eang yr ymdroellai afon Cadair – neu afon Llaethnant yn ôl rhai – drwyddo hyd ei chymer ag afon Dysynni gerllaw Pont Ystumanner. Pe dewisai gelyn ymosod o gyfeiriad y môr yr oedd, yn ôl traddodiad lleol, ddau dŵr ar ben Craig

Aderyn (Craig y Deryn ar lafar), sef Tyrau'r Gwylwyr, i rybuddio deiliaid y castell fod gelynion ar eu ffordd tuag ato.

Ar gopa Craig Aderyn hefyd y mae adfeilion y Gaer Wen, sef waliau cerrig dadfeiliedig caer fach a godwyd, yn ôl pob tebyg, yn ystod yr Oes Haearn. Diangen, serch hynny, oedd codi waliau amddiffynnol o amgylch y copa ar gyfrif natur serth a chreigiog wyneb gorllewinol a gogleddol y graig. Ond nid pobl ond adar yw preswylwyr presennol Craig Aderyn, 'yr hon a elwir felly', meddai Thomas Pennant (1726–98), 'ar gyfrif y niferi mawrion o for-frain, colomenod y creigiau a hebogau a fridiant arni'.

Nythu ar glogwyni a chreigiau ger y glannau y mae'r forfran (mulfran/bilidowcar) fel arfer, ond ers tro byd mae dros 60 o barau ohonynt wedi sefydlu nythfa ar gopa'r graig, a golygfa ddigon cyffredin, yn enwedig yn ystod y tymor nythu rhwng Ebrill a Mai, yw gweld heidiau o'r adar mawr hyn yn hedfan bob min nos i'w

clwydfan, tua naw cilometr o'r môr. Y nythfa hynafol hon, yn ôl pob tebyg, yw'r fwyaf mewndirol ym Mhrydain ac mae'n dyddio'n ôl i'r cyfnod pan oedd y môr yn ymestyn cyn belled â throed Craig Aderyn, cyn i lifwaddod dagu llawr y dyffryn.

Ond nid presenoldeb y bilidowcar, ymhell o'i gynefin arferol, yw unig hynodrwydd Craig Aderyn. Mae'r cynefin hwn, sy'n cynnwys creigleoedd, glaswelltir, rhostir a lleiniau o redyn, hefyd yn nythfa bwysig ar gyfer y frân goesgoch, ac ar y clogwyni sy'n wynebu'r gogledd ceir nifer sylweddol o wahanol fwsoglau a llysiau'r afu, rhai ohonynt yn brin. O ddiddordeb arbennig yw rhai o'r mwsoglau prin iawn hynny sydd i'w canfod yn tyfu ar feini mawr y llethr sgri wrth odre'r clogwyn a gwyd i uchder o 233 metr.

Cyfuniad o dri chopa yw Craig Aderyn mewn gwirionedd ac fe gwyd yr uchaf ohonynt i uchder o 258 metr rhwng y copa amlycaf (233 m) a'r isaf (231 m), ac fe'i lluniwyd o'r un graig wydn ag sy'n sail i'r gefnen y codwyd Castell y Bere arni. Cynnyrch cyfres o echdoriadau folcanig ffrwydrol iawn a ddigwyddodd yn ystod y cyfnod Ordofigaidd, tua 450 miliwn o flynyddoedd yn ôl, yw'r graig hon ac fe'i ffurfiwyd wrth i nifer o lifau o lwch a lludw eiriasboeth ymgasglu ar ben ei gilydd. Wrth oeri, troes y llwch a'r lludw yn drwch o dyffau folcanig caled y gellir olrhain eu brig dolennog drwy ganol cerrig llaid meddalach yr ardal cyn belled â Llyn Cau, wrth odre Cadair Idris. I galedwch a gwytnwch 'tyffau Llyn Cau' y gellir priodoli nid yn unig gefnen Castell y Bere a Chraig Aderyn, ond hefyd gulni cymharol llawr Dyffryn Dysynni gerllaw'r ddau dirnod nodedig.

Castell y Bere

038

Cadair Idris a Llyn Cau

'Un o fynyddoedd uchaf Prydain' – dyna a ddywed Edmund Gibson am Gadair Idris yn ei fersiwn diwygiedig o *Britannia* William Camden (1722). Ychwanegodd hefyd fod y mynydd yn gynefin i 'amrywiaeth o blanhigion Alpaidd'. Gwir y gair. Serch hynny, y mae Cadair Idris yn bell o fod yn gawr ym Mhrydain, gan fod dros 300 o gopaon dros 3,000 o droedfeddi (914.4 m) uwchlaw lefel y môr, uchder y mae Pen y Gadair (893 m) ychydig dros 21 metr yn brin ohono. Gyda'r cyntaf i restru rhai o blanhigion alpaidd y mynydd oedd Edward Llwyd, gŵr a gyfrannodd ychwanegiadau gwerthfawr i'r fersiynau diwygiedig o *Britannia* a gyhoeddwyd gan Gibson yn 1695 ac 1722. Ymhlith y planhigion blodeuol a gofnodwyd ganddo yn ystod haf 1682 roedd pren y ddannoedd (*Sedum rosea*) ac arianllys bach (*Thalictrum minus*). Ond yng nghilfachau'r clogwyni hynny sy'n wynebu'r gogledd yn bennaf – a thu hwnt i gyrraedd defaid – ceir planhigion mynydd eraill megis suran y mynydd (*Oxyria digyna*), gludlys mwsoglog (*Silene acaulis*), tormaen serennog (*Saxifraga stellaris*) a thormaen porffor (*Saxifraga oppositifolia*), yr hyfrytaf o blanhigion arctig-alpaidd Cymru, yn ôl y naturiaethwr William Condry, awdur *Welsh Country Essays* (1996), ar gyfrif y ffaith ei fod yn blodeuo yn gynnar yn y flwyddyn ac yn gynharach na llawer o'r blodau eraill.

Er ei chyfoeth o flodau arctig-alpaidd, gogoniant Cadair Idris yw ei chasgliad di-ail o dirffurfiau rhewlifol a ffinrewlifol. Y tirffurf mwyaf trawiadol o ddigon yw amffitheatr greigiog Cwm Cau, a ddisgrifiwyd gan W V Lewis (1907–61), y geomorffolegydd rhewlifol arloesol o Bontypridd, fel y peiran gwychaf yng ngwledydd Prydain. Mae i'r basn creigiog (creicafn), y gorwedd Llyn Cau ynddo, ddyfnder o tua 50 metr ac ar dair ochr i ddyfroedd dyfnlas y llyn cwyd clogwyni mawreddog cefnfur y peiran, sydd ar eu huchaf dan gopaon Pen y Gadair a Chraig Cwm Amarch (791 m). Adlewyrchu natur y creigiau y mae ffurf y peiran gan fod creicafn Llyn Cau a'r clogwyni cymharol isel dan Graig Gau (*c.* 720 m) – y bwlch rhwng y ddau gopa – yn cyfateb i frig cerrig llaid cymharol feddal. Ond sail y clogwyni uchaf yw creigiau folcanig Ordofigaidd gwytnach o lawer, cynnyrch echdoriadau a ddigwyddodd tua 450 miliwn o flynyddoedd yn ôl. Llif ar ben llif o lwch a lludw folcanig eiriasboeth a roes fod i'r trwch o

Craig rewgerfiedig

Dyddodion marian Llyn Cau

greigiau pyroclastig sy'n brigo ar ochr ddeheuol Llyn Cau. Ar ei ochr ogleddol llifau o lafa basaltig, wedi'u pentyrru y naill ar ben y llall, yw sylfaen y tir, gan gynnwys Pen y Gadair. A chan fod y basalt ar y copa ar ffurf pentyrrau o glustogau blêr, mae'n amlwg mai cynnyrch echdoriadau tanfor yw'r llifau lafa. Arferai rhai pobl gredu bod Llyn Cau yn llenwi crater llosgfynydd hynafol, ond er mor debyg i lyn crater yw'r paentiad ohono gan yr arlunydd enwog o Gymro Richard Wilson, nid oes a wnelo ei olwg ddim oll â hen hanes folcanig y mynydd, fel y pwysleisiodd Charles Kingsley yn ei gyfrol *Town Geology*, a gyhoeddwyd yn wreiddiol yn 1872.

Llyn Cau a Chraig Cwm Amarch

Y mae tirffurfiau Cwm Cau yn dwyn stamp prosesau rhewlifol a oedd ar waith yn ystod y cyfnod pan oedd y Rhewlifiant Diwethaf a chyfnodau rhewlifol cynharach yr Oes Iâ Fawr yn eu hanterth. Grym erydol rhewlif Cwm Cau fu'n gyfrifol am gafnu'r peiran a chreicafn dwfn Llyn Cau, yn ogystal â lledu a dyfnhau llawr y dyffryn y tu hwnt i drothwy'r peiran. Bu llif y rhewlif, yr oedd ei wadn wedi'i arfogi â cherrig mawr a mân, hefyd yn gyfrifol am liflunio, caboli, crafu, rhigoli a phlicio arwynebau'r creigiau, yn enwedig y creigiau igneaidd caled. Ond gan nad oedd rhewlif Cwm Cau cyn rymused â rhewlif mawr Dyffryn Dysynni, mae llawr y cwm yn crogi tua 270 metr uwchlaw dolydd Minffordd, man cychwyn Llwybr Minffordd sy'n arwain i Ben y Gadair. Mae Cwm Cau, felly, yn enghraifft nodedig o ddyffryn crog, a feddiannwyd gan Nant Cadair wedi diflaniad holl rewlifau ardal Cadair Idris a Chymru gyfan tua 15,000 o flynyddoedd yn ôl.

Ond dros dro yn unig y diflannodd yr iâ. Yn ystod y cyfnod rhewlifol byrhoedlog rhwng 13,000 ac 11,500 o flynyddoedd yn ôl, adfeddiannwyd y rhan fwyaf o beirannau Cymru gan rewlifau bach, ac o amgylch trwyn y rhewlif a ailymffurfiodd ym mheiran cysgodol Cwm Cau, ymgasglodd marian cleiog a chlogfaenog, gan guddio trothwy creigiog y creicafn. Amodau ffinrewlifol, rhagor na rhewlifol, a nodweddai grib Cadair Idris. Gerllaw copaon Mynydd Moel (863 m), Pen y Gadair a Chraig Cwm Amarch, mae'r tir dan orchudd o greigiau rhewfriw a chludeiriau, lleiniau o glogfeini onglog a ddatblygodd wrth i waith rhewi-dadmer ddryllio'r creigiau folcanig. Y cruglwythi o gerrig a barodd i Francis Kilvert ddisgrifio hen gynefin Idris Gawr fel y mynydd mwyaf caregog, mwyaf diflas a mwyaf llwm iddo erioed ei droedio!

Pen y Gadair: yr olygfa o gyffiniau Corris Uchaf

Llyn Myngul, Tal-y-llyn

039

I'r gyrrwr gofalus, mae'r daith o Fwlch Llyn Bach (285 m) ym mhen uchaf Cwm Rhwyddfor yn cynnig golygfa wych i lawr dyffryn cyn sythed â saeth. O safle'r llyn nad yw'n bod bellach, mae'r A487 yn dilyn llwybr tarw ar i waered cyn cyrraedd dolydd gwastad Minffordd a'r Fawnog ar uchder o oddeutu 85 metr uwchlaw'r môr. Dyna gwymp o 200 metr ymhen llai na phedwar cilometr. Naddwyd y cwm yn wreiddiol gan afon Dysynni a fanteisiai ar y creigiau drylliedig o

boptu i Ffawt y Bala, llinell o wendid y gellir ei holrhain o Dywyn i'r Bala, ac ymlaen tua'r Gororau. At hynny, ni all gyrwyr mwy effro a llygadgraff na'i gilydd fethu'r arwyddion sy'n tystio i ansefydlogrwydd y llechweddau uwchlaw ac islaw'r ffordd fawr dan drem fygythiol Craig y Llam, gyferbyn â'r llethrau sgri trawiadol wrth odre Craig Cwm Rhwyddfor. Ar wahanol adegau ar hyd y blynyddoedd, bu'n rhaid i'r awdurdodau fynd i'r afael â'r gwaith o drwsio ac atgyfnerthu'r

Llyn Myngul a'r argae yn llygad haul

muriau sy'n cynnal y briffordd ac yn rhwystro talpiau ohoni rhag rhoi a llithro'n bendramwnwgl tua llawr Cwm Rhwyddfor. Uwchlaw'r lôn bu'n rhaid codi ffensys a rhwystrau metel ar draws rhannau o'r llethrau yn y gobaith o atal unrhyw feini mawrion rhag cwympo a glanio ar y ffordd fawr. Ond er bod yr A487 wedi cael ei chau ar fwy nag un achlysur gan ambell gwymp cerrig a thirlithriad, digwyddiadau di-nod fu'r rheiny o'u cymharu â'r hyn a roes fod i Lyn Myngul ('Myngil' neu 'Mwyngil', yn ôl eraill).

O ran ei ffurf, mae Llyn Myngul – fel yr awgryma'r enw – yn enghraifft o lyn hirgul, un o nodweddion amlycaf dyffrynnoedd wedi'u dyfnhau, eu lledu a'u hunioni gan lif rhewlifau. Fel rheol, mae'r fath lynnoedd yn llenwi basnau dyfnion a gafnwyd yng nghreigiau lloriau dyffrynnoedd rhewlifol. Ond yn hytrach na llenwi basn creigiog, cronnwyd Llyn Myngul gan dirlithriad enfawr (neu gyfuniad o ddau, o bosibl) y gwelir ei olion wrth odre'r Graig Goch, sy'n codi fry uwchlaw gwesty Ty'n y Cornel ar lan pen isa'r llyn.

Gan fanteisio ar wendid Ffawt y Bala, gorddyfnhawyd Dyffryn Dysynni gan rym erydol y rhewlif a'i llanwai yn ystod y Rhewlifiant Diwethaf, a oedd yn ei anterth tua 20,000 o flynyddoedd yn ôl. Gweithredai'r rhewlif hefyd fel bwtres yn cynnal y llechweddau gorserth a oedd ar eu huchaf dan gopaon y Graig Goch (586 m) a'r Foel Ddu (448 m), y naill ochr a'r llall i lawr y dyffryn. Ond rhywbryd wedi enciliad a diflaniad yr iâ, rhwng 17,000 a 15,000 o flynyddoedd yn ôl, sbardunwyd tirlithriad nas cofnodwyd mo'i debyg yn unman arall yng ngwledydd Prydain. Heb iâ i'w chynnal, dymchwelodd y llethr ansad islaw'r Graig Goch, y copa uchaf, ac ar amrantiad hyrddiodd oddeutu 40 miliwn o fetrau ciwbig o greigiau – cerrig llaid yn bennaf – ar i waered ar gyflymder o tua 50 metr yr eiliad, gan dagu llawr y dyffryn a rhannol ddringo godreon y llechweddau islaw'r Foel Ddu. Fry uwchlaw'r argae twmpathog sy'n ymestyn dros bellter o gilometr rhwng gwesty Ty'n y Cornel a fferm Maesypandy, mae amlinell lom y graith enfawr sy'n dynodi pen ucha'r tirlithriad yn aros dan gysgod copa'r Graig Goch.

Roedd y llyn a gronnodd yn sgil y tirlithriad arswydlon ar ei hwyaf a'i ddyfnaf ychydig cyn i'w ddyfroedd orlifo'r argae. Wedi hynny, gostyngodd ei lefel wrth i afon Dysynni dyrchu'r argae a chreu ceunant troellog cyn ddyfned ag 20 metr drwy'r twmpathau o greigiau chwilfriw. Ar yr un pryd, câi haen ar ben haen o dywod a

llaid, yn bennaf, eu dyddodi ar wely'r llyn gan yr afonydd a'r nentydd a lifai i mewn iddo. Mae'r broses honno ar waith o hyd islaw dyffryn crog Cwm Amarch lle mae pen blaen amgrwm y delta amlwg y saif fferm Pentre arno yn graddol ymestyn tua chanol y llyn. Rhan o hen wely Llyn Myngul hefyd yw'r dolydd gleision, gwastad y gellir eu holrhain o ben uchaf presennol y llyn, ger Dolffanog, cyn belled â Minffordd.

Heb os, araf lenwi a diflannu yw tynged y llyn, nad yw prin bedwar metr o ddyfnder hyd yn oed yn ei fannau dyfnaf. Ond gan nad yw'r dydd hwnnw yn debygol o wawrio cyn pen rhai miloedd o flynyddoedd, deil Llyn Myngul, sydd ymhlith yr enwocaf o lynnoedd pysgota Cymru, i gynnig oriau lawer o bleser i'r pysgotwyr plu hynny sydd â'u bryd ar fachu ambell frithyll, eog a siwin llai gwyliadwrus na'i gilydd o'i ddyfroedd. Yn wir, fyth oddi ar 1844, pan gododd perchennog y tir, y Cyrnol Vaughan o Hengwrt, dafarn Ty'n y Cornel, yn ogystal â darparu dau gwch at ddefnydd ymwelwyr, mae'r llyn 90 hectar wedi bod yn feca i bysgotwyr plu. Bellach, mae Llyn Tal-y-llyn – fel y'i gelwir – yn amlach na pheidio – yn eiddo i berchenogion y gwesty, sydd hefyd yn gyfrifol am reoli'r pysgota.

Peiran Craig Cwm Rhwyddfor

Llyn Myngul, Cwm Rhwyddfor a Bwlch Llyn Bach (chwith)

040

Y Breiddin a'r bryniau cyfagos

Mae golwg o'r Breiddin (365 m) yn 'codi calon dyn', yn ôl T I Ellis, awdur *Crwydro Maldwyn* (1957). Bydd yr amlycaf o'r clwstwr o fryniau i'r gogledd-ddwyrain o'r Trallwng yn llwyddo i wneud hynny pan fo rhywun yn 'teithio tua'r gorllewin, a Chymru [o gyfeiriad Croesoswallt a Llanymynech], ar ôl milltiroedd lawer yng nghanol gwastadeddau Lloegr'. Mae'r bryn yn hawdd ei adnabod o gryn bellter, nid yn unig ar gownt ei uchder uwchlaw eangderau gwastad gorlifdir afon Hafren, ond hefyd ar gyfrif Colofn Rodney, y piler a saif ar ei gopa. Fe'i codwyd yn 1781 er clod i'r llyngesydd o Sais Syr George Brydges Rodney, nid ar achlysur un o'i fuddugoliaethau llyngesol nodedig, na'i farwolaeth, ond oherwydd fod boneddigion Maldwyn am i'r byd a'r betws wybod mai coed derw o'u tiroedd hwy a ddefnyddid i adeiladu llongau ei lynges.

Llai amlwg ar un olwg, ond mwy diddorol na'r piler rhwysgfawr, yw olion cloddiau a ffosydd un o fryngaerau mwyaf y Gororau, er bod rhannau de-orllewinol y cadarnle 28 hectar wedi'u dinistrio wrth

Bulthy Hill (290 m) a Chefn y Castell (367 m)

i chwarel fawr Crugion gnoi'n ddyfnach i lechweddau gorllewinol gorserth y Breiddin. Mae i'r safle creigiog hanes hir. Codwyd y cloddiau cynharaf yn ystod yr Oes Efydd, tua 3,000 o flynyddoedd yn ôl a thros 2,500 o flynyddoedd cyn adeiladu amddiffynfeydd cynharaf yr Oes Haearn. Dengys y crochenwaith a ddarganfuwyd gan archaeolegwyr y câi'r safle ei ddefnyddio yn ystod y cyfnod Rhufeinig hefyd.

Nid y Breiddin ychwaith yw'r unig safle amddiffynnol ymhlith y clwstwr bryniau y gellir eu holrhain o'r gogledd-ddwyrain i'r de-orllewin. I'r de-ddwyrain o'r fryngaer fawr saif caer unglawdd lai ar gopa glaswelltog Cefn y Castell (Middletown Hill, 367 m), a chaer lai o faint ac iddi amddiffynfeydd cadarn iawn ar ben Bausley Hill (c. 190 m) ymhellach tua'r gogledd-ddwyrain.

Ond 'ffrynt aruthrol a chlogwynog' y Breiddin, Moel y Golfa (403 m) a Chefn y Castell, rhagor na'u caerau, a greodd argraff ar Thomas Pennant, y naturiaethwr a'r hynafiaethydd o Chwitffordd. Tebyg oedd ymateb y daearegydd enwog Roderick Impey Murchison,

awdur *The Silurian System*, ei *magnum opus* Beiblaidd ei faint a gyhoeddwyd yn 1839, un mlynedd ar bymtheg cyn iddo gael ei benodi'n Gyfarwyddwr yr Arolwg Daearegol. Iddo ef, roedd y gadwyn o fryniau folcanig yn destun edmygedd ar gorn eu pryd pictiwrésg o edrych arnynt o'r iseldiroedd a oedd yn eu hamgylchynu. Yn wir, mynnai fod 'Moel-y-Golfa [*sic*] yn ymdebygu i losgfynydd', o syllu arni o'r de-orllewin. Fodd bynnag, copaon y tri bryn hirgul yn unig sy'n cyfateb i frigiadau creigiau folcanig caled. Cerrig llaid a thywodfeini meddalach, yn bennaf, yw sail y pantiau rhyngddynt a'r tir oddi amgylch iddynt.

Er bod y creigiau folcanig i gyd wedi ymffurfio yn ystod y cyfnod Ordofigaidd, tua 450 miliwn o flynyddoedd yn ôl, gyda'r hynaf ohonynt yw'r rheiny y naddwyd trum Cefn y Castell–Bausley Hill ohono. Llwch a lludw folcanig (tyffau) yn gymysg â haenau o gerrig llaid yw'r creigiau. Cynnyrch echdoriadau ffrwydrol llosgfynyddoedd tanfor yn bennaf yw'r tyffau, er i rai ohonynt ymgasglu ar lawr y môr wrth i'r llwch a lludw a hyrddiwyd i'r entrychion o ganlyniad i echdoriadau grymus ar ynysoedd folcanig ddisgyn yn gawodydd i mewn i'r dŵr. Dynodi cyfnodau o fudandod yn hanes y llosgfynyddoedd y mae'r cerrig llaid ac mewn ambell haenen ceir ffosilau cwrelau, a ffurfiai riffiau cwrel yn y dŵr bas o amgylch yr ynysoedd.

O ran ei oed mae'r talp mawr o andesit (lafa wedi'i enwi ar ôl mynyddoedd mawr yr Andes) sy'n sail i Foel y Golfa ychydig yn iau na chreigiau Cefn y Castell. Yn ôl pob tebyg, ymgasglai'r lafa hwn ar ffurf ynys folcanig andesitig ac oddi amgylch iddi câi haenau trwchus o amryfaen folcanig (craig yn cynnwys meini mawr crynion o andesit yn gymysg â thywod) eu pentyrru ar lawr y môr. Yr un math o amryfaen sy'n sail i'r crib y saif Castell Trefaldwyn arno ac felly mae'n bosibl mai o ganolfan folcanig Moel y Golfa y tarddodd y dyddodion a roes fod i'r graig honno hefyd.

Yn wahanol i greigiau folcanig Moel y Golfa a Chefn y Castell, talp enfawr o ddolerit yw sail y Breiddin. Ffurfiwyd y dolerit, craig igneaidd lwydwyrdd, grisialog, wedi i fagma (craig dawdd) gael ei fewnwthio i ganol cerrig llaid yr ardal ac yna araf oeri a chrisialu ym mherfeddion y Ddaear. Mae'r tir yng nghyffiniau Colofn Rodney ac am y ffin â chwarel gerrig Crugion wedi'i ddynodi'n Safle o Ddiddordeb Gwyddonol Arbennig oherwydd fod y ddaeareg wedi esgor ar gasgliad hynod o blanhigion. Yn wir, yma yn yr ail ganrif ar bymtheg y gwnaeth Edward Llwyd gofnodi'r cofnod cyntaf ym Mhrydain o'r planhigyn calchgar rhwyddlwyn pigfain (*Veronica spicata*), ac iddo sbigyn o flodau bach glas. Ffynna ar y Breiddin o ganlyniad i'r mymryn lleiaf o galsiwm sydd i'w gael yn y dolerit.

Chwarel Crugion

Y Castell Coch, Y Trallwng

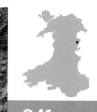

041

Codwyd y Castell Coch, a ddaeth i feddiant yr Ymddiriedolaeth Genedlaethol yn 1952, yn ystod y drydedd ganrif ar ddeg gan Gruffudd ap Gwenwynwyn, Arglwydd Powys. Ond oherwydd iddo ochri gyda'r Saeson dinistriwyd ei gadarnle gan Lywelyn ap Gruffudd yn 1274. Fodd bynnag, ymhen ychydig flynyddoedd, wedi iddo adennill ei arglwyddiaeth gyda chymorth y Saeson, rhoes Gruffudd gychwyn ar y dasg o ailgodi'r castell. Aeth y gwaith adeiladu a moderneiddio hwnnw rhagddo hyd y ddeunawfed ganrif, er y cyflawnwyd cyfran helaeth ohono yn y 1530au dan oruchwyliaeth Edward Grey, Arglwydd Powys, a rhwng 1587 ac 1595 wedi i Syr Edward Herbert brynu'r castell a'r ystad yn 1587. Aelodau o deulu Herbert fu'n gyfrifol am y cyntedd ysblennydd, y grisiau mawreddog a'r Oriel Hir odidog y tu mewn i'r plasty gwledig moethus y mae'r fynedfa iddo rhwng y ddau dŵr drwm a godwyd yn ystod y bedwaredd ganrif ar ddeg.

Ond yn nhyb nifer, y terasau, y gerddi ffurfiol ac anffurfiol, a'r coetir islaw'r crib creigiog y codwyd y castell arno yw pennaf hyfrydwch y lle, yn hytrach na moethusrwydd a rhwysg y plasty. Heb os, y mae gerddi terasog Castell Coch, a luniwyd yn niwedd yr ail ganrif ar bymtheg ac a adferwyd yn yr ugeinfed ganrif, gyda'r gwychaf yng Nghymru, er nad oedd popeth yn eu cylch wrth fodd Thomas Pennant a ymwelodd â 'Chastell Powys', chwedl yntau, yn ystod ail hanner y ddeunawfed ganrif. 'Llafurus', meddai, oedd y grisiau rhwng rhodfeydd y terasau a mynnai fod 'yr holl erddi yn llawn o ddyfrweithiau: y cwbl mewn efelychiad o chwaeth druenus St. Germain en Laye', y llys ger Paris lle y treuliodd James II a theulu William Herbert gyfnod o alltudiaeth. Dychwelodd yr Herbertiaid i'r Castell Coch yn 1703, ddwy flynedd wedi i'r brenin farw yn Ffrainc.

Er mawr syndod, nid oes gan Pennant air i'w ddweud am nodwedd amlycaf y castell, sef cochni'r cerrig adeiladu a welir ym muriau pob un o adeiladau'r plasty, ni waeth pryd y'u codwyd. Gan bwysleisio mai enw Cymraeg y castell yw Castell Coch, y gŵr cyntaf i ddisgrifio'r garreg y codwyd yr adeiladau ohoni oedd yr Albanwr a'r daearegwr enwog Roderick Impey Murchison, awdur *The Silurian System* a gyhoeddwyd yn 1839 gyda chymorth dros 350 o noddwyr, gan gynnwys y Foneddiges Lucy Clive a'r Is-iarll Clive, AS, y naill a'r llall yn aelodau o'r teulu a etifeddodd y Castell Coch a'r ystad yn 1801.

'Grut coch' yw disgrifiad Murchison o'r garreg adeiladu a adwaenir heddiw fel Amryfaen y Castell Coch, craig sy'n gymysgfa o dywod a cherrig crynion yn bennaf ac sy'n sail nid yn unig i'r gefnen y

codwyd yr holl adeiladau arni, ond hefyd i'r gefnen gyfochrog a gwyd yr ochr draw i'r maes parcio y tu cefn i adeiladau'r castell. Chwareli bach ar y cefnennau hyn oedd ffynhonnell y blociau o amryfaen, craig a oedd yn wreiddiol yn ddyddodyn traeth a ymgasglodd ar lannau môr a orchuddiai'r rhan fwyaf o dir 'Cymru' tua 440 miliwn o flynyddoedd yn ôl, yn gynnar yn ystod y cyfnod Silwraidd. Yn gymysg â'r tywod a'r cerrig crynion – rhai ohonynt yn ddarnau o lafa folcanig Ordofigaidd (tracyt) a frigai yn y clogwyni ar lannau'r môr – ceir rhai

Ffosilau o ddarnau o goesau crynion crinoidau yn Amryfaen y Castell Coch

Tywodfaen coch (uchod) a llwydfelyn (dde) Grinshill

ffosilau, megis darnau o goesau crinoidau, creaduriaid môr a elwir yn gyffredin, ond yn gamarweiniol, yn 'liliau'r môr'. Ond nid coch oedd lliw'r dyddodion gwreiddiol. Wrth i ddŵr drylifo drwy'r amryfaen yn ystod y cyfnod Permaidd–Triasig (tua 250 miliwn o flynyddoedd yn ôl), pan oedd tir 'Cymru' yn rhan o ddiffeithdir poeth, troes y mwynau haearn yn y graig yn goch neu'n rhydlyd eu golwg wrth iddynt ocsideiddio.

Er i'r amryfaen coch esgor ar ddigonedd o gerrig at godi muriau, nid oedd y garreg leol yn ateb holl ofynion y seiri meini. Roedd galw hefyd am gerrig rhywiog y gellid eu trin a'u naddu'n flociau cymen er mwyn llunio ohonynt fframiau ffenestri a drysau. Y garreg a ddefnyddiwyd yn bennaf oedd y tywodfaen melyngoch/llwytgoch a ddeuai o chwareli enwog Grinshill, tua 12 cilometr i'r gogledd o

Amwythig. Dyma'r garreg y gwnaeth y Rhufeiniaid beth defnydd ohoni wrth godi Viroconium Cornoviorum (Wroxeter) ar lan afon Hafren tua naw cilometr i'r de-ddwyrain o Amwythig. Ffurfiwyd tywodfaen Grinshill wrth i haenau trwchus o dywod chwyth ymgasglu ar ben ei gilydd ar lawr diffeithdir lletgras y cyfnod Triasig, tua 240 miliwn o flynyddoedd yn ôl.

Ni wyddys sut yn union y cludid llwythi o'r tywodfaen o chwareli Grinshill i safle'r Castell Coch, ond ni ellir llwyr ddiystyru'r posibilrwydd mai afon Hafren oedd y ddolen gyswllt i raddau helaeth, yn enwedig yn ystod yr Oesoedd Canol. Er cyhyd fyddai'r daith o ddilyn llwybr nadreddog yr afon cyn belled â'r Trallwng, byddai'r siwrnai yn fwy hwylus ac yn llai llafurus na halio llond troliau o gerrig ar hyd llwybrau garw ar draws gwlad.

042

Trefaldwyn a'i chastell

Tref fechan ddestlus, Sioraidd ei gwedd yw Trefaldwyn. Cafodd ei hadeiladu ar lechweddau a chopa bryn, a than gysgod crib coediog llawer uwch y saif adfeilion y castell arno. O'i chyrchu o gyfeiriad y Trallwng a Ffordun mae'r ffordd, yn ogystal â Llwybr Clawdd Offa, yn croesi gorlifdir afon Camlad, un o isafonydd yr Hafren, y dywedir ei bod yr unig afon sy'n llifo i Gymru o'i tharddle yn

Yr iseldir rhwng dolydd Camlad a'r castell

Lloegr. Ar yr iseldir tonnog rhwng dolydd Camlad a'r castell yr ymladdwyd brwydr fwyaf y Rhyfel Cartref yng Nghymru. Daeth y ddwy fyddin benben â'i gilydd ar 17 Medi 1644 ond ymhen awr yn unig, yn ôl y sôn, daeth yr ymladdfa i ben. Ffoi fu hanes marchogion a gwŷr traed y Brenhinwyr gan adael y castell, a godwyd yn ystod y 1220au a'r 1230au, yn ystod ymgyrch Harri III yn erbyn Llywelyn ab

Iorwerth, ym meddiant y Seneddwyr. Bum mlynedd yn ddiweddarach, chwalwyd y castell ar orchymyn y Senedd, gweithred a ddaeth â thros 400 mlynedd o hanes y cadarnle i ben.

Dim ond drwy ddringo'r llwybr serth sy'n arwain i'r adfeilion o ganol y dref y gellir llwyr werthfawrogi ardderchogrwydd safle amddiffynnol a strategol y castell, a oedd yn brif amddiffynfa'r Goron ar ororau canolbarth Cymru yn ail hanner y drydedd ganrif ar ddeg. Gan fod copa'r crib gogledd–de yr adeiladwyd y castell arno yn codi i uchder o ychydig dros 200 metr, mae'r golygfeydd tua'r gogledd a'r dwyrain yn odidog. Serch hynny, roedd Ffridd Faldwyn (248 m) – bryn â chaer yn dyddio o'r Oes Haearn ar ei gopa – yn rhwystro deiliaid y castell rhag gweld yr Hen Domen. Codwyd y castell mwnt a beili hwnnw yn chwarter olaf yr unfed ganrif ar ddeg ar dir uwchlaw dolydd Hafren, gerllaw Rhydwhyman (Rhyd Chwima), ac yno ym Medi 1267, yn hytrach nag oddi mewn i waliau cerrig cadarnach Castell Trefaldwyn, y seliwyd Cytundeb Trefaldwyn a oedd yn cydnabod Llywelyn ap Gruffudd yn Dywysog Cymru.

Ffynhonnell y meini a ddefnyddid gan yr adeiladwyr i godi muriau cerrig y castell oedd y ddwy ffos ddofn, y naill ar safle'r bont godi a arweiniai i mewn i'r cwrt canol, a'r llall ar safle'r bont godi a gysylltai'r cwrt canol a'r cwrt mewnol. Rhan o un talp enfawr o amryfaen folcanig yw'r graig lwydwyrdd ac ynddi ceir coblau a chlogfeini o lafa (andesit) yn gymysg â thywod ffelsbathig (sef tywod yn cynnwys gronynnau o'r mwyn ffelsbar yn hytrach na chwarts). Ymgasglodd y deunydd yn y môr yn dilyn echdoriad folcanig a ddigwyddodd yn ystod y cyfnod Ordofigaidd, tua 450 miliwn o flynyddoedd yn ôl, naill ai yng nghyffiniau Moel y Golfa, tua saith cilometr i'r gogledd-ddwyrain o'r Trallwng, neu yng nghyrrau Corndon Hill (513 m), tua naw cilometr i'r dwyrain o Drefaldwyn.

Er bod y cerrig a ddaethai o'r ddwy ffos yn ddelfrydol ar gyfer codi waliau rwbel, nid oedd yr amryfaen folcanig sy'n sail i'r crib creigiog uwchlaw'r dref yn ateb holl ofynion y seiri meini. Er mwyn llunio fframiau ffenestri a drysau, megis fframiau'r drysau yn arwain i mewn i'r ystafelloedd bach hirsgwar yn y tyrau crynion o boptu

Y meini nadd 'estron'

mynedfa'r cwrt canol, roedd angen cyflenwadau o gerrig rhywiog y gellid eu trin a'u naddu'n flociau cymen. Y graig a ddefnyddiwyd oedd tywodfaen glasgoch neu frowngoch (marŵn) ei liw, craig 'estron' nad oes ei thebyg ymhlith y tywodfeini a'r cerrig llaid sy'n amgylchynu'r 'ynys' fechan o graig folcanig galed.

Mae ambell ddarn o dywodfaen browngoch hefyd i'w weld ym muriau Eglwys Sant Nicholas, adeilad helaeth a braf a saif yn y dref islaw'r castell ac ar ben twmpath o waddodion rhewlifol. Megis y castell, codwyd corff yr eglwys o gerrig rwbel yn ystod y 1220au, ond lluniwyd fframiau'r ffenestri o flociau nadd o dywodfaen. Ond nid tywodfaen browngoch mohono, ond yn hytrach tywodfaen melyngoch/llwytgoch y cafwyd llwythi ohono o chwareli hynafol Grinshill tua 35 cilometr, fel yr hed y frân, i'r gogledd-ddwyrain o Drefaldwyn. Tywodfaen Triasig o'r un chwareli a ddefnyddid yn bennaf i lunio fframiau ffenestri a drysau'r Castell Coch ar gyrion tref gyfagos y Trallwng.

Fodd bynnag, y mae tywodfeini Permaidd–Triasig y Gororau yn amrywiol iawn eu lliw: yn ogystal â bod yn goch, yn felyngoch neu'n hufenliw, er enghraifft, gallant fod yn frown neu'n felynllwyd. At hynny, mae rhai yn dywodfeini browngoch (marŵn), megis Tywodfaen Amwythig y ceir cerrig nadd ohono ym muriau rhai o adeiladau'r hen Sir Drefaldwyn, sy'n dyddio o'r Oesoedd Canol hyd oes Fictoria. Felly, mae'n bosibl mai o ardal Amwythig y cafodd y seiri meini a gododd y castell eu cyflenwadau o gerrig nadd. Eto i gyd, mae'n bos daearegol nad oes ateb cwbl foddhaol iddo ar hyn o bryd, ond o'i ddatrys bydd modd dysgu mwy am rai o lwybrau masnach yr Oesoedd Canol.

Talerddig

043

Wyth mis cyn i'r Arglwyddes Vane dorri tywarchen gyntaf Rheilffordd y Drenewydd a Machynlleth yn ystod y seremoni rwysgfawr a gynhaliwyd ym Machynlleth ar 27 Tachwedd 1857, cyfansoddodd Richard Jones, a oedd yn ddilledydd yn y dref, 'Cân y Rheilffordd', sef pump ar hugain o benillion a glodforai'r fenter arfaethedig drwy sôn yn bennaf am y bendithion a ddeuai yn ei sgil:

> Holl siopau'r dref a fyddant lawn,
> O'r bore gwyn hyd hwyr brydnawn;
> Bydd *Ladies* hardd o Loegr draw
> Am *goods* ein bro, os *Railway* ddaw.

Ni wyddys faint o fudd y bu dyfodiad y rheilffordd i'r rhigymwr o ddilledydd ond gwireddwyd y gobeithion a ganlyn:

> Yr agerdd [*sic*] Beiriant rydd leshad
> I'r *lab'rers* oll, trwy'r dref a'r wlad;
> Cant waith yn rhwydd a chyflog da,
> Y gauaf du fel hirddydd ha'.

David Davies, Llandinam (1818–90), a Thomas Savin (1826–89), y contractwr rheilffyrdd a aned yng Nghroesoswallt, a enillodd y cytundeb i greu'r rheilffordd a gysylltai'r Gororau ag arfordir Cymru, er i'r bartneriaeth honno ddod i ben i bob pwrpas ym mis Hydref 1860, dros ddwy flynedd cyn i'r lein agor. Wedi'r rhwyg, Davies yn unig oedd wrth y llyw ac o'r cychwyn cyntaf gwnaeth ef ei orau glas nid yn unig i gyflogi gweithwyr lleol, ond hefyd i ddefnyddio dim ond adnoddau lleol wrth ddwyn ei orchestwaith peirianyddol i ben.

Nid ar chwarae bach y crëwyd y rheilffordd, oherwydd rhwng Machynlleth, tua 15 metr uwchlaw'r môr, a'r Drenewydd ar uchder o 122 metr, dringai'r lein untrac 197 metr dros bellter o 21 cilometr hyd gopa Talerddig (211 m), y bwlch rhwng dwyrain a gorllewin, cyn troi

'The Arch'

ar i waered a dilyn llwybr 22 cilometr o hyd am weddill y daith. Ond heblaw am y graddiant serth rhwng gorsafoedd Cemmaes Road a Thalerddig, dringfa na fedrai pob un o'r trenau stêm 'slawer dydd ei goresgyn heb gymorth injan ychwanegol, gorchest bennaf Davies oedd bylchu creigiau Talerddig drwy greu hollt 37 metr o ddyfnder drwyddynt, hafn a oedd ar y pryd gyda'r ddyfnaf yn y byd. Ond er ei dyfned, tua 200 metr yn unig ydyw o ran ei hyd, ac mae cyflymder trenau diesel y dwthwn hwn yn golygu nad yw'r rhan fwyaf o ddigon o'r teithwyr arnynt yn ymwybodol o fodolaeth y bwlch na champ y gweithwyr a'i creodd.

Gwaddol y cyfnod Silwraidd yw creigiau Talerddig, haenau o dywod a llaid a ddyddodwyd ar lawr môr tua 440 miliwn o flynyddoedd yn ôl. Ymhen amser rhoes y gwaddodion hyn fod i ddilyniant o dywodfeini am yn ail â cherrig llaid a gafodd eu hanffurfio gan symudiadau daear tua 40 miliwn o flynyddoedd yn ddiweddarach. Tystio i rymuster y symudiadau hynny y mae 'The Arch' (fel y'i gelwir yn lleol), anticlin trawiadol ar fin yr A470, ar gyrion gogleddol pentref Talerddig ac o fewn golwg teithwyr trên llygatgraff.

Ond cyn y gellid mynd i'r afael â'r dasg hynod anodd o dyrchu drwy greigiau Talerddig, bu'n rhaid i Davies ymgymryd â'r gwaith o ddraenio'r tir corsiog i'r de o safle'r hafn. Ei ymateb beiddgar i'r broblem honno oedd dargyfeirio afon Carno, gan orfodi'r afonig i lifo tua'r gogledd a dod yn rhan o ddalgylch afon Dyfi yn hytrach na'r Hafren tua'r de. Yna, ym Mehefin 1859, dechreuwyd cloddio'r hafn, gwaith caib a rhaw blinderus a gyflawnwyd gan 200–300 o weithwyr ac a gwblhawyd ym mis Medi 1861. Esgorodd eu llafurwaith ar gyflenwadau tra gwerthfawr o gerrig adeiladu (ac ambell ronyn o aur, yn ôl y sôn), blociau o dywodfaen a ddefnyddiwyd nid yn unig i godi'r pontydd niferus a'r argloddiau ar y ffordd i Fachynlleth, ond hefyd ar gyfer adeiladau'r gorsafoedd.

Addawodd Davies y byddai'r holl waith ar Reilffordd y Drenewydd a Machynlleth ar ben erbyn 1 Mai 1862, ac felly y bu. Ar yr union ddiwrnod hwnnw y teithiodd yr injan stêm gyntaf – *Llandinam* yn briodol ddigon – bob cam ar hyd y cledrau i orsaf newydd Machynlleth, a godwyd ar seiliau cadarn pentir creigiog Craig-y-bwch, fry uwchlaw gorlifdir afon Dyfi. Wyth mis yn ddiweddarach, ar ddydd Sadwrn, 3 Ionawr 1863, yr agorwyd y rheilffordd yn swyddogol ac am 9.00 o'r gloch y bore hwnnw, ymadawodd y ddwy injan stêm *Talerddig* a *Countess Vane* â gorsaf Machynlleth, gan araf lusgo dau gerbyd ar hugain yn llawn o deithwyr, 1,500 i gyd, dros gopa

Talerddig ac ymlaen i'r Drenewydd. Roedd 'y trên angenfilaidd', fel y'i disgrifiwyd gan Davies, i fod i gyrraedd pen ei daith ymhen awr a thri-chwarter ond cymerodd y siwrnai bron i deirawr. Cael a chael oedd hi, mae'n debyg, p'un ai a fyddai'r trên trymlwythog a duchai'n fyglyd yn llwyddo i oresgyn pum cilometr serthaf oll y lein, rhwng gorsafoedd Llanbryn-mair a Thalerddig, a chyrraedd y man lle y gallai pawb ryfeddu at wychder yr hafn greigiog, gul, campwaith y diwydiannwr o Landinam.

Y bont reilffordd, Llanbryn-mair

044

Foel Fadian a Foel Esgair-y-llyn

Y panorama syfrdanol tua'r gogledd a geir drwy sefyll ar ben Foel Fadian (564 m), copa uchaf yr hen Sir Drefaldwyn, oedd un o hoff olygfeydd y darlledwr a'r awdur Wynford Vaughan-Thomas, a fu'n llywydd ac yn gadeirydd yr Ymgyrch dros Ddiogelu Cymru Wledig rhwng 1968 ac 1975. Yn wir, wedi iddo farw yn 1987, aeth y mudiad ati i gasglu arian ynghyd er mwyn codi cofeb deilwng iddo wrth droed Foel Fadian, ar fin y ffordd fynydd rhwng Machynlleth a Dylife. Yno y datgelir bod modd gweld – rhwng Tarrenhendre i'r de o Abergynolwyn, tua'r gogledd-orllewin, a'r ddwy Aran gerllaw'r Bala, tua'r gogledd – dri ar ddeg o gopaon uchaf Cymru, rhai ohonynt yn codi eu pennau'n uwch na 3,000 o droedfeddi (914 m).

Yn hanesyddol, bro Owain Glyndŵr yw'r ardal hon ac, yn ôl un traddodiad, ar gopa Pumlumon Fawr, cwta wyth cilometr i'r de-orllewin o Foel Fadian, y cododd Owain ei faner wedi brwydr fawr

Foel Fadian a'r ceunant dan drem creigiau Esgairfochnant (uchod)

Clipyn Du (dde)

Hyddgen a ymladdwyd yn 1401. Ac yn briodol ddigon, mewn ardal lle y goroesodd cynifer o straeon amdano ef a'i filwyr, mae un rhan fach o Lwybr Glyndŵr rhwng Machynlleth a Llanidloes yn dilyn y llechweddau uwchlaw Nant Fadian, cyn belled â Bwlch y Graig a chreigiau geirwon Esgairfochnant, wrth odre llethrau deheuol Foel Fadian, cyn troi tua'r de a'i bwrw hi i gyfeiriad Dylife.

Y ceunant arswydlon dan drem Creigiau Esgairfochnant oedd lleoliad un o'r mwyngloddiau mwyaf diarffordd ac anodd ei gyrraedd yng Nghymru. Yma, yn ystod y 1870au, yr agorwyd mwynglawdd Foel Fadian a hynny yn nyfnder yr hollt ac ymhlith y cerrig llaid Silwraidd chwilfriw sy'n sail i'r llethrau serth, moel a hynod ansefydlog. Yr oedd gofyn i'r mwynwyr feddu ar grefft dringwyr mynyddoedd i gyrraedd mynedfa'r gwaith, ond ofer fu eu llafur caled gan na lwyddwyd i ddod o hyd i wythïen o werth. O'r herwydd, caeodd y gloddfa ar ôl cynhyrchu dim ond 25 tunnell o fwyn copr. Yr un mor aflwyddiannus,

mae'n debyg, oedd mwynglawdd Glaslyn ar lechweddau dwyreiniol Cwm Dulas, dan gopa Foel Esgair-y-llyn (505 m). Erbyn heddiw, mae'r gyfres o dwnelau a siafftiau a gloddiwyd i mewn i greigiau'r foel yn ystod y 1850au a'r 1870au, er mwyn cyrraedd y gwythiennau o fwyn plwm a chopr, yn guddiedig i raddau helaeth dan orchudd o rug. Felly hefyd olion y lloriau lle y câi'r mwyn gwerthfawr ei wahanu oddi wrth y mwynau diwerth a'r cerrig gwast.

Wrth odre Foel Esgair-y-llyn ac ar lan afon Dulas y safai tyddyn Esgair Llyn, er nad oes dim o'i ôl bellach. Ond serch bod yr 'hen gymdeithas wedi mynd', byw o hyd yw Esgair Llyn yn nychymyg Dafydd Iwan ar gownt y gân atgofus a gyfansoddodd ar gais taer y diweddar Ray Gravell wedi iddo yntau wirioni ar dôn y gân werin Wyddelig boblogaidd 'The Fields of Athenry'. (Y Newyn Mawr yn Iwerddon yw thema'r gân a ysgrifennwyd gan Pete St John yn y 1970au ac a genid gan y Wolfe Tones, yn ogystal â grwpiau eraill.)

Heb os, hardd odiaeth yw dyffryn gwledig afon Dulas, un o isafonydd niferus afon Dyfi, ac mae ei hudoliaeth yn dwysáu wrth nesáu at ei ben uchaf anghyfannedd dan gysgod Tarren Bwlch-gwyn a Chlipyn Du, y ddau glogwyn mawreddog sy'n dwyn ôl y rhewlif a feddiannai'r cwm pan oedd y Rhewlifiant Diwethaf yn ei anterth.

Nodwedd arall o harddwch digymar yr ardal rhwng Tarren Bwlch-gwyn a Foel Fadian yw Glaslyn, y llyn bas sy'n ganolbwynt y warchodfa natur fwyaf (230 hectar) a'r wylltaf o eiddo Ymddiriedolaeth Natur Maldwyn. Cynefin mwyaf y warchodfa hon, sy'n cyfateb i oddeutu 5% o arwynebedd Safle o Ddiddordeb Gwyddonol Arbennig Pumlumon, yw gweundir grug (*Calluna vulgaris* yn bennaf) wedi'i fritho â rhai llecynnau o lus (*Vaccinium myrtillus*) a chreiglus (*Empetrum nigrum*). Oherwydd fod rhannau sylweddol o'r gweundiroedd ucheldirol hyn yng Nghymru wedi cael eu troi'n dir pori neu'n blanigfeydd coed, mae'r cynefin arbennig hwn yn

gymharol brin. Gan hynny, mae'r Ymddiriedolaeth Natur yn ceisio troi'r glaswelltiroedd sydd wedi'u gwella'n amaethyddol yn weundiroedd grug unwaith yn rhagor, cynefin delfrydol ar gyfer grugieir coch sy'n magu, yr ehedydd a thinwen y garn. O bwysigrwydd hefyd yw'r tir corsiog, cynefin a nodweddir gan glytiau o figwyn (*Sphagnum*), brwyn a hesg, yn ogystal â phlanhigion pryfysol, fel y gwlithlys (*Drosera rotundifolia*) a thafod y gors (*Pinguicula vulgaris*).

Er mor atyniadol yw Glaslyn ei hun, llyn y mae modd cerdded o'i amgylch drwy ddilyn y llwybr ar hyd ei lannau, tlawd ydyw o ran bywyd gwyllt gan nad oes fawr ddim maetholion yn ei ddyfroedd asidig. Prin hefyd yw'r math yma o gynefin bellach. Ond er gwaethaf ei ddyfroedd digroeso, y mae Glaslyn wrth fodd un planhigyn bach dyfrol digon di-nod, sef gwair merllyn (*Isoetes lacustris*), a dyf yma ar derfyn mwyaf deheuol ei diriogaeth.

Dylife a'r Ffrwd Fawr

045

Diarffordd yw ardal Dylife a difywyd heddiw yw'r hyn sy'n weddill o'r pentref a fu yn ganolbwynt un o'r mwyngloddiau plwm mwyaf blaenllaw yng Nghymru. Darganfod gwythïen gyfoethog y Llechwedd Du a esgorodd ar y cyfnod ffyniannus byrhoedlog, rhwng y 1850au ac 1880. Ac yn 1851 cynhyrchodd y mwynglawdd, a gyflogai 300 o wŷr, gwragedd a phlant, dros 1,000 o dunelli o fwyn plwm.

Ym mlynyddoedd y llanw gallai'r gwaith frolio'r rhod ddŵr fwyaf a godwyd yng Nghymru erioed, sef y Rhod Ddu neu Fartha Dylife, fel y'i gelwid yn lleol, olwyn a oedd yn 19 metr ar ei thraws. Dylife hefyd oedd y mwynglawdd metel gorau ei offer mecanyddol ym Mhrydain, ar gyfrif ei siafftiau ac ynddynt gaetsys a gludai'r mwynwyr i waelod y pyllau ac a godai'r mwyn i'r wyneb. Yn 1863 cynhyrchwyd dros 2,500 tunnell o fwyn plwm, cyfanswm na allai'r un gwaith arall yng Nghymru

ragori arno hyd nes i waith plwm y Fan, ger Llanidloes, gynhyrchu 4,370 tunnell yn 1870. Ac yn y 1870au cynnar, Dylife a feddai ar y siafft ddyfnaf o blith yr holl fwyngloddiau yng nghanolbarth Cymru, siafft a blymiai i ddyfnder o 167 gwrhyd (305 m).

Pan oedd y gwaith yn ei anterth roedd y pentref yn gartref i oddeutu 1,000 o bobl ac yma, at eu gwasanaeth, yr oedd dau gapel Anghydffurfiol, Eglwys Dewi Sant, ysgol, tai teras Rhancymynydd a godwyd ar gyfer y mwynwyr, dwy neu dair tafarn (ac un ohonynt yn siop fwyd), a swyddfa bost. Ond troes y llanw yn drai. Wedi i'r gwaith cloddio tanddaearol ddod i ben yn ystod y 1890au, cau fesul un fu hanes y gwasanaethau a sefydlwyd i ateb gofynion y mwyngloddwyr a'u teuluoedd, a bu farw'r pentref. Tafarn y Star yw'r unig fusnes i oroesi'r chwalfa; cartrefi, bellach, yw'r ddau gapel a murddun yw'r

Tafarn y Star

Adfeilion Eglwys Dewi Sant a'r fynwent

eglwys. Ac ystyried y prysurdeb a fu, prin hefyd yw olion gweladwy y diwydiant, er bod yr ardal yn dal i ddenu archaeolegwyr diwydiannol a haneswyr sydd â'u bryd ar wybod mwy am lewyrch y mwynglawdd hynod a gynhyrchodd yn ei ddyddiau 36,684 tunnell o fwyn plwm, 1,540 tunnell o fwyn copr a 391 tunnell o fwyn sinc.

Ond heblaw am y mwynglawdd y mae i Ddylife atyniad nid anenwog arall. Nodwedd fwy arhosol o lawer yw y Ffrwd Fawr, y rhaeadr ar gyrion y pentref sy'n disgyn yn ddi-dor hyd lawr ceunant creigiog, cul 50 metr islaw min y clogwyn fertigol o dywodfaen Silwraidd caled y llama afon Twymyn drosto. Am 150 metr y tu hwnt i droed y clogwyn mae'r afon wedi'i chyfyngu i'w gwely creigiog wrth odre Craig y Maes ond yna, yn ddisymwth, mae'n newid ei chyfeiriad gan lifo tua'r gogledd, i gyfeiriad Llanbryn-mair, ar hyd llawr dyffryn llydan dan gysgod llechweddau serth Creigiau Pennant. Mae cyfeiriad cwrs gogledd–de afon Twymyn y tu isaf i'r rhaeadr yn gwbl groes i'w chwrs gorllewin–dwyrain uwchlaw'r cwymp dŵr. Y gwir amdani yw bod rhan uchaf yr afon yn ei hanelu hi tua'r bwlch y mae'r ffordd wledig yn ei ddilyn cyn belled â'r ffordd fawr (B4518) sy'n cysylltu Llanbryn-mair a Llanidloes. Yn yr un modd, mae cyfeiriad cyrsiau gogledd-orllewin–de-ddwyrain Nant Bryn-moel a Nant Ddeiliog, dau o isafonydd afon Twymyn, hefyd yn ei hanelu hi tuag at yr un bwlch (Bwlch Hirnant).

Y Ffrwd Fawr

Dyffryn afon Twymyn y tu isaf i'r rhaeadr

Felly, cyn iddi gael ei dargyfeirio tua'r gogledd, mae'n amlwg yr arferai afon Twymyn a'i blaenddyfroedd lifo tua'r dwyrain a'r de-ddwyrain gan ddod yn rhan o ddalgylch afon Clywedog gerllaw pentref bach Penffordd-las (Staylittle). Lle gynt y llifai afon Twymyn, afon fach yn unig – afon Bachog – sy'n meddiannu'r dyffryn llydan rhwng Bwlch Hirnant a Phenffordd-las.

Mae newid cyfeiriad afon Twymyn yng nghyffiniau'r Ffrwd Fawr yn enghraifft glasurol o afonladrad. Yr hyn nad yw'n gwbl eglur yw sut yn union y llwyddodd y rhan honno o afon Twymyn islaw'r rhaeadr i gipio neu ladrata'r rhan tri chilometr o hyd uwchlaw'r cwymp. Heb os, y mae'r rhan honno o ddyffryn Twymyn, dan drem Creigiau Pennant, nid yn unig wedi'i hunioni a'i lledu, ond hefyd ei dyfnhau gan rym erydol rhewlif yn ystod y Rhewlifiant Diwethaf. Yr awgrym yw bod y weithred o ddyfnhau'r dyffryn wedi adnewyddu gallu erydol blaenddyfroedd afon Twymyn yn dilyn diflaniad yr iâ, a'u bod, ymhen amser, wedi ymestyn tua'r de gan gipio'r dyfroedd hynny a arferai fod yn rhan o ddalgylch afon Clywedog. Yn ei dro, byddai'r ychwanegiad hwn at hyd a maint afon Twymyn wedi ychwanegu at allu'r afon i dyrchu'r creigiau llai gwydn y naddwyd y ceunant wrth droed y Ffrwd Fawr ohonynt, a than gysgod Craig y Maes.

Damcaniaeth yn unig yw'r esboniad uchod, ond y mae'n rhagori ar yr eglurhad sydd i'w weld ar banel yn y gilfan ar fin y ffordd fawr uwchben y ceunant ac i gyfeiliant rhu un o raeadrau godidocaf Cymru.

046

Y Borth–Ynys-las a Chors Fochno

Dim ond ar derfyn dydd, pan oedd y 'môr heb awel, / A'r don heb ewyn gwyn', yr arferai trigolion Aberdyfi glywed nodau pêr clychau eglwysi Cantre'r Gwaelod 'Yn canu dan y dŵr'. Ond fyth er haf 2011, pan osodwyd cloch ynghrog dan lanfa'r dref ar lannau moryd afon Dyfi, rhan o brosiect Cloch Llanw ac Amser, mae ei chân, a glywir yn ddyddiol ar benllanw, yn atgof parhaus o'r deyrnas chwedlonol a foddwyd 'Trwy ofer esgeulustod / Y gwyliwr ar y tŵr'.

Heb os, y mae Seithennin, y dywededig wyliwr, wedi cael ei feio ar gam am y trychineb honno a oedd, wedi'r cwbl, yn ganlyniad i'r codiad naturiol hwnnw yn lefel y môr yn fyd-eang wedi i'r Rhewlifiant Diwethaf ddirwyn i ben 11,500 o flynyddoedd yn ôl.

Yn ystod y cyfnod pan orchuddiai llenni iâ mawrion ogledd cyfandir Gogledd America a gogledd-orllewin Ewrop, roedd lefel y môr oddeutu 130 metr yn is na'i lefel bresennol yn fyd-eang. Wrth i'r

Cors Fochno a moryd afon Dyfi

hinsawdd gynhesu, cymharol araf fu'r llenni iâ mawrion hynny i lacio eu gafael rhewllyd ar y tir, ond buan y diflannodd y cap iâ a orchuddiai'r rhan fwyaf o Gymru ac o ganlyniad adfeddiannwyd yr iseldiroedd a orweddai y tu hwnt i arfordir presennol y wlad gan goed. Gweddillion y coedwigoedd hynny yw bonion a boncyffion y coed pin, gwern, cyll, bedw a derw a ddaw i'r golwg rhwng penllanw a distyll wedi i stormydd y gaeaf, megis stormydd geirwon gaeaf 2013–14, sgubo cyfran helaeth o'r tywod oddi ar y traeth rhwng y Borth ac Ynys-las. Oherwydd mai culfor yn unig a orweddai rhwng Cymru ac Iwerddon yn ystod oes y coedwigoedd, gallai'r cawr Bendigeidfran, yn ôl chwedl 'Branwen Ferch Llŷr', gerdded draw i'r Ynys Werdd gan nad 'oedd y weilgi yn fawr y pryd hwnnw... Ac wedi hynny y cynyddodd y weilgi pan oresgynnodd y weilgi'r teyrnasoedd.'

Drwy garbon-ddyddio pren rhai o goed y fforest soddedig, y dystiolaeth a roes fod i chwedl Cantre'r Gwaelod, gwyddys i'r goresgyniad hwnnw ddigwydd tua 7,000 o flynyddoedd yn ôl. Bu'r môr nid yn unig yn gyfrifol am ladd y coed, ond hefyd danseilio ac erydu'r tir i'r de o'r Borth, gan beri i raean a thywod ymgasglu wrth odre'r clogwyni. Dan ddylanwad y prif wyntoedd a chwythai o'r de-orllewin, câi'r malurion hyn eu hysgubo'n barhaus tua'r gogledd ac ar draws rhan o arwyneb yr iseldir a fu gynt yn goediog. Dyna a roes

fod i'r tafod o dir sy'n ymestyn o'r Borth hyd dwyni Ynys-las, a datblygodd Cors Fochno y tu ôl i'r clawdd o gerrig crynion a thywod, yn un o'r ddwy gyforgors fwyaf yng Nghymru (Cors Caron yw'r llall), sy'n storfa gyfoethog o wybodaeth am newidiadau amgylcheddol.

Yn ôl y cofnod paill, cyrs dŵr lled hallt ac yna gyrs dŵr croyw oedd y planhigion cyntaf i fanteisio ar yr amodau cysgodol a fodolai y tu ôl i'r tafod, cyn i'r tir gael ei orchuddio'n raddol â choed gwern, bedw a phin rhwng 6,500 a 6,100 o flynyddoedd yn ôl. Yna, tua 6,100 o flynyddoedd yn ôl, dan amodau gwlypach, disodlwyd y coed gan fawn migwyn (*Sphagnum*) a chyda threigl amser cymerai'r fawnog arni broffil cromennog – nid annhebyg i soser wyneb i waered – nodweddiadol o gyforgorsydd.

Yn y gorffennol, bu lladd mawn ac adennill tir amaethyddol yn gyfrifol am leihau arwynebedd Cors Fochno'n sylweddol. Serch hynny, hon yw'r gyforgors fwyaf yng Nghymru nad yw wedi'i newid yn ormodol gan weithgareddau dyn. Ond er bod Cors Fochno yn dirwedd warchodedig ac yn rhan o Warchodfa Natur Genedlaethol fawr sy'n cynnwys twyni Ynys-las a moryd fawreddog afon Dyfi, nid yw'r iseldiroedd arfordirol hyn yn ddiogel rhag y newidiadau a ddisgwylir wrth i lefel y môr barhau i godi yn ystod y ganrif bresennol ac am genedlaethau i ddod.

Datblygodd cyrchfan gwyliau haf y Borth rywfodd rywsut ar rannau o'r tafod o ro a thywod. Eisoes gwariwyd dros £13.5 miliwn ar gynllun amddiffyn, yn y gobaith o leihau'r risg o lifogydd os nad eu hatal rhag difrodi tai a gwestai'r Borth. Golygai hyn, ymhlith pethau eraill, fewnforio 300,000 tunnell o feini mawrion o Norwy, yn bennaf, er mwyn codi morglawdd 300 metr o hyd oddi ar y lan a fyddai'n gymorth i chwalu grym dinistriol y tonnau. Mae Cyngor Ceredigion yn rhagweld y bydd y cynllun, a agorwyd yn swyddogol ym Mawrth 2012, 'yn amddiffyn y pentref dros y 50 mlynedd nesaf rhag digwyddiad a ddisgwylir unwaith bob 100 mlynedd'. Ond nid, sylwer, ei amddiffyn rhag rhaib stormydd blynyddoedd olaf yr unfed ganrif ar hugain pryd y disgwylir i lefel y môr fod tua metr yn uwch na'i lefel bresennol, yn hytrach na 33 centimetr yn uwch erbyn 2050. Un o sgil effeithiau'r cynhesu byd-eang y mae dyn yn bennaf cyfrifol amdano yw'r codiad yn lefel y môr. Ac wrth i lefel y môr godi, bydd cnul y gloch dan lanfa Aberdyfi, a fydd i'w glywed yn amlach, yn gyfeiliant i ofer esgeulustod yr oes sydd ohoni.

Fforest soddedig Ynys-las

Cwm y Maes-mawr a Charn Owen

047

Diarffordd a thawel heddiw yw'r rhan honno o Gwm y Maes-mawr i'r dwyrain o gymer afonydd Cwmere a Chyneiniog ag afon Leri. Ond nid felly yr oedd ar ddiwedd y bedwaredd ganrif ar bymtheg, fel y tystia adfeilion hen fwynglawdd Bwlch-glas ym mhen eithaf y lôn galed dyllog, a gweddillion yr inclein fawr a godai'n serth o'i gwaelod, ar uchder o oddeutu 120 metr, hyd y bwlch ar uchder o 290 metr wrth odre llechwedd deheuol Carn Owen (482 m). Ac eithrio ôl un siafft, mae olion mwynglawdd Henfwlch wedi hen ddiflannu. Arferai'r gwaith, a gynhyrchai fwyn plwm a pheth mwyn copr yn ystod ail hanner y bedwaredd ganrif ar bymtheg, sefyll ar lawr y bwlch. Prin hefyd yw olion mwynglawdd plwm, copr a sinc Hafan, y safai ei fynedfa tua hanner ffordd i fyny'r inclein fawr ac a weithid ar y cyd â Henfwlch, er nad oedd cysylltiad uniongyrchol rhwng y naill a'r llall.

Ond nid oedd a wnelo'r inclein ddim oll â mwyngloddfeydd Hafan a Henfwlch. Yn hytrach, roedd y campwaith peirianyddol hwnnw yn rhan o dramffordd Pumlumon a Hafan a ddatblygwyd gan ddau ŵr, Thomas Molyneux, entrepreneur ariannog o Swydd Gaerhirfryn, a'i asiant lleol, y Capten John Davies o Dal-y-bont, gyda'r

Adfeilion mwynglawdd Bwlch-glas

bwriad o wasanaethu mwynglawdd Bryn-glas a chwarel gerrig ar lethrau gogleddol Carn Owen. Gwyddai Molyneux fod Cyngor Tref Aberystwyth wedi gwneud rhywfaint o ddefnydd o gerrig Chwarel yr Hafan ar gyfer strydoedd y dref, ond sylweddolai na ellid datblygu'r gloddfa a chyflogi cannoedd o chwarelwyr i weithio ynddi heb yn gyntaf agor tramffordd a fyddai'n cysylltu'r chwarel â rheilffordd y Cambrian yn Llanfihangel Genau'r-glyn.

Torrwyd tywarchen gyntaf y dramffordd gan Syr Pryse Pryse, Gogerddan, tirfeddiannwr pwysicaf y fro, ar 11 Ionawr 1896, ac wedi'r seremoni a gynhaliwyd yn Nhal-y-bont, darparwyd te i'r pwysigion yng ngwesty'r White Lion. Erbyn gwanwyn 1897, roedd y lein hyd waelod yr inclein fawr yn gyflawn, pellter o ychydig dros 11.5 cilometr. Yn ogystal â hynny, roedd yr inclein, ac arni ddau drac, wedi'i hadeiladu, a'r estyniad o oddeutu 2.5 cilometr cyn belled â Chwarel yr Hafan wedi'i gwblhau, gwaith a olygai greu inclein lai i fyny llethrau deheuol Carn Owen, ynghyd â thramffordd a ddilynai'r cyfuchlinau hyd y gloddfa gerrig. Yn yr un flwyddyn cyrhaeddodd nid yn unig y gyntaf o dair injan stêm a ddefnyddid yn eu tro i dynnu'r wagenni nwyddau, ond hefyd gerbyd ar gyfer teithwyr. Wedi'r daith brawf

Chwarel Carn Owen a'r inclein i fyny llethrau'r garn

gyntaf a gludodd tua 30 o bobl hyd waelod yr inclein fawr cyn eu hebrwng ar droed i'r chwarel gerrig, rhagwelodd gohebydd y *Cambrian News* y byddai'r rheilffordd, na chafodd erioed ganiatâd y Bwrdd Masnach i gynnal y fath wasanaeth, yn gryn atyniad. Mynnai y byddai'n fodd i ddwyn y golygfeydd ysblennydd o ddolydd gwyrddion glannau afon Leri a'r 'mynyddoedd mawreddog' a oedd i'w gweld ar hyd y daith rhwng Tal-y-bont a phen pellaf Cwm y Maes-mawr i sylw'r torfeydd a ymwelai ag Aberystwyth. Ond amhroffidiol oedd y fenter a chwta flwyddyn wedi'r daith gyntaf daeth y gwasanaeth i ben.

Byrhoedlog hefyd fu oes Chwarel yr Hafan. Danfonwyd llwythi o gerrig i Aberystwyth a'u defnyddio, mae'n debyg, i godi rhan o'r promenâd. Cynhyrchid yn ogystal sets ar gyfer creu ffyrdd, er na phrofodd y ciwbiau o dywodfaen llwydlas yn fawr o werth oherwydd fod ceffylau yn dueddol o lithro wrth gerdded drostynt. At hynny, nid oedd ansawdd yr ychydig gerrig a archebwyd gan Gorfforaeth Birmingham, a oedd wrthi'n codi cronfeydd dŵr Cwm Elan, wrth fodd yr awdurdod. O ganlyniad i'r galw annigonol am y cynnyrch a'r costau cludo uchel, amhroffidiol hefyd fu'r gloddfa, na lwyddodd i gyflogi hyd yn oed ddegau o chwarelwyr, heb sôn am gannoedd

Cwm y Maes-mawr o ben uchaf yr inclein fawr

ohonynt. Caeodd y chwarel a'r dramffordd yn haf 1899 a chodwyd y rhan fwyaf o gledrau'r lein fach cyn diwedd y flwyddyn.

Yn groes i'r cynllun gwreiddiol, ni wasanaethodd y dramffordd waith mwyn Bryn-glas ychwaith, er bod y lein yn rhedeg rhwng ei brif adeiladau. Roedd y mwynglawdd yn gweithio'r gwythiennau mwynol a redai drwy gerrig llaid Silwraidd yr ardal ac erbyn i'r gwaith gau yn ystod y 1920au yr oedd wedi cynhyrchu dros 1,200 tunnell o fwyn plwm ac oddeutu 180 cilogram o arian.

Er mai methiant oedd y chwarel sets, aeth cwmni McAlpine ati rhwng 1956 ac 1961 i gloddio chwarel fawr Carn Owen yn y bwlch ger pen uchaf yr inclein fawr. Cymysgedd cymhleth o haenau anffurfiedig a thoredig o dywodfaen a cherrig llaid yw creigiau'r garn ac fe'u ffurfiwyd ar ddiwedd y cyfnod Ordofigaidd tua 440 miliwn o flynyddoedd yn ôl. Serch hynny, roedd cynnyrch y chwarel, menter ddiwydiannol olaf Cwm y Maes-mawr a Charn Owen, yn ateb gofynion McAlpine, y cwmni yr ymddiriedwyd iddynt y dasg o godi cronfa ddŵr gyfagos Nant-y-moch, rhan o gynllun trydan-dŵr Cwm Rheidol a agorwyd yn swyddogol yng Ngorffennaf 1964.

048

Pumlumon a Nant-y-moch

Codai Pumlumon ofn ar Benjamin Heath Malkin, awdur *The Scenery, Antiquities, and Biography of South Wales* (1804). Yn wir, barnai mai Pumlumon oedd mynydd peryclaf Cymru ar gyfrif amlder ei fawnogydd. Er bod George Borrow yn cynnig disgrifiad mwy gwerthfawrogol o'r ucheldir yn ei gyfrol *Wild Wales* (1862), roedd yntau hefyd o'r farn y buasai'r olygfa o gopa Pumlumon Fawr (752 m) yn hynod annymunol a digysur pe na bai 'heulwen llachar wedi goleuo'r dirwedd'. Ymestynnai o'i gwmpas 'anialdir mynyddig... tir diffaith o fryniau rhytgoch eu lliw, ac yma ac acw ambell gopa creigiog. Ni welwyd unrhyw arwyddion bywyd nac amaethu, a chwiliai'r llygad yn ofer am lwyn neu hyd yn oed un goeden unig.' Mewn gwirionedd, mae'n bur amheus a fyddai wedi cyrchu copaon uchaf yr Elenydd oni bai iddo osod ei fryd ar ymweld â tharddellau

byrlymog afonydd Rheidol, Gwy a Hafren, a drachtio'n ddwfn o'u ffynhonnau. Tarddle'r Rheidol, sy'n llifo tua'r gorllewin, yw'r llyn ym mhen uchaf Cwm Llygad Rheidol yng nghesail ogleddol Pumlumon Fawr. Ond tua'r de-ddwyrain y llifa afonydd Gwy a Hafren, y naill yn tarddu ar lechweddau dwyreiniol Pumlumon Fawr a'r llall ar y llethrau rhwng pen Pumlumon Arwystli (740 m) a Phumlumon Cwmbiga (612 m).

Yn ddaearegol, cerfiwyd yr ucheldir o drwch o gerrig llaid a thywodfeini Ordofigaidd sy'n brigo yng nghraidd plyg cymhleth ar ffurf cromen, a amgylchynir gan greigiau diweddarach, sef cerrig llaid Silwraidd hindreuliedig, rhydlyd eu gwedd. Er mai afonydd yr ardal fu'n bennaf cyfrifol am dyrchu'r tir, mae'r dirwedd hefyd yn dwyn stamp prosesau rhewlifol. Grym erydol llif yr iâ, a orchuddiai'r ardal

Llyn Nant-y-cagl a chopa Pumlumon Fawr

Cymer afonydd Hengwm a Llechwedd-mawr dan ddyfroedd y gronfa ddŵr

yn ystod y Rhewlifiant Diwethaf, a gafniodd y basn y mae dyfroedd tywyll, dwfn Llyn Llygad Rheidol yn gorwedd ynddo wrth droed y Graig Las, cefnfur creigiog y peiran. Bu'r iâ hefyd yn gyfrifol am ddyfnhau'r dyffrynnoedd ynghyd â gadael ar ei ôl rychiadau a rhigolau ar arwynebau llathredig rhai o greigiau'r ardal.

Yn y man lle yr oedd dyffryn Rheidol a'i ganghennau ar eu dyfnaf, codwyd argae cronfa ddŵr Nant-y-moch, un elfen o gynllun trydan-dŵr mawr sydd wedi bod yn cynhyrchu ynni adnewyddadwy er 1964:

Mae yng Nghymru saith rhyfeddod,
Sef ein rhyfeddodau ni,
Eglwysi heirdd a thyrau
A bryniau mawr eu bri.
Ond bellach wele wythfed,
Ac fe'i henwaf i chi'n groch,
O! yr wythfed ydyw'r argae
Sydd yn boddi Nant-y-moch.

Myn rhai fod llynnoedd Nant-y-moch, Dinas a Llygad Rheidol, y llyn naturiol a helaethwyd fel rhan o'r cynllun trydan-dŵr, wedi

harddu tirwedd lom Pumlumon. Ond nid dyffryn yn unig a foddwyd dan ddyfroedd Nant-y-moch ond hen ffordd Gymreig o fyw yn ogystal.

Yn 1957 chwalwyd hen ffermdy Nant-y-moch, cartref y brodyr John a James James, a Blaenrheidol, capel y Methodistiaid Calfinaidd a godwyd yn 1895, digwyddiad a sbardunodd Aneurin Jenkins-Jones i gyfansoddi'r pennill uchod a'r pennill athrist a ganlyn:

Byth ni welir eto'r aelwyd
Yn groesawus gan dân mawn,
Na'r brain ym mrig y pinwydd
Na'r capel llwyd yn llawn.
Mae'r lle fel Cantre'r Gwaelod
Ond rhyw gartref heb un gloch
Ydyw teyrnas fud yr argae
Sydd yn boddi Nant-y-moch.

Wedi i'r ddau hen fugail ymadael â'r tŷ am yr olaf dro, gadawyd dyffrynnoedd diarffordd afonydd Rheidol, Llechwedd-mawr, Hengwm a Hyddgen yn anghyfannedd. Bellach, olion yn unig o weithgarwch dyn sy'n britho'r tir. Yr olion cynharaf yw carneddau claddu'r Oes Efydd sydd i'w gweld ar y copaon uchaf oll. Ond ceir hefyd dystiolaeth am aneddiadau diweddarach yn dyddio o ddiwedd yr Oesoedd Canol hyd droad yr ugeinfed ganrif, adfeilion ambell hafod a lluest, bugeildy a chorlan, ynghyd â phyllau lladd mawn, y tanwydd a ddefnyddid i gynhesu cartrefi gwasgaredig y fro anhygyrch. Saif dau faen o gwarts gwyn tuag 20 metr oddi wrth ei gilydd gerllaw glannau afon Hyddgen a'i chymer ag afon Hengwm. Ac er bod rhai archaeolegwyr o'r farn mai eu diben oedd dynodi ffin o ryw fath neu lwybr y bu bugeiliaid neu fwynwyr yn ei dramwyo 'slawer dydd, yr enw lleol arnynt yw Cerrig Cyfamod Owain Glyndŵr. Credir bod y meini naill ai'n dynodi lleoliad ei fuddugoliaeth nodedig yn 1401, pan drechodd ei fyddin lu mawr Seisnig ar lannau Hyddgen, neu ynteu y man lle safai Owain wedi'i drin gan ddatgan, yn ôl J G Williams, awdur y nofel hanesyddol *Betws Hirfaen* (1978): 'Bydded y cerrig hyn... yn dystion o'n cyfamod ni yma heno, i gyflwyno'n hunain i'r weledigaeth ac i'r ymdrech anrhydeddus dros ryddid cenedl y Cymry.'

Ar 16 Gorffennaf 1977, dadorchuddiodd Gwynfor Evans gofeb a godwyd gerllaw argae Nant-y-moch i gofio'r sawl a ddisgynnodd ym mrwydr Hyddgen a'r gŵr a ddaeth yn symbol o freuddwyd y Cymry y gallent, ryw ddydd, ennill yr hawl i fyw mewn gwlad annibynnol a lywodraethai ei hun.

Cwm Ystwyth

049

Wrth deithio ar gefn ei geffyl o gyfeiriad Rhaeadr Gwy yn ystod y 1530au, bu'r hynafiaethydd a'r bardd John Leland yn dyst i olygfa gofiadwy. Ar ei law dde ym mhen uchaf Cwm Ystwyth yr oedd 'cloddfa fawr am blwm', man lle y bu'r gwaith o smeltio'r mwyn plwm yn gyfrifol am ddifa'r coedwigoedd toreithiog a arferai orchuddio'r ardal. O ganlyniad i'r llygredd, mae'n debyg nad oedd na phryd na thegwch i dirwedd ddiwydiannol y dyffryn diarffordd hwn hyd yn oed dros dair canrif cyn oes aur diwydiant plwm gogledd Ceredigion, o 1830 hyd ddiwedd y 1870au. Ymddengys fod mwynglawdd Cwm Ystwyth, a ddatblygodd i fod yn un o'r prif weithfeydd a'r mwyaf llewyrchus o blith y 73 a oedd ar waith yn sir 'wledig' Aberteifi yn 1850, o gryn faintioli yng nghyfnod Leland, ond roedd rhannau hynaf y gwaith yn dyddio'n ôl ymhell cyn blynyddoedd cynnar yr unfed ganrif ar bymtheg.

Ar lechweddau Bryn Copa, fry uwchlaw glannau afon Ystwyth, ceir un o'r safleoedd mwyngloddio cynnar pwysicaf yn Ewrop. Yma y cafwyd hyd i offer megis morthwylion cerrig a cheibiau cyrn carw a ddefnyddid gan drigolion yr Oes Efydd, tua 4,000 o flynyddoedd yn ôl, i gloddio gwythiennau brig o fwyn a gynhwysai'r copr yr oedd ei angen arnynt i gynhyrchu offer efydd. Mae'r gwythiennau a gloddiwyd, ac ynddynt fwynau copr (calcopyrit), plwm (galena) a sinc (sffalerit), ymlith yr hanner cant a mwy o wythiennau mwynol sy'n gysylltiedig â dwsinau o ffawtiau lled-gyfochrog i'w gilydd. Gellir eu holrhain o'r de-de-orllewin tua'r gogledd-gogledd-ddwyrain, drwy greigiau gwaddod Silwraidd ac Ordofigaidd canolbarth Cymru.

Er amlyced yw cloddfeydd cynnar Bryn Copa, roedd y dull a ddefnyddid i ddinoethi'r gwythiennau o galena – y mwyn plwm metelig ei wedd a llwydwyn ei liw – yn ystod chwarter olaf y

ddeunawfed ganrif yn fwy amgylcheddol niweidiol o lawer. Drwy gronni dŵr ar uchder ac yna ei ryddhau'n sydyn, byddai grym y llifeiriant yn sgwrio'r creigiau gwaddod lleol yn lân, gan ddwyn i'r amlwg y gwythiennau a redai drwyddynt. Y broses o lifolchi'r creigiau (*hushing*) a roes fod i'r ffosydd dyfnion sy'n creithio llechweddau serth pen uchaf Nant yr Onnen ym mhen dwyreiniol y safle. Nid oes yng ngwledydd Prydain enghreifftiau rhagorach o'r dull hwn o fwyngloddio, a than gysgod clogwyni'r Graig Fawr ceir olion y gweithfeydd brig mwyaf trawiadol yng nghanolbarth Cymru. At hynny, mae'r mwynglawdd yn nodedig am ei rwydwaith o bynfeirch a thramffyrdd, gweddillion adeiladau adfeiliedig, siafftiau dyfnion, dwsinau o geuffyrdd a ddraeniai'r dŵr o'r cloddfeydd tanddaearol, pyllau'r rhodau dŵr a thomennydd gwastraff – oll yn olion 'hagrwch Cynnydd' a dystiai i brysurdeb anhygoel a blynyddoedd llewyrchus y bedwaredd ganrif ar bymtheg, hyd y 1870au. Yn dilyn darganfyddiad

un wythïen doreithiog, llwyddwyd i godi dros 13,000 tunnell o fwyn plwm rhwng mis Tachwedd 1826 a mis Mawrth 1827. Bu'r cyfnod rhwng 1850 ac 1868 yn ddigon llewyrchus hefyd, pryd y cynhyrchwyd ymhell dros 1,000 o dunelli o fwyn y flwyddyn. Ac yn ystod oes y mwynglawdd, a ddaeth i ben yn 1921, amcangyfrifir y cafodd o leiaf 250,000 tunnell o fwyn plwm ei gynhyrchu, ynghyd â dros 9,300 cilogram o arian (mae galena yn cynnwys arian yn ogystal â phlwm) ac oddeutu 19,000 tunnell o sffalerit.

Ond roedd pris i'w dalu. Roedd ennill bywoliaeth yng Nghwm Ystwyth a mwyngloddiau eraill yr ardal yn golygu colli iechyd a cholli bywyd i laweroedd ym mlodau eu dyddiau, fel y tystia'r cerrig beddau ym mynwentydd y capeli, yn ogystal â mynwent Eglwys Newydd yr Hafod, a wasanaethai'r cymunedau mwyngloddiol. Ar ben hynny, mae'r gwastraff gwenwynig wedi bod yn gyfrifol am lygru afonydd a thir y fro.

Adfeilion prif adeiladau'r mwynglawdd

Er gwaethaf presenoldeb cyfoeth mawr o fwyn yng nghreigiau mynyddoedd yr Elenydd, cynnydd y diwydiant cloddio plwm yn Sbaen, Gogledd America ac, yn ddiweddarach, Awstralia a arweiniodd at dranc mwyngloddiau gogledd Ceredigion ac ardaloedd cyfagos. Llwyddai'r gwledydd tramor hynny i gynhyrchu mwyn yn llawer rhatach na'r gweithfeydd ym Mhrydain.

Bu cau'r mwyngloddiau, a fu'n gymaint rhan o fywyd a gwaith trigolion y canolbarth, yn achos siom a chwalfa gymdeithasol fawr, megis y blynyddoedd blin a brofwyd yn dilyn nychdod a chau ffatrïoedd gwlân, chwareli llechi a phyllau glo Cymru. Caiff hanes y diwydiannau aruthrol bwysig hynny eu hadrodd yn Amgueddfa Wlân Cymru, Amgueddfa Lechi Cymru ac Amgueddfa Lofaol Cymru, ond er y bu cloddio am blwm ym mhob sir yng Nghymru, rywbryd neu'i gilydd, nid oes Amgueddfa Blwm wedi ei sefydlu yma hyd yn hyn. Dim ond drwy ymweld â hen fwynglawdd plwm–arian Llywernog, ger Ponterwyd, a thrwy anwybyddu atyniadau di-chwaeth The Silver Mountain Experience – fel y gelwir y ganolfan heddiw, sy'n cynnig i'r ymwelydd 'brofiad tanddaearol mwyaf dychrynllyd Cymru' – y ceir cyflwyniad i'r diwydiant hwnnw. Yno yn unig y gellir dechrau amgyffred natur y gwaith cloddio dan ddaear a'r amryfal brosesau mecanyddol y bu'n rhaid gwneud defnydd ohonynt ledled yr ardal, er mwyn nithio'r galena gwerthfawr o afael mwynau diwerth y gwythiennau mwynol.

Gwythïen o fwyn plwm

Dŵr llygredig yn ymarllwys o berfeddion y gweithfeydd tanddaearol

155

050

Cwm Hir a'i abaty

Safle pellennig a harddwch yr ardal: dyna'r ddau beth mwyaf nodweddiadol o'r safleoedd a ddewiswyd gan y Brodyr Gwynion ar gyfer eu habatai, ac o blith y pymtheg tŷ crefydd Sistersaidd a godwyd yng Nghymru'r Oesoedd Canol, Abaty Cwm-hir yw'r mwyaf anghysbell. Saif ei adfeilion ar ddolydd afon Clywedog sy'n ymdreiglo drwy ganol Cwm Hir.

Un o ferched mamfynachlog Hen-dy Gwyn yw Abaty Cwm-hir ac fe'i sefydlwyd yn 1176 dan nawdd Cadwallon ap Madog, arglwydd Maelienydd, gŵr a laddwyd gan ddynion Roger Mortimer yn 1179. Ond mae'n debyg mai ym mlynyddoedd cynnar y drydedd ganrif ar ddeg, pan oedd yr ardal dan reolaeth Llywelyn ab Iorwerth (Llywelyn

Fawr), y rhoes y mynachod gychwyn ar brosiect uchelgeisiol. Codwyd eglwys ysblennydd ac iddi gorff 14 bae – pum bae yn fwy nag sydd yng Nghadeirlan Caergaint – 74.5 metr o hyd a 23.3 metr o led. Er mai dim ond corff yr eglwys a gwblhawyd, yr eglwys hon oedd y fwyaf o ddigon yng Nghymru.

Gwaetha'r modd, fe ddinistriwyd yr abaty yn rhannol gan filwyr Owain Glyndŵr yn 1402 oherwydd fod yr eiddo ar y pryd dan nawdd y Mortimeriaid. Yna, yn dilyn diddymiad y mynachlogydd, gwaith a gyflawnwyd rhwng 1536 ac 1543, araf ddadfeilio fu ei hanes wrth i'r murddun gael ei ddefnyddio'n 'chwarel', gan ei bod yn ffynhonnell cerrig adeiladu parod. O ganlyniad, y cyfan sydd i'w weld o'r adeilad

gwreiddiol yw muriau allanol eiliau'r de a'r gogledd ynghyd â gwaelod tair o'r pedair ar ddeg o golofnau gwreiddiol. Nid oes dim o'r mur gorllewinol i'w weld ond ym mhen dwyreiniol yr adfail mae rhannau o furiau transeptau'r de a'r gogledd wedi goroesi.

Cerrig lleol caled ond brau, nad oes modd eu naddu'n flociau cymen heb sôn am lunio colofnau main crwn, ohonynt, yw'r rheiny a ddefnyddid i godi'r muriau ohonynt. Deuai'r tywodfeini llwydwyrdd bras-ronynnog hynny, sy'n dyddio o ddiwedd y cyfnod Ordofigaidd, o

gyfres o chwareli ar lechweddau'r Great Park (439 m), y bryn i'r gogledd o safle'r abaty. Gyda'r amlycaf o'r chwareli, sydd bellach yn rhannol guddiedig ymhlith y planigfeydd conwydd, yw Fowler's Cave ac yno roedd yr haenau lled drwchus o dywodfaen yn hollti'n flociau lled sgwâr, parod at ddefnydd y seiri meini.

Er mwyn llunio colofnau a phileri, a fframiau drysau a ffenestri, yr oedd yn rhaid wrth garreg rywiog (*freestone*) a'r maen a ddewiswyd ar gyfer y cerrig nadd oedd tywodfaen hufennog neu felynllwyd ei

Gweddillion mur a thransept deheuol yr abaty

liw, yn ogystal â pheth tywodfaen cochlyd. Oherwydd ei fod yn dra gwahanol o ran ei liw a'i wead i'r garreg leol, y mae darnau o'r cerrig nadd ysbeiliedig yn gymharol hawdd i'w hadnabod ym muriau eglwysi, ffermydd a thai, a hefyd erddi, o fewn cwmpas o tua 20 cilometr i'r abaty. Er enghraifft, yn Eglwys Sant Idloes, Llanidloes, 17 cilometr i'r gogledd-orllewin o Abaty Cwm-hir, ceir arcêd gerfiedig, gain o'r drydedd ganrif ar ddeg a gludwyd o'r abaty yn 1542. Saif Neuadd Llanddewi tua chwe chilometr i'r dwyrain o Abaty Cwm-hir, plasty a godwyd yn gyfan gwbl o gerrig nadd yr abaty yn ystod yr unfed ganrif ar bymtheg. O'r ail ganrif ar bymtheg y mae Tŷ Faenor, a saif ddau gilometr i lawr y cwm o Abaty Cwm-hir, yn dyddio. Codwyd y plasty hwnnw hefyd o flociau o'r tywodfaen nadd ac mae darnau niferus ohono hefyd i'w gweld yn yr ardd o flaen y tŷ. Ond yng ngardd breifat ffermdy Maenor Cwm-hir, gerllaw'r ganolfan wybodaeth fach sy'n cynnig dehongliad o hanes yr abaty, y ceir un o'r enghreifftiau gwychaf o'r defnydd a wnaed o'r garreg rywiog felynllwyd. Credir bod y tympanwm cerfiedig, panel hindreuliedig y mae copi ohono i'w weld uwchben drws eglwys gyfagos y Santes Fair, yn portreadu dyrchafael Mair.

Chwarel Fowler's Cave

Byth oddi ar y 1980au arferid credu mai Tywodfaen Grinshill, a ddeuai o'r chwareli enwog tua 12 cilometr i'r gogledd o Amwythig, oedd y garreg rywiog a ddefnyddid gan seiri meini'r abaty. Fodd bynnag, mae astudiaeth gymharol ddiweddar o gyfansoddiad y tywodfaen Triasig hwnnw wedi bwrw peth amheuaeth ar y farn honno. Mae'n bosibl, felly, ond heb ei brofi o bell ffordd, y cafwyd hyd i gyflenwadau o'r garreg rywiog, nid ymhlith tywodfeini'r Tywodfaen Coch Newydd yng nghyffiniau Amwythig, ond yn hytrach ymysg haenau gwaelodol tywodfeini'r Hen Dywodfaen Coch sy'n brigo rhwng Llanandras a Llanfair-ym-Muallt.

Ond nid ar gyfrif maintioli'r abaty na'i gerrig adeiladu, nac ychwaith ei leoliad ar y rhan honno o Lwybr Glyndŵr rhwng Llanidloes a Llanbadarn Fynydd, y mae pentref bach Abaty Cwm-hir yn adnabyddus, o leiaf ymhlith gwladgarwyr. Wedi i Lywelyn ap Gruffudd gael ei ladd gerllaw Cilmeri ar 11 Rhagfyr 1282, i abaty'r Sistersiaid yng Nghwm Hir y cludwyd ei gorff ac yno yn naear sanctaidd y cwm, yn ôl traddodiad, y'i claddwyd. Ger ei faen coffa ym mhen dwyreiniol corff yr eglwys y cynhelir gwasanaeth i goffáu Llywelyn ein Llyw Olaf yn flynyddol ar y Sul agosaf at ddyddiad ei farwolaeth ym mis Rhagfyr.

Y draphont a godwyd ar ben argae cronfa ddŵr Carreg-ddu (dde)

Cwm Elan

051

Er mor atyniadol yw tirwedd Cwm Elan ym marn y miloedd o bobl sy'n ymweld â'r ardal bob blwyddyn, nid harddwch naturiol mohono, serch bod yr eangderau a hawliwyd gan Gorfforaeth Birmingham yn 1892 bellach yn cynnwys deuddeg Safle o Ddiddordeb Gwyddonol Arbennig. At hynny, mae'r ardal gyfan yn rhan o Ardal Warchodaeth Arbennig.

Cafodd naturioldeb dyffryn afon Elan ei drawsnewid yn llwyr yn dilyn codi'r gyfres o gronfeydd dŵr – Caban-coch, Carreg-ddu, Penygarreg a Chraig Goch – gan Gorfforaeth Birmingham rhwng 1893 ac 1904. Nodweddion hinsoddegol, daearyddol a daearegol, yn ogystal â chraffter un peiriannydd sifil o fri,

a seliodd dynged hudoliaeth a phrydferthwch y cwm anghysbell. Bendithiwyd yr ardal â digonedd o law, dyffrynnoedd dyfnion a chreigiau anathraidd. At hynny, roedd Cwm Elan yn sylweddol uwch na safle Birmingham, a olygai y gellid, gyda chymorth disgyrchiant, drawsgludo'r dŵr bob cam o'r 110 cilometr a mwy i ganolbarth Lloegr heb fod angen ei bwmpio.

Tra crwydrai James Mansergh gymoedd y canolbarth yn ystod y 1860au, pan oedd wrthi'n adeiladu Rheilffordd Canolbarth Cymru, sylweddolodd pa mor addas y byddai Cwm Elan ar gyfer cronni dŵr. Ef oedd peiriannydd dŵr enwocaf ei ddydd ac yn 1890 gofynnodd Pwyllgor Dŵr Dinas Birmingham iddo wneud arolwg o'r ardal a chyflwyno adroddiad manwl i'w sylw. Ym marn Mansergh, nid oedd 'rhagorach ffynhonnell i'w chael', argymhelliad a dderbyniwyd gan y

pwyllgor. Er gwaethaf gwrthwynebiad ffyrnig, derbyniodd Deddf Dŵr Corfforaeth Birmingham, a roes yr hawl i'r Gorfforaeth brynu drwy orfodaeth 18,400 hectar o dir, gydsyniad brenhinol ym mis Gorffennaf 1892 ac aeth y gwaith adeiladu rhagddo yn 1893 dan oruchwyliaeth Mansergh, y peiriannydd ymgynghorol.

Natur y graig a benderfynodd leoliad argae Caban-coch, yr isaf o'r pedair cronfa ddŵr. Yno mae'r dyffryn ar ei gulaf, culni y gellir ei briodoli i galedwch a gwytnwch Amryfaen Caban-coch y mae modd dilyn ei frig o naill ochr y dyffryn i'r llall. Mae'r graig hynod hon yn cynnwys haenau o amryfeini (cerrig crynion a lled-grwn yn bennaf, yn gymysg â thywod) a thywodfeini bras-ronynnog, sef cerrig a thywod a bentyrrwyd yn wreiddiol ar sgafell gyfandirol cefnfor

hynafol, tua 440 miliwn o flynyddoedd yn ôl. O bryd i'w gilydd, byddai cerhyntau tyrfedd grymus yn ysgubo'r dyddodion hyn i'r dyfnderoedd ac yno y byddent yn ymgasglu fesul haen ar lawr y dyfnfor.

Meini bras o Amryfaen Caban-coch a ddeuai o Chwarel y Gigfran a Chwarel Craig Cnwch a ddefnyddiwyd yn bennaf ar gyfer craidd pob un o'r pedwar argae. Agorwyd y chwareli yn arbennig ar y llechweddau i'r naill ochr a'r llall o lawr y dyffryn gerllaw safle argae Caban-coch. Ond oherwydd na ellid llunio cerrig nadd cymen o'r graig galed leol, yr hyn a osodwyd ar wynebau allanol a mewnol yr argaeau oedd blociau nadd o dywodfaen Pennant o Chwarel Craig-yr-hesg, Pontypridd, a thywodfaen Newmead o chwareli Llanelwedd,

Argae cronfa ddŵr Penygarreg

ger Llanfair-ym-Muallt. Bu Mansergh yn gyfrifol am gynllunio'r argaeau yn y fath fodd fel y byddai'r dŵr, ar adegau pan fyddai'r cronfeydd yn orlawn, yn gorlifo 'yn rhaeadrau pictiwrésg i lawr eu hwynebau'. Ar adegau felly, meddai, mur argae Caban-coch, sy'n codi tua 37 metr uwchlaw gwely afon Elan, fyddai 'yn ôl pob tebyg, y rhaeadr wychaf yng Nghymru'.

Roedd y gwaith o greu'r pedair cronfa ddŵr, ynghyd â'r rheilffordd dros 50 cilometr o hyd y bu'n rhaid wrthi er mwyn gwasanaethu'r safleoedd adeiladu, yn un o orchestweithiau peirianneg sifil mwyaf Prydain y bedwaredd ganrif ar bymtheg. Yn wir, galwyd adeiladweithiau Cwm Elan ar y pryd yn 'wythfed rhyfeddod y byd'. Gan hynny, ni ellir llai na rhyfeddu at fawredd a champ cynllun Mansergh, nac ychwaith at hynodrwydd y bensaernïaeth beirianyddol. Fe'i gelwir, o bopeth, yn 'Birmingham baroque'! Fe'i gwelir ar ei gorau ar ffurf Tŵr Falf y Foel, gyda'i gromen gopr, a saif ar lan cronfa ddŵr Carreg-ddu. Ger y tŵr, arweinia'r ffordd i Glaerwen ar draws y draphont a godwyd ar ben argae'r gronfa, sydd o'r golwg o dan wyneb y dŵr, ac eithrio ar adegau o sychder. Ar y llechwedd y tu draw i'r draphont, a than gysgod Coed Aberelan, saif Eglwys Nant-gwyllt a godwyd yn 1898–1900 yn lle'r adeilad a foddwyd.

Ond nid yr hen eglwys yn dyddio o'r 1770au yn unig a foddwyd dan ddyfroedd tywyll y cronfeydd dŵr. Ar lawr Cwm Elan, a oedd yn nodedig am ei harddwch, roedd ffermdai a bythynnod, melin, capel, ysgol, dau blasty a chymdeithas Gymraeg. Digolledwyd tirfeddianwyr,

megis Thomas Lewis-Lloyd o blasty Nant-gwyllt, yn ariannol, ond ni fu pawb mor ffodus. Collodd eu gweision eu gwaith. Ni ddigolledwyd ffermwyr-denantiaid y fro, a chafodd tyddynwyr eu hel o'r tir. Yn gyfan gwbl, dinistriwyd cartrefi dros 100 o bobl. Fel y dywedodd Francis George Payne yn ei gyfrol *Crwydro Sir Faesyfed* (*Cyfrol 2*) (1968), 'boddwyd mwy na chwm, boddwyd diwylliant gwledig' wrth greu 'harddwch newydd' tirwedd hanesyddol Cwm Elan.

Chwarel y Gigfran

Amryfaen Caban-coch

052

Llynnoedd Teifi a'r Elenydd

Ar ôl i Gerallt Gymro a'i gyd-deithwyr fwrw eu blinder yn Abaty Ystrad-fflur ym mis Ebrill 1188, aeth y fintai yn ei blaen gan deithio y tu arall heibio i 'fynyddoedd uchel Moruge, a elwir yn Elenydd yn Gymraeg'. Ond nid felly John Leland, hynafiaethydd Harri'r VIII, a oedd yn marchogaeth drwy Gymru rywbryd rhwng 1536 ac 1539. Ei briod waith oedd ymweld â sefydliadau megis abatai a chofnodi eu trysorau, ond tra oedd yn Ystrad-fflur, mentrodd cyn belled ag ardal Llynnoedd Teifi, gan gynnig i ddarllenwyr ei *Itinerary* bortread cofiadwy o unigedd y rhan fach honno o ehangdir gwyllt yr Elenydd.

O gopa Carreg Naw Llyn (562 m), tua chwe chilometr a hanner i'r gogledd-ddwyrain o'r abaty, 'nid oedd unman i'w weld, dim coed, dim ond porfa fynydd'. Er hynny, barnai Leland nad oedd y bryniau rhyngddo a Llynnoedd Teifi mor garegog â'r rheiny rhwng y llynnoedd ac Ystrad-fflur. Roedd y dirwedd honno, yn ei dyb ef, yn 'ofnadwy' ar gyfrif ei chreigiau a'i meini moel, nid annhebyg, meddai, i fynyddoedd Eryri. Eto i gyd, y mae i wylltineb ac unigrwydd yr ardal ei harddwch, er nad harddwch cwbl naturiol mohono.

Dengys y cofnod paill ym mawnog Bryniau Pica, nid nepell o lannau Llyn Egnant, fod y coed derw a gwern a arferai orchuddio'r

Llyn Teifi a'r fawnog rhyngddo a Phen y Bryn

moelydd tua 3,000 o flynyddoedd yn ôl yn prysur ddiflannu dan fwyeill bugeilwyr yr Oes Efydd. Lle gynt bu coed, ymledai planhigion tir agored megis llyriad yr ais (*Plantago lanceolata*), llydan y ffordd (*Plantago major*), dail tafol (*Rumex obtusifolius*) a rhedyn ungoes (*Pteridium aquilinum*). Ac erbyn 2,000 o flynyddoedd yn ôl ymdebygai'r ucheldir i'r hyn ydyw heddiw. Goroesodd rhai o goetiroedd yr ardal ar lechweddau dyffryn Teifi a dyffrynnoedd ei hisafonydd ond gyda dyfodiad y Mynaich Gwynion i Ystrad-fflur yn 1164, roedd eu dyddiau hwythau wedi'u rhifo hefyd. Yn dilyn codi'r abaty ysblennydd ar ddolydd Teifi, aeth y Sistersiaid ati i glirio hectarau lawer a oedd yn eu meddiant ar gyfer ffermio defaid.

Ar draws y tir agored hwn rhedai rhan o Lwybr y Mynachod (Monks' Trod), a gysylltai Abaty Ystrad-fflur â'i chwaer-abaty yng Nghwm-hir, a sefydlwyd yn 1176. Mae'r llwybr hanesyddol hwnnw, 40 cilometr o hyd, yn cael ei gydnabod yn un o'r ffyrdd canoloesol gorau ei chyflwr yng ngwledydd Prydain, er bod rhannau o'r llwybr rhwng Llynnoedd Teifi a Chwm Elan wedi dioddef yn enbyd o

ganlyniad i'r defnydd yr arferai cerbydau gyriant pedair olwyn a beiciau modur ei wneud ohono, cyn iddynt gael eu gwahardd.

O ran y coed hynny na chafodd eu cymynu gan y mynachod, torrwyd nifer ohonynt dan orchymyn Edward I, a oedd yn awyddus i amddifadu'r Cymry o guddfannau lle y gallent gudd-ymosod ar ei filwyr. Nid yw'n syndod, felly, mai tirwedd wedi'i datgoedwigo a ddisgrifiwyd gan Leland, gŵr a wyddai hefyd na fyddai coedwigoedd yn adfeddiannu'r tir tra byddai'r geifr, a grwydrai'r ardal y pryd hwnnw, yn bwyta'r egin coed. Heddiw, diadelloedd defaid sy'n atal coed rhag tyfu ac ymledu.

Nid cwbl naturiol ychwaith yw pob un o Lynnoedd Teifi. Ym mlynyddoedd cynnar yr ugeinfed ganrif, helaethwyd Llyn Teifi drwy godi argae yn y man lle y llifa afon Teifi allan ohono. Yn ogystal â hynny, cronnwyd dyfroedd Nant Lluest yn union i'r gorllewin o lyn 'diwaelod' Teifi, gan greu cronfa ddŵr fach ar safle mawnog a orweddai rhwng cefnennau Cnwc (439 m) a Chraig Tŷ-crin–Pen y Bryn (439 m). Yna, yn 1966, codwyd argae ar draws pen isaf Llyn

Egnant a'i droi'n gronfa ddŵr. Llifa Nant Egnant o'r llyn, gan ymuno ag afon Mwyro, sydd ei hun ymhen dim o dro yn dod yn un ag afon Teifi. Dim ond y tri llyn rhwng llynnoedd Teifi ac Egnant – Llyn Hir, Llyn y Gorlan a Llyn Bach – sy'n wirioneddol naturiol. Yn yr Oesoedd Canol roedd y llynnoedd, a gâi eu stocio gan fynachod Ystrad-fflur, yn ôl y sôn, yn enwog am ansawdd y brithyllod a'r llyswennod a oedd i'w cael yn eu dyfroedd mawnaidd. Ond mae'n amheus a oes unrhyw wirionedd yn yr hyn a gofnododd Leland, sef bod cig y brithyllod ym mhen deheuol Llyn Egnant 'cyn goched ag eogiaid' ond bod cnawd y rheiny ar lannau gorllewinol y llyn yn wyn.

Heblaw am ffurf y bryniau a'r pantiau, nodweddion mwyaf naturiol yr ardal yw'r corsydd a'r mawnogydd sur. Yma ceir cymuned arbennig o blanhigion, gan gynnwys migwyn (*Sphagnum*), gwahanol rywogaethau o hesg a brwyn, ynghyd â blodau gwylltion amrywiol eraill megis plu'r gweunydd (*Eriophorum angustifolium*), ffeuen y gors (*Menyanthes trifoliata*), tafod y gors (*Pinguicula vulgaris*) a gwlithlys (*Drosera rotundifolia*).

Ynghladd ym mawnog Bryniau Pica, tua chilometr i'r de-ddwyrain o Lyn Egnant, ceir haenen o lwch folcanig – y gyntaf i'w chofnodi yng nghorsydd Cymru. Fe'i dyddodwyd yn ôl pob tebyg yn dilyn echdoriad un o losgfynyddoedd Gwlad yr Iâ, tua 6,500 o flynyddoedd yn ôl. Amser a ddengys a adawodd llwch Eyjafjallajökul ei gofnod yma hefyd yn dilyn echdoriad drwg-enwog y llosgfynydd hwnnw ar 14 Ebrill 2010, digwyddiad a effeithiodd ar weithgareddau economaidd, gwleidyddol a diwylliannol ledled y byd.

Gwlithlys

Tafod y gors

Cors Caron

053

Cors 'farw, oer, hagr' sydd 'wedi cyfuno ynddi ei hun bopeth sy'n anhardd mewn dŵr a thir'. Dyna'r argraff gyntaf a gafodd O M Edwards o Gors Caron un diwrnod o aeaf ym mlynyddoedd cynnar yr ugeinfed ganrif, wrth graffu arni o'r trên a redai ar hyd ffiniau'r gwlyptir rhwng gorsafoedd Strata Florida (ym mhentref Ystradmeurig) a Thregaron. Yna, ar siwrnai ddiweddarach 'dan wên heulog yr haf', gweddnewidiwyd y gors yr oedd ef wedi'i chyffelybu i 'Lyn Cysgod Angeu'. Plu'r gweunydd (*Eriophorum angustifolium*) a gyflawnodd y wyrth: 'Yr oeddynt yno yn eu miloedd, yn llanerchi o wynder ysgafn, tonnog, byw, heulog. Hwy roddodd i'r hen gors ddu hagr ei gogoniant gwyn.' Coesau a dail yr hesgen honno, a dry'n lliw coch tywyll yn ystod y gaeaf, a rydd i'r gors hon ei henw arall, llai cyfarwydd, sef Cors Goch Glanteifi, y corstir y mae afon Teifi yn ymddolennu drwyddo.

Heblaw am 'benwynion gwan y gweunydd', mae'r corstir 800 hectar yn gyforiog o blanhigion dŵr a mwsoglau, gan gynnwys dwy rywogaeth o figwyn (*Sphagnum*). Cofnodwyd yma hefyd oddeutu 170 o wahanol rywogaethau o adar – yn enwedig adar y gwlyptiroedd – ac yn eu plith tua 40 sy'n bridio ar y safle. Ymhlith yr adar ysglyfaethus, mae'r barcud yn olygfa gyffredin, yn arbennig yn

Olion hen byllau lladd mawn

ystod y gaeaf gan eu bod yn cael eu bwydo bob prynhawn nid nepell o Bont Einon, sy'n croesi afon Teifi tua 1.5 cilometr i'r gogledd-orllewin o Dregaron. O ganlyniad i'r cyfoeth hwn o fywyd gwyllt amrywiol, a'r ffaith mai Cors Caron yw un o'r enghreifftiau gorau o gyforgors ym Mhrydain, fe'i dynodwyd yn Warchodfa Natur Genedlaethol. Y mae hefyd yn wlyptir o bwysigrwydd rhyngwladol.

Mewn gwirionedd, mae'r fawnog yn gyfuniad o dair cyforgors ac iddynt arwynebau cromennog. Mae'r fwyaf o'r tair ar lannau gorllewinol afon Teifi a'r ddwy arall ar ochr ddwyreiniol yr afon. Araf ddatblygu fu hanes y tair wedi i'r rhewlif a feddiannai ddyffryn Teifi ddadmer ac encilio tua'r gogledd ar ddiwedd y Rhewlifiant Diwethaf, ond nid cyn iddo ddyddodi marian ar lawr y dyffryn, sef pentwr o waddodion rhewlifol a ymgasglodd o amgylch trwyn rhewlif Teifi, pan safai hwnnw'n stond am gyfnod yng nghyffiniau safle presennol Tregaron. Y tu ôl i'r marian, cronnodd llyn cymharol fas, ac ar ei lawr ymgasglodd trwch o glai llwydlas anorganig. Digwyddodd hyn yn ystod y cyfnod oer hwnnw cyn i blanhigion adfeddiannu'r tir cyfagos a fu dan orchudd trwchus o iâ. Graddol lenwi fu hanes y llyn, nid yn unig wrth i afon Teifi a nentydd ei dalgylch ollwng eu llwythi o silt ar lawr y basn, ond hefyd wrth i weddillion planhigion – cyrs, yn bennaf – a dyfai ar ei lannau ymgasglu yn y dŵr bas. Ymhen amser, disodlwyd y mawn cyrs gan fawn asidig migwyn (*Sphagnum*) ac erbyn heddiw

mae copaon y tair cromen o fawn sawl metr uwchlaw'r tir cyfagos, sy'n golygu bod planhigion y tair gorgors yn cael eu cynnal gan ddŵr glaw yn unig.

Oherwydd ei natur asidig, mae gronynnau paill coed a phlanhigion eraill wedi goroesi ym mhob haenen o'r mawn. Golyga hyn fod y gors yn cynnwys cofnod amhrisiadwy o newidiadau amgylcheddol a hinsoddol dros y canrifoedd. At hynny, gan fod modd carbon-ddyddio mawn, gwyddom fod Cors Caron wedi datblygu dros gyfnod o 12,000 o flynyddoedd. Y goeden gyntaf i adfeddiannu llechweddau noethlwm y dyffryn wedi oerfel y cyfnod rhewlifol oedd y fedwen, ynghyd â'r ferywen a'r helygen. Yna, ymddangosodd y gollen a'r binwydden, ond erbyn tua 7,700 o flynyddoedd yn ôl, pan oedd yr hinsawdd yn wlypach, y dderwen a'r wernen, ynghyd â'r fedwen, oedd y prif rywogaethau yng nghoedwigoedd yr ardal. Yn wir, ymddengys fod yr ardal yn dra choediog hyd ddiwedd yr Oes Efydd, ond fe'u disodlwyd i raddau helaeth gan laswelltiroedd yn ystod yr Oes Haearn. Mae'n debyg mai ffermio bugeiliol oedd y drefn hyd nes i'r Sistersiaid, a sefydlodd Abaty Ystrad-fflur ar gyrion y gors yn 1164, fabwysiadu ffermio tir âr, economi amaethyddol a gofnodir gan bresenoldeb paill sy'n nodweddiadol o dir amaeth yn haenau uchaf y fawnog.

Mae'n dra phosibl mai yn ystod yr Oesoedd Canol y dechreuodd yr arfer o ladd mawn a'i ddefnyddio'n danwydd. Yn Ystrad-fflur, medd rhai, y claddwyd Dafydd ap Gwilym, bardd disgleiriaf Cymru yn yr Oesoedd Canol, ac yn ôl ei gywydd 'Y Pwll Mawn', disgynnodd ef a'i geffyl i ganol un o'r cyfryw byllau ar noson dywyll, wrth iddo fynd i garu! Er hynny, awgryma'r dystiolaeth mai ym mlynyddoedd cynnar yr ugeinfed ganrif yr aed ati i ladd mawn ar raddfa fawr, arfer na ddaeth i ben tan y 1960au. Gwelir olion rhai o'r hen byllau, sydd bellach yn destun rhaglen adfer, wrth ochr y llwybr styllod sy'n arwain cyn belled â'r guddfan yng nghanol y gwlyptir. Yno y ceir cyfle i wir werthfawrogi godidowgrwydd digymar Cors Goch Glanteifi.

054

Creigiau Stanner

Yn yr un modd ag y mae Llyfr Coch Hergest yn drysor cenedlaethol amhrisiadwy, felly hefyd y mae Gwarchodfa Natur Genedlaethol Creigiau Stanner, sydd o bwys daearegol a botanegol. Un o'r pwysicaf o lawysgrifau Cymraeg yr Oesoedd Canol yw Llyfr Coch Hergest, a ysgrifennwyd tua 1382–1410 ac a oedd am gyfnod ym meddiant Fychaniaid Hergest, plasty a chartref y teulu ym mhlwyf Ceintun, swydd Henffordd. Yn swydd Henffordd hefyd y mae copa Cefn Hergest (426 m), bryn sy'n bwrw ei drem dros ardal Hergest ac, yn bwysicach fyth, yn cynnig llwyfan ardderchog o ba le y mae modd gweld a gwerthfawrogi'r rhes hynod honno o fryniau serthochrog ar ochr ogleddol y gefnen ac am y ffin â Lloegr. I gyrraedd y copa, dilyn Llwybr Clawdd Offa tua'r gogledd-ddwyrain o bentref bach Llanfair Llythynwg sydd orau.

Cwyd Hanter Hill (414 m) a Worsell Wood (tua 300 m) i'r de o ddyffryn Nant Cynon, a Chreigiau Stanner (tua 330 m) i'r gogledd ohono. Mae'r tri bryn yn cynrychioli 'ynysoedd' o greigiau igneaidd caled, gwydn, sy'n codi eu pennau drwy ddilyniant o gerrig llaid iau a llai gwydn o lawer. Mwd a ymgasglodd ar wely'r môr yn ystod y cyfnod Silwraidd, oddeutu 420 o filiynau o flynyddoedd yn ôl, oedd deunydd crai'r cerrig llaid, ond crisialodd y graig dawdd (magma) a

roes fod i'r creigiau igneaidd llwyd tywyll – dolerit a gabro yn bennaf – yn ddwfn yng nghramen y Ddaear tua 710 o filiynau o flynyddoedd yn ôl. Credir bod y creigiau yn cynrychioli gweddillion siambr yn llawn magma a oedd yn bwydo llosgfynydd byw. Dyddiwyd y creigiau am y tro cyntaf yn 1980, a byth oddi ar hynny ystyriwyd mai creigiau Cyn-Gambriaidd Hanter–Stanner oedd y rhai hynaf yng Nghymru. Fodd bynnag, mae'n amheus a oes modd iddynt hawlio'r anrhydedd hwnnw mwyach gan fod creigiau hŷn, yn ôl pob tebyg, i'w cael ym Môn. Serch hynny, y creigiau igneaidd sy'n sail i'r tri bryn yw'r rhai hynaf ar dir mawr Cymru a'r hynaf o'r creigiau crisialog hynafol hynny sy'n sail i dde Prydain gyfan.

Y man gorau i weld y creigiau yw yn yr hen chwarel ym mhen deheuol llechweddau coediog Creigiau Stanner ac ar fin ffordd fawr yr A44. Ond gan fod y chwarel yn Warchodfa Natur Genedlaethol ac yn Safle o Ddiddordeb Gwyddonol Arbennig ar gyfrif ei fotaneg, ni ddylid mentro ymhellach na llawr y chwarel er mwyn sicrhau na chaiff y trysorau botanegol eu niweidio. Y trysor pennaf yw'r sbesimenau o seren-Fethlehem gynnar (*Gagea bohemica*), planhigyn hynod brin sy'n fwy adnabyddus o lawer dan yr enw lili Maesyfed (*Radnor lily*). Yn wir, dyma'r unig fan yng ngwledydd Prydain y deuir

Llethrau Hanter Hill a chopaon coediog Worsell Wood a Chreigiau Stanner

ar ei draws. Pan gasglwyd y lili fach yn ddamweiniol yn 1965 ac eto yn 1974, tybiwyd, ar gam, mai brwynddail y mynydd/lili'r Wyddfa (*Lloydia serotina*) oedd y ddau blanhigyn crin, er gwaetha'r ffaith fod Creigiau Stanner ymhell y tu hwnt i gynefin mynyddig a thiriogaeth arferol y planhigyn arctig-alpaidd hwnnw. Ond yn 1975 daethpwyd ar draws enghraifft iraidd o'r planhigyn bychan a chanddo betalau melyn llachar, serennog, darganfyddiad a alluogai arbenigwyr i gadarnhau, yn 1978, mai seren-Fethlehem gynnar ydoedd. I'r creigiau, i raddau helaeth, y mae'r diolch am ei phresenoldeb, gan fod y calch sy'n deillio ohonynt, ac sydd i'w gael ym mhriddoedd tenau'r safle, yn faeth i'r planhigyn. Yn ogystal â hynny, mae'r priddoedd tenau, sy'n sychu'n gyflym, yn atal gordyfiant a phlanhigion ymledol rhag bod yn drech na lili Maesyfed a rhywogaethau prin eraill.

Am ryw reswm anesboniadwy, mae'n debyg mai 'The Devil's Garden' oedd enw hen bobl yr ardal ar ran o Greigiau Stanner, yn ôl Francis Payne, awdur *Crwydro Sir Faesyfed I* (1966). Ond bid a fo am hynny, mae'r warchodfa natur hon yn baradwys i'r rheiny sydd â diddordeb mewn planhigion prin ac anarferol, llawer ohonynt yn brin iawn yng ngwledydd Prydain. Oherwydd fod y safle'n wynebu'r de, mae'r priddoedd calchaidd tenau yn cynhesu ymhen dim o dro yng ngwres heulwen y gwanwyn, gan sicrhau goroesiad blodau gwyllt a gysylltir yn bennaf â hinsoddau tynerach. O'u cymharu â chefnlen lwyd y graig, mae blodau'r amrywiol blanhigion yn werddonau bach siriol o liw: petalau glasgoch pig-yr-aran ruddgoch (*Geranium sanguineum*); melyn llachar y cor-rosyn cyffredin (*Helianthemum nummularium*); sbigynnau glas y rhwyddlwyn pigfain (*Veronica spicata*) a phetalau coch y lluglys gludiog (*Lychnis viscaria*). Does dim rhyfedd yn y byd fod y fath gasgliad rhyfeddol o flodau yn denu dros ugain o wahanol rywogaethau o ieir bach yr haf – yn enwedig y fritheg arian (*Argynnis paphia*) a gweirlöyn y cloddiau (*Lasiommata megera*) – ynghyd â thrychfilod eraill ar ddiwrnodau o haf hirfelyn tesog.

Gan fod planhigion Creigiau Stanner mor brin a'u cynefin mor fregus, gofynnir i bwy bynnag sydd am weld ac astudio'r blodau gwyllt gysylltu â Chyfoeth Naturiol Cymru yn gyntaf, er mwyn sicrhau bod aelod o staff y corff amgylcheddol cenedlaethol hwnnw ar gael i'w harwain ar hyd llwybrau diogel.

Lili Maesyfed (hawlfraint©Margaret Roberts)

Cefn Hergest

055

Wrth ddisgyn rhiw'r B4594 yn union i'r de o bentref Llanfair Llythynwg deuir wyneb yn wyneb â llechweddau deheuol Cefn Hergest, sy'n codi y tu hwnt i ddyffryn afonig Gladestry Brook, na fedrai hyd yn oed Francis Payne, awdur *Crwydro Sir Faesyfed I* (1966), a gŵr a aned yn nhref gyfagos Ceintun yr ochr draw i Glawdd Offa, ddwyn i gof ei enw Cymraeg. Er nad oes argoel, yn yr ardal hon, o'r clawdd a godwyd yn yr wythfed ganrif i ddynodi'r ffin rhwng Mersia, y deyrnas rymus yng nghanolbarth Lloegr, a theyrnasoedd llai y Cymry tua'r gorllewin, y mae Llwybr Clawdd Offa yn rhedeg drwy'r pentref cyn araf ddringo a dilyn crib Cefn Hergest. Cymharol serth, a charegog mewn mannau, yw rhannau isaf y llwybr. Ond po bellaf yr eir ar hyd-ddo, diflannu o'r golwg dan leiniau o laswellt rhwng clytiau o redyn a wna'r haenau o gerrig llaid a cherrig silt Silwraidd sy'n sail i'r gefnen.

Cefn Hergest a tharren y Mynydd Du

Rhwng Prestatyn, yn y gogledd, a Chas-gwent, yn y de, mae Llwybr Clawdd Offa yn croesi'r ffin rhwng Cymru a Lloegr dros ugain o weithiau. Croesi'r ffin sydd raid ar Gefn Hergest hefyd er mwyn cyrraedd y copa ar uchder o 426 metr, safle sydd, yn rhyfedd iawn, dri metr yn uwch nag uchder hen biler triongli concrit yr Arolwg Ordnans a saif yng nghanol twmpath o gerrig, o fewn tafliad carreg i'r man uchaf oll! Un o blith nifer o garneddau yw'r twmpath cerrig gerllaw'r copa, ac er ei bod hi'n bosibl fod rhai ohonynt yn dyddio o'r oesoedd cynhanes, casglwyd ynghyd rai o'r pentyrrau eraill o gerrig pan gafodd y tir comin ei aredig ym mlynyddoedd cynnar yr ugeinfed ganrif ac yn ystod yr Ail Ryfel Byd.

Er hynny, nid cerrig lleol mohonynt, ond yn hytrach feini dyfod, meini 'estron' a wasgarwyd dros gopa'r gefnen wrth i'r llen iâ a orchuddiai'r rhan yma o Gymru a Lloegr yn ystod y Rhewlifiant Diwethaf ddadmer ac encilio. Yr amlycaf o'r meini dyfod yw blociau amrywiol eu maint o gabro, craig igneaidd, fras-grisialog, galed, a grisialodd yn ddwfn yng nghramen y Ddaear dros 700 miliwn o flynyddoedd yn ôl. Y clogfaen mwyaf o gabro yw'r Whet Stone – tua dau fetr ciwbig o ran ei faint – sy'n gorwedd ar gopa mwyaf gogleddol y gefnen ac, yn ôl y sôn, arferai ffermwyr lleol adael bwyd o'i amgylch ar gyfer trigolion y fro yn ystod y Pla Du.

Mae'r gabro yn brigo ar lethrau cyfagos Hanter Hill, a thrwy'r bwlch rhyngddo a Chefn Hergest y rhed y ffin rhwng Cymru a Lloegr. Drwy'r un adwy hefyd y rhed un o ganghennau Ffawt Church Stretton, rhwyg enfawr yn y creigiau y gellir ei olrhain tua'r de-orllewin cyn belled ag ardal Pentywyn ar lannau Bae Caerfyrddin. Yn wir, lluniwyd Hanter Hill ynghyd â bryniau cyfagos Worsell Wood a Chreigiau Stanner o dafelli o greigiau igneaidd Cyn-Gambriaidd a gafodd eu gwthio tuag at i fyny, a thrwy greigiau gwaddod Silwraidd yr ardal, ar hyd cyfres o ffawtiau.

Hanter Hill

Oherwydd uchder Cefn Hergest mewn perthynas â'r tiroedd o'i gwmpas, mae'r golygfeydd o'r copa yn rhyfeddol o ddeniadol ac amrywiol. Tua'r gogledd-orllewin, saif copa uchaf Fforest Glud (660 m), cromen o greigiau gwaddod Silwraidd, ac i'r de-de-orllewin ohoni cwyd bryniau Gwaunceste (542 m) a Glasgwm (522 m). Yn yr ardal honno y tardd afon Arwy y mae Gladestry Brook yn ymuno â hi ychydig dros bedwar cilometr i'r dwyrain o Lanfair Llythynwg.

Tra gwahanol yw'r olygfa tua'r de-ddwyrain. Oherwydd nad yw'r tir yn nhiriogaeth yr Hen Dywodfaen Coch yn codi fawr uwch na 260 metr, nid oes dim i wrthdynnu sylw oddi ar y Moelfryniau (Bryniau Malvern), cadwyn ddi-dor o gopaon – yr uchaf yw Worcestershire Beacon (425 m) – tua 13 cilometr o hyd ac ychydig dros 50 cilometr o Gefn Hergest. Megis bryniau Stanner–Hanter, cerfiwyd y Moelfryniau hefyd o dafelli o greigiau igneaidd Cyn-Gambriaidd, tua 675 miliwn o flynyddoedd oed, a wthiwyd tuag at i fyny drwy'r gorchudd o greigiau gwaddod iau, rhwng y ffawtiau sy'n dilyn godreon gorllewinol a dwyreiniol y bryniau.

Ond yr olygfa odidocaf yw honno tua'r de a'r de-orllewin. Tua'r de, y tu draw i ddyffryn Gwy, cwyd tarren fawreddog y Mynydd Du (Gwent). Un rhan o sgarp yr Hen Dywodfaen Coch yw'r ucheldir hwn y mae'r uchaf o'i gopaon, Pen Allt-mawr (719 m), naw cilometr i'r de o Ben Rhos Dirion (713 m), trum uchaf y sgarpdir sy'n codi ychydig dros 30 metr yn uwch na phennau mynyddoedd Penybegwn a'r

Twmpa, i'r de o'r Gelli Gandryll. Ond ymhellach tua'r gorllewin, y tu hwnt i'r bwlch y rhed afon Wysg drwyddo, daw Corn Du (873 m) a Phen y Fan (886 m) i'r golwg, dau gopa mwyaf urddasol Bannau Brycheiniog. Dyma fynyddoedd uchaf de a chanolbarth Cymru ac fe'u naddwyd yn bennaf o dywodfeini a cherrig llaid cochion a ddyddodwyd ar dir Cymru'r cyfnod Defonaidd, tua 20 miliwn o flynyddoedd wedi i greigiau Cefn Hergest ymgasglu ar lawr môr Cymru'r cyfnod Silwraidd, tua 420 miliwn o flynyddoedd yn ôl.

Dau faen dyfod: blocyn o amryfaen a darn o gabro crisialog

056

Y Carneddau, Llanelwedd

I amaethwyr lu, yn ogystal â miloedd lawer o bobl o'r tu allan i fyd amaeth, mae Llanelwedd yn gyfystyr â Sioe Amaethyddol Frenhinol Cymru a gynhelir yn flynyddol ar orlifdir afon Gwy. Ond ucheldir cyfagos y Carneddau, yn hytrach nag atyniadau'r sioe, sy'n denu daearegwyr ac archaeolegwyr, fel ei gilydd, i ymweld â'r ardal. Bu'r ucheldir hefyd yn destun dyfrlliwiau o waith yr arlunydd Thomas Jones (1742–1803), a hanai o Bencerrig, Llanelwedd. Ceir enghreifftiau o'r paentiadau hynny yn Llyfrgell Genedlaethol Cymru.

Bryniau yn hytrach na mynyddoedd yw'r Carneddau, gan nad yw'r un o'u clwstwr o gopaon yn codi'n uwch nag oddeutu 320 metr uwchlaw dolydd Gwy. Eto i gyd, er nad yw'r Carneddau yn uchel, roedd Francis Payne, awdur *Crwydro Sir Faesyfed 1* (1966), yn llygad ei le pan ddywedodd eu bod 'yn fynyddig yr olwg ac yn ddiddorol eu llun', gan ychwanegu, 'Dyma fro lle nad yw'r golygfeydd namyn daeareg wedi ei gwisgo â chroen hardd.' Byddai daearegwyr yn

dadlau bod hynny'n wir am holl froydd Cymru, tra byddai ymwelwyr eraill â'r fro yn siŵr o amau priodoldeb yr ansoddair 'hardd' i ddisgrifio'r rhan sylweddol honno o groen y Carneddau a greithiwyd gan chwarel gerrig fawr Llanelwedd.

Hyd yn oed ym mlynyddoedd cynnar y 1960au, pan oedd Payne yn llunio rhan gyntaf ei gyfrol, roedd y chwarel 'yn cnoi'n ddwfn i ben deheuol y Carneddi'. Erbyn heddiw, mae'r cnoad yn ddyfnach fyth, y ponciau'n amlycach ac yn helaethach o lawer. A chan fod henebion yn sefyll heb fod ymhell o'r clogwyn a gwyd uwchlaw ponc uchaf y gwaith, ac ar dir sydd eisoes wedi'i glustnodi ar gyfer chwarelu pellach, mae datblygiad y chwarel yn rhwym o ddinistrio o leiaf ddwy garnedd gladdu o ddiddordeb archaeolegol. Fe'u codwyd yn ystod yr Oes Efydd, tua 4,000 o flynyddoedd yn ôl, gan aelodau rhai o'r cymunedau cynharaf i fwrw eu gwreiddiau yn y rhan hon o ganolbarth Cymru. Cred yr archaeolegwyr a'u cloddiodd ddiwedd y

2000au fod y ddwy garnedd wedi'u gosod mewn man a oedd yn cynnig golygfeydd godidog o'r rhan honno o ddyffryn Gwy, yn ymestyn o'r Elenydd i'r gorllewin o Raeadr Gwy tua'r gogledd, hyd y Mynydd Du ger Talgarth tua'r de.

Afraid dweud bod y gwaith o ehangu'r chwarel yn dinistrio tystiolaeth ddaearegol hefyd, ond nid heb ddwyn gwybodaeth newydd i'r amlwg yn barhaus ynglŷn â natur y creigiau sy'n sail i'r Carneddau a'r prosesau a roes fod iddynt. Dilyniant o greigiau folcanig yw'r rhan fwyaf ohonynt, cynnyrch cyfres o echdoriadau tanfor yn bennaf a ddigwyddodd yn ystod y cyfnod Ordofigaidd, tua 470 miliwn o flynyddoedd yn ôl. Ond ymhlith y trwch o lwch a lludw folcanig (tyffau llif-lludw) a lafâu, ceir yn ogystal rai haenau o gerrig llaid du ac ynddynt ffosilau a ymgasglodd ar lawr y môr bas yn ystod y cyfnodau tawelach na'i gilydd a brofwyd rhwng y gweithgaredd folcanig ffrwydrol. Wedi i'r tanau folcanig ddiffodd, ymosododd tonnau gwyllt y môr ar y pentwr creigiau a'u darnio, ac ymhen hir a hwyr claddwyd y tyffau llif-lludw a'r llifau lafa dan drwch o dywod a ddeilliai'n uniongyrchol o'r deunydd folcanig. Dyma a roes fod i dywodfaen Newmead, sydd i'w weld yn brigo mewn cyfres o hen chwareli cymharol fach ar hyd ystlys gorllewinol y Carneddau ac nid nepell o fynedfa'r chwarel fawr.

Fel y tystia tro drwy strydoedd cyfagos Llanfair-ym-Muallt, a ddatblygodd yn ystod ail hanner y bedwaredd ganrif ar bymtheg, pan dyrrai ymwelwyr lu i'r dref er mwyn drachtio'n ddwfn o ddyfroedd y ffynhonnau lleol, roedd tywodfaen Newmead yn ffynhonnell cerrig adeiladu hynod werthfawr. Gan ei fod yn gymharol rwydd i'w drin a'i naddu, gwnaed defnydd o'r tywodfaen llwyd nid yn unig yng nghyrrau'r chwareli, ond hefyd gryn bellter o'r ardal. Er enghraifft, defnyddiwyd cerrig nadd ohono, ynghyd â thywodfaen Pennant o Bontypridd, ar wynebau argaeau cronfeydd dŵr Cwm Elan a godwyd gan Gorfforaeth Birmingham rhwng 1893 ac 1904. Yr un garreg a ddefnyddiwyd hefyd i lunio'r gofeb gyntaf a godwyd yng Nghilmeri yn 1902 er cof am Lywelyn ap Gruffudd.

Er mawr cywilydd i'r Cymry Cymraeg llugoer eu gwladgarwch, y gŵr a benderfynodd godi'r gofeb ar ei gost ei hun ac ar dir o'i eiddo oedd y tirfeddiannwr a'r awdur Stanley Price Morgan Bligh, a aned yn Aberhonddu ac a addysgwyd yn Eton a Phrifysgol Rhydychen. Lluniwyd y piler pigfain, tua 3.6 metr o uchder, o wyth blocyn nadd o

Ponciau chwarel Llanelwedd

Chwarel tywodfaen Newmead

dywodfaen Newmead ac fe'i gosodwyd i sefyll mewn cae ger y man y lladdwyd Llywelyn. Serch hynny, digon anghelfydd a di-lun oedd yr obelisg hwnnw ac yn 1956 fe'i disodlwyd gan y maen presennol, clamp o garreg o chwarel wenithfaen Trefor. Ond ar y naill ochr a'r llall i fynedfa'r safle, ar bwys y ddau ddarn o wenithfaen caboledig sy'n cyhoeddi, y naill yn Gymraeg a'r llall yn Saesneg, mai 'Ger y fan hon y lladdwyd Llywelyn Ein Llyw Olaf 1282', mae'r ychydig flociau trist eu gwedd o dywodfaen Newmead – gweddillion y gofgolofn wreiddiol – yn atgof o gymwynas wlatgar Bligh.

Capel y Presbyteriaid, Llanfair-ym-Muallt: fe'i codwyd o dywodfaen Newmead

Llanwrtyd a Bro'r Ffynhonnau Iachusol

057

O herwydd presenoldeb y maes tanio, dim ond mewn un man yn unig y gellir troedio rhan o frig tarren drawiadol Mynydd Epynt yn ddiogel. Mae'n ymestyn bron yn ddi-fwlch o Dirabad i Lanfair-ym-Muallt, heb godi'n uwch na 475 metr, nac yn fawr is na 440 metr. Er bod copa Pennau (393 m) tua 60 metr yn is na man uchaf y B4519, sy'n cysylltu Garth a Chapel Uchaf, mae'r olygfa tua'r gorllewin ohono yn odidog. Ar y gorwel cwyd ambell gopa ei ben, megis Drygarn Fawr (645 m), uwchlaw'r llwyfandir undonog, uchel ar gyrrau deheuol yr

Elenydd, tarddle afon Irfon, sy'n ymadael â'i dyffryn mynyddig caethiwus gerllaw Llanwrtyd. Y tu hwnt i'r dref honno, sy'n honni mai hi yw'r lleiaf o holl drefi Prydain, llifa'r afon drwy'r bryniau a'r esgeiriau bychan ar lawr ei dyffryndir ac yna, yn Llangamarch, wrth droed llethrau serth y darren, mae'n uno ag afon Camarch.

Tirnod amlycaf y pentref yw tŵr Eglwys Sant Cadmarch, ac yn y fynwent y claddwyd Theophilus Evans (1693–1767), gŵr a ddaliai fywiolaethau Llangamarch, Llanwrtyd ac Abergwesyn rhwng 1740 ac

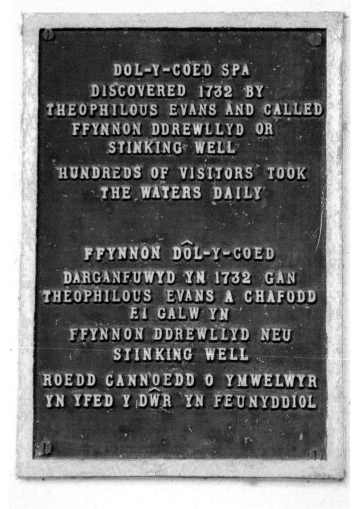

1743. Ond cofir amdano hyd heddiw yn ardal Llangamarch a Llanwrtyd, nid fel awdur *Drych y Prif Oesoedd*, ei brif waith llenyddol a oedd yn adroddiad rhagfarnllyd ond difyr o hanes cynnar Cymru, ond am ei ddarganfyddiad nodedig. Yn 1732, fe ddarganfu 'y ffynnon las', neu'r 'ffynnon ddrewllyd' fel y'i gelwid yn ddiweddarach, un o ffynhonnau iachusol honedig ardal Pont-rhyd-y-fferau, y dreflan a dyfodd i fod yn Llanwrtyd yn ystod ail hanner y bedwaredd ganrif ar bymtheg. Yn ôl Theophilus Evans, roedd dyfroedd y ffynnon ddrewllyd ar dir tŷ Dôl-y-coed yn meddu ar 'much the same gusto as a newly discharged gun' ac wedi iddo ef yfed drachtiau ohono, mae'n debyg y cafodd ei iacháu o'r sgyrfi. Ganrif yn ddiweddarach roedd y Parchedig J Rhys 'Kilsby' Jones (1813–89), a gladdwyd ym mynwent Eglwys Dewi Sant (Llanddewi wrth y Rhyd), Llanwrtyd, yn bendant o'r farn fod i'r dŵr mwynol rinweddau meddyginiaethol: 'Hwn gryfâ dy *nerves* di, ddarllenydd anwyl, ac a'u tantia, os ydynt wedi llaesu a myned allan o gywair. Buana rediad dy waed, a rhydd i ti nerth cawr yn lle eiddilwch'!

Drewi o sylffwr y mae dyfroedd Dôl-y-coed, neu'n hytrach o'r nwy sylffyraidd hydrogen sylffid sy'n gwynto o wyau clwc ac sydd yma'n deillio o ddadfeiliad pyrit neu 'aur ffyliaid' (sylffid haearn).

Mae'r mwyn euraid hwn yn gyffredin yng ngherrig llaid Ordofigaidd yr ardal ac wrth ddadfeilio mae'n duo gan roi i'r creigiau gwaddod hyn eu lliw tywyll nodweddiadol.

Hyd yn oed cyn agoriad y rheilffordd drwy ganolbarth Cymru yn 1868, tyrrai cyfoethogion yn bennaf, o bob rhan o wledydd Prydain, i'r pedwar gwesty a oedd ym Mhont-rhyd-y-fferau er mwyn drachtio'n helaeth o ddyfroedd Dôl-y-coed, er cased oedd eu blas a chasach fyth eu harogl. Fodd bynnag, yn dilyn agor gorsaf reilffordd Llanwrtyd Wells, deuai'r mwyafrif o'r llu ymwelwyr, Cymry Cymraeg gan mwyaf, o dde a de-orllewin Cymru, gan drefnu eisteddfodau, cyngherddau ac ysgolion haf yn nhref fach Llanwrtyd.

Codwyd adeiladau ffynnon Dôl-y-coed yn 1893 gan berchennog 'Dolecoed [*sic*] Hotel & Spa', gwesty o'r radd flaenaf a froliai, ymhlith pethau eraill, ddeugain ystafell wely, sawl lolfa, ystafell filiards, baddonau sylffwr dan do a lle parcio ar gyfer pedwar ar ddeg o geir. Yn ogystal â hynny, bernid bod y ffynnon lawn cystal â ffynhonnau sylffwr poeth, hynafol a byd-enwog Aix-les-Bains yn ne-ddwyrain Ffrainc! Yn 1897, ar achlysur dathlu jiwbilî diemwnt y Frenhines Victoria, agorwyd Victoria Wells, a chwe blynedd yn ddiweddarach codwyd ar dir hen ffermdy Aber-nant yr Abernant Lake Hotel (canolfan antur ar gyfer pobl ifanc, bellach), gwesty mwyaf crand Llanwrtyd ar y pryd a feddai hefyd ar ei ffynnon sylffyraidd ei hunan. Y ffynnon olaf i'w hagor oedd Henfron yn 1922 ac, megis Victoria Wells, hawlient hwythau fod modd iddynt weini dyfroedd haearn, magnesiwm, lithiwm a sylffwr, oll yn waddol y mwynau amrywiol yng nghreigiau'r ardal.

Ond os gallai rhai o ffynhonnau Llanwrtyd hawlio amrywiaeth o ddyfroedd meddyginiaethol a allai wella anhwylderau'r croen, yr afu, y stumog a'r arennau, heb sôn am nifer o afiechydon eraill, mynnai perchenogion y Lake Hotel, Llangamarch, fod yr unig ddŵr bariwm yfadwy ym Mhrydain gyfan yn tarddu o'r ffynnon ar dir y gwesty. Bu agoriad gorsaf Llangammarch Wells yn 1867, flwyddyn cyn cwblhau

rheilffordd y canolbarth, ynghyd â harddwch digymar y dirwedd, yn gyfrwng i ddenu mwy o ymwelwyr i yfed o'r dyfroedd a oedd, yn ôl y sôn, yn dda at glefyd y galon, cymalwst (gowt) a chrydcymalau.

Wedi'r Ail Ryfel Byd, ac yn dilyn sefydlu'r Gwasanaeth Iechyd Gwladol yn 1948, daeth yr arfer o 'yfed o'r ffynhonnau' i ben ac o ganlyniad dadfeilio a chau fu hanes pob ffynnon a'r ystafelloedd lle yr arferid gweini'r dŵr iachusol. Er bod adeiladau ffynnon Dôl-y-coed wedi'u hadnewyddu'n ddiweddar, prif atyniadau twristaidd Llanwrtyd heddiw yw rasys dyn a cheffyl a mabolgiamocs megis Pencampwriaeth Snorcelu Cors y Byd!

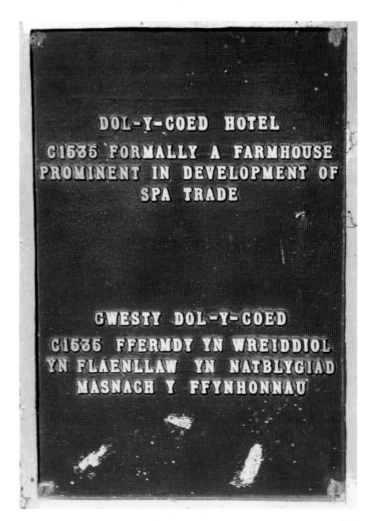

058

Cwmtydu–
Traeth Pen-y-graig

Traeth bach mewn hen gilfach gudd,
A geirwon greigiau'n geyrydd.

Go brin y gellid taro ar ragorach disgrifiad cryno o'r draethell honno sy'n llechu rhwng Banc Pen-banc a Banc Cae'r-llan, lai na chwe chilometr i'r gogledd-ddwyrain o Langrannog, na dwy linell agoriadol cywydd trawiadol T Llew Jones, 'Traeth Cwmtydu'. Mae'n wir fod y bardd yn dannod '... i'r estron hy / Ei ddwyn a'i lwyr feddiannu' ond gwyddai mai 'ieir haf' oedd yr estroniaid a ymwelai â'r

llecyn ac y byddent ddiwedd haf yn 'Rhoi'r gorffennol 'nôl i ni'. Ac i'r gorffennol pell yn bendifaddau y perthyn rhai o ogoniannau pennaf Cwmtydu.

Mae dyfnder y cwm cul, troellog a serthrwydd ei lechweddau coediog – a chreigiog mewn ambell fan – yn nodweddion na ellir, ar unrhyw gyfrif, eu priodoli i lif afon Dewi na'i chymhares, Nant Fothau. Yn wir, y mae rhan o'r dyffryn y mae Nant Fothau yn ei feddiannu yn ffurfio un sianel ddi-dor sy'n cysylltu Cwmtydu a Llangrannog. Heb os, rhyferthwy afonydd dŵr-tawdd a luniodd y sianeli hyn yn ystod y

Traeth Pen-y-graig: y llecyn gwastad uwchlaw'r traeth yw safle Castell Bach

cyfnod pan oedd Llen Iâ Môr Iwerddon, a orchuddiai'r ardal yn ystod y Rhewlifiant Diwethaf, yn prysur ddadmer ac encilio tua'r gogledd, oddeutu 17,000 o flynyddoedd yn ôl. Rhan o waddol y cyfnod hwnnw hefyd yw'r gwaddodion rhewlifol – clog-glai a graean yn bennaf – sydd i'w canfod wrth droed llechweddau'r cymoedd. Ers diflaniad yr iâ, bu afon Dewi yn prysur sgubo cyfran o'r gwaddodion hyn tua'r môr. Ymhlith y meini dŵr-dreuliedig a bentyrrwyd ar draeth Cwmtydu gan rym y tonnau ceir nifer o gerrig estron – neu feini dyfod, fel y'u gelwir – megis darnau o greigiau igneaidd crisialog, calchfeini llwydlas a thywodfeini cochion yn deillio o ffynonellau yng ngogledd Cymru, Ardal y Llynnoedd a gogledd-orllewin yr Alban.

Er hyned yw'r sianeli dŵr-tawdd a'r gwaddodion rhewlifol,

nodweddion diweddar ydynt o'u cymharu â'r creigiau 440 miliwn o flynyddoedd oed sy'n brigo ar y naill ochr a'r llall i'r traeth. Y mae i'r rheiny, wrth odre Banc Cae'r-llan, ar ochr ogleddol y bae, arwyddocâd arbennig, gan mai'r haenau trwchus hynny o dywodfaen yw strata cynharaf Grutiau Aberystwyth, dilyniant o greigiau, dim llai na 1,200 metr o drwch, sy'n sail i'r clogwyni mawreddog rhwng Cwmtydu a'r Borth. Y dilyniant hwn, hefyd, oedd gyda'r cyntaf ym Mhrydain i'w ddehongli yn gynnyrch cerhyntau tanfor grymus (cerhyntau tyrfedd).

Er mwyn gweld y creigiau ar eu gorau, y mae'n werth dringo Banc Cae'r-llan a dilyn Llwybr Arfordir Ceredigion am oddeutu cilometr, cyn belled â bae bach cyfareddol Traeth Pen-y-graig. Gwaddol

pennod agoriadol y cyfnod Silwraidd, pan orweddai 'Cymru' oddeutu 20° i'r de o'r cyhydedd, yw'r haenau o dywodfaen a welir am yn ail â'r haenau o garreg laid yng nghlogwyni'r bae. Cynrychioli un digwyddiad dramatig y mae pob haen o dywodfaen a'i gorchudd o garreg laid. Câi'r gwaddodion gwreiddiol – cymysgfa o dywod a llaid – eu sgubo i mewn i'r môr gan afonydd a lifai oddi ar dir a orweddai tua'r de. Yna, o bryd i'w gilydd, byddai'r pentwr o waddodion meddal, ansefydlog, a oedd wedi ymgasglu ar erchwyn y sgafell gyfandirol yn dymchwel, gan hyrddio i lawr i'r dyfnderoedd ar ffurf cerrynt neu gwmwl dudew, tyrfol, dwys. Wrth gyrraedd llawr y dyfnfor, byddai'r cerrynt yn arafu, gan ollwng gafael yn gyntaf ar y tywod bras a mân – deunydd crai'r tywodfaen – ac yna, ymhen amser, y gronynnau mân o silt a chlai – deunydd crai'r garreg laid. Y broses ailadroddus hon a esgorodd ar Grutiau Aberystwyth, ond odid yr enghraifft orau yng ngwledydd Prydain o'r creigiau a adwaenir fel tyrfedditau.

Ymgasglu'n haenau llorweddol a wnaeth y tywodfeini a'r cerrig llaid yn wreiddiol, ond nid felly y maent heddiw. Yn ystod cyfnod o symudiadau daear hynod rymus a ddigwyddodd tua 400 miliwn o flynyddoedd yn ôl, wrth i ddau gyfandir hynafol ddod benben â'i gilydd, cafodd y creigiau eu cywasgu a'u plygu'n gyfres o blygion-i-fyny (anticlinau) a phlygion-i-lawr (synclinau), ac nid oes rhagorach enghreifftiau i'w cael na'r rheiny yng nghlogwyni Traeth Pen-y-graig.

Dyn a ŵyr p'un ai a oedd rhyfeddodau daearegol y safle o unrhyw ddiddordeb o gwbl i drigolion Castell Bach, ond mae olion y gaer bentir, a sefydlwyd ganddynt ar y llecyn gwastad uwchlaw'r traeth caregog tua 2,500 o flynyddoedd yn ôl, yn amlwg hyd heddiw. Y ddau glawdd a'r ddwy ffos fewnol hanner-crwn yw amddiffynfeydd amlycaf y gaer; llai amlwg yw'r clawdd a ffos allanol sydd tua 100 metr y tu hwnt i'r amddiffynfa fewnol. Fodd bynnag, dim ond rhan o'r gaer a saif ar y graig. Gan fod y gweddill ar sylfaen ansefydlog o waddodion rhewlifol – clog-glai a haenau trwchus o raean – ac o fewn cyrraedd tonnau'r stormydd enbytaf, mae cyfran o'r hen gadarnle eisoes wedi diflannu. Ac megis sawl caer bentir arall o amgylch arfordir Cymru, yn cynnwys rhai wedi'u sylfaenu ar graig, mae dyfodol gweddill Castell Bach yn y fantol tra pery lefel y môr i godi.

Traeth y Mwnt

059

'Trâth y Mwnt' – dyna deitl nid y lleiaf adnabyddus o'r caneuon hwyliog a gyfansoddodd W R Evans ar gyfer 'Bois y Frenni', y parti noson lawen a sefydlwyd ganddo yn y 1940au ac sy'n dal i ddifyrru cynulleidfaoedd ledled de-orllewin Cymru. Ceir gan adroddwr y gân, a ymwelodd â'r traeth 'ar ddiwrnod tesog braf', ddisgrifiadau byw a bythgofiadwy o'r criw brith a oedd yn benderfynol, er gwaethaf pob tro trwstan, o fwynhau eu diwrnod ar lan y môr. Hyd heddiw, y cildraeth tywodlyd yw cyrchfan y rhan fwyaf o ddigon o bobl sy'n ymweld â'r Mwnt, ond i'r sawl sydd â'i bryd ar werthfawrogi nodweddion y safle ac ysblander rhan o Arfordir Treftadaeth Ceredigion, mae'n rhaid dyrchafu llygaid tua'r Foel gan fod y clogwyni llwyd tywyll, serth o boptu i'r bae bach yn cyfyngu ar yr olygfa.

Digon serth yw'r llwybrau sy'n arwain i ben Foel y Mwnt, pentir pyramidaidd a'i gopa creigiog 76 metr uwchlaw'r môr. Dan draed mae'r haenau o gerrig llaid, tua 445 miliwn o flynyddoedd oed, yn

cyfeirio'r llygaid draw cyn belled â phen gogleddol Ynys Aberteifi tua'r gorllewin, a Phen Peles tua'r dwyrain. Heb os, mae'r golygfeydd o'r arfordir clogwynog a chilfachog yn wledd i'r llygad, a chan fod dyfroedd Bae Ceredigion yn gartref i'r boblogaeth fwyaf o ddolffiniaid trwyn potel yng ngwledydd Prydain – cynifer â 250 ohonynt – yn ogystal â llamidyddion, ni ellir taro ar ragorach eisteddle na phen y Foel i wylio campau chwareus y creaduriaid hyn, yn enwedig yn ystod y cyfnod rhwng y gwanwyn a'r hydref cynnar.

Ychydig dros 70 cilometr yr ochr draw i Fae Ceredigion, gwelir amlinell Enlli, yr ynys y tu hwnt i ben eithaf Pen Llŷn. Roedd yn gyrchfan i'r pererinion hynny a fyddai, mor gynnar ag Oes y Seintiau, yn ôl pob tebyg, yn ymgynnull yng nghlydwch eglwys fach wrth

Arfordir Treftadaeth Ceredigion a'r ceunant sy'n bylchu'r clogwyn ger Eglwys y Grog

droed cysgodol Foel y Mwnt, gan offrymu yno air o weddi daer cyn mentro ar eu mordaith beryglus. Yn ddiweddarach, codwyd yr eglwys fechan wyngalchog bresennol, adeilad sy'n dyddio o'r bedwaredd ganrif ar ddeg.

I'r eglwys hon y daeth T Llew Jones ym mis Ebrill 1940 – yn ôl dyddiad ei gerdd yn dwyn y teitl 'I Eglwys Mwnt' sydd i'w gweld ar y pared pren oddi mewn i'r adeilad –

Gan adael holl ofidiau byd
Yn aros wrth y ddôr.

Diau fod sawl ymwelydd arall wedi ceisio gwneud yr un peth fyth ers ymweliad y bardd. Ond y mae i Eglwys y Grog ddyfodol ansicr. Y mae'r Ymddiriedolaeth Genedlaethol, perchennog y tir o gwmpas Traeth y Mwnt, yn llwyr sylweddoli bod 'i'r môr rym anhygoel, na ddylem ei anwybyddu', ac yn ei llyfryn *Glannau ansefydlog: Byw gydag arfordir sy'n newid* (2007), nodir y bydd 'erydiad [ymhen amser] yn effeithio ar yr heol a'r maes parcio yn y Mwnt'.

Y drwg yn y caws yw'r gwaddodion sy'n sail nid yn unig i'r maes parcio, ond hefyd i'r eglwys, ac sydd i'w gweld yn y clogwyn a gwyd i uchder o 25 metr uwchlaw pen uchaf y traeth. Gwaddodion rhewlifol yw'r cyfan: trwch o glai yn cynnwys darnau mân o gregyn môr a cherrig o bob lliw a llun, ynghyd â haenau plyg o dywod a graean, sy'n tagu llawr y dyffryn yr arferai nant sy'n tarddu ger Ffynnon Grog ei ddilyn cyn belled â'r môr. Ond byth ers diflaniad y llen iâ a adawodd y gwaddodion ar ei hôl, mae'r nant honno wedi dilyn llwybr tarw tua'r arfordir, gan naddu ei ffordd drwy geunant creigiog, cul a rhaeadru ar ei phen i'r môr. Yn y cyfamser, wrth i lefel y môr godi wedi diflaniad llenni iâ a rhewlifau'r Rhewlifiant Diwethaf, bu'r tonnau ar adegau stormus yn prysur golbio a thanseilio'r gwaddodion rhewlifol gan beri i rannau o'r clogwyn sy'n gefn i Draeth y Mwnt ddymchwel ac encilio. Arwydd o ansadrwydd parhaus y gwaddodion yw'r cwympiadau a'r tirlithriadau cyson, ynghyd â'r gyliau sy'n creithio wyneb y clogwyn. Yn wir, tra pery'r môr i godi, ni fydd pall ar enciliad y clogwyni.

O ganlyniad i'r cynhesu byd-eang y mae gweithgareddau'r ddynoliaeth yn bennaf cyfrifol amdano, rhagwelir y bydd tymheredd cymedrig y byd yn codi rhwng 1.4° a 5.8°C erbyn 2100. Byddai'r fath

newid yn achosi i fwy a mwy o lenni iâ a rhewlifau'r byd ddadmer a diflannu ac i lefel y môr godi oddeutu metr yn uwch na'i lefel bresennol erbyn diwedd yr unfed ganrif ar hugain. Felly, os gwireddir y newidiadau hyn, bydd enciliad y clogwyn, dan lach stormydd y gaeaf a glawogydd trymach, yn fygythiad nid yn unig i'r maes parcio ond hefyd i Eglwys y Grog, adeilad nad yw ond oddeutu 75 metr o ymyl y dibyn presennol. Am y tro yn unig, y mae'r hen eglwys yn ddiogel. Ond ymhen amser, bydd y môr, yn ôl pob tebyg, wedi sgubo ymaith swmp y gwaddodion rhewlifol na ddeil yng ngrym y lli, gan ganiatáu i nant Ffynnon Grog adfeddiannu llawr y dyffryn a ddilynai yn y cyfnod cynrewlifol.

Gwarchodfa Natur Corsydd Teifi

Un o ogoniannau pennaf byd natur ardal Aberteifi yw Gwarchodfa Natur Corsydd Teifi, gan gynnwys Canolfan Natur Cymru, adeilad y dyfarnwyd iddo wobr ar gyfrif ei gynllun pensaernïol nodedig ar achlysur ei agoriad yn 1993. Ar dir y warchodfa gall y bobl hynny sydd â diddordeb arbennig mewn gwylio adar ac anifeiliaid, neu archwilio olion a hanes cyfres o hen chwareli llechi, gael modd i fyw. I'r rheiny sydd â'u bryd ar dro bach tawel yn yr awyr iach, mae yno rwydwaith o lwybrau i'w harwain drwy gyfres o gynefinoedd amrywiol ac atyniadol. Y mwyaf gwastad ohonynt yw rhan o hen

Corsydd Teifi ac amlinell hen ddyffryn afon Teifi

lwybr y Cardi Bach, y rheilffordd a gysylltai Hendy-gwyn ac Aberteifi. Fe'i hagorwyd cyn belled â phentrefi diwydiannol Llanfyrnach a'r Glog yn 1873, ond aeth tair blynedd ar ddeg arall heibio cyn i'r trên cyntaf gyrraedd Aberteifi. Gwaetha'r modd, caeodd y lein yn 1962, yn ysglyfaeth i fwyell Beeching.

Drwy grwydro'r warchodfa ar wahanol adegau o'r flwyddyn, a threulio cyfnodau yng nghlydwch y cuddfannau yng nghanol y gwelyau cyrs a'r coetiroedd cyfagos, mae gwledd yn aros y naturiaethwr amyneddgar. Gall ddisgwyl gweld adar megis telor Cetti,

glas y dorlan, boda'r gwerni a'r barcud coch ynghyd â llu o wahanol hwyaid, gwyddau a rhydyddion, heb sôn am famolion megis y dyfrgi, mochyn daear, llygoden bengron y dŵr a hyd yn oed gyr o ychen yr afon ar adegau arbennig o'r flwyddyn. Un ymwelydd sydd heb ymddangos hyd yn hyn yw gwalch y pysgod, ond mae'r polyn ac arno nyth o wneuthuriad dyn yn barod ar ei gyfer pan ddaw.

Gan iddynt gau ym mlynyddoedd olaf y bedwaredd ganrif ar bymtheg, y mae natur hefyd wedi gwneud ei gorau glas i adfeddiannu'r chwareli llechi bach yng ngheunant afon Teifi. Eto i gyd, mae olion chwareli Fforest, fel y'u gelwid – Carnarvon [*sic*], Ffynnon, Tommy, Bâch [*sic*], Gigfran a Forever – ynghyd â'u tomennydd o gerrig gwast yn ennyn chwilfrydedd archaeolegwyr diwydiannol a haneswyr, fel ei gilydd. Llai amlwg yw gweddillion y dramffordd a ddilynai lannau'r afon ac a gludai glytiau o lechfaen rhywiog y tair chwarel fwyaf – Carnarvon, Ffynnon a Tommy – cyn belled â'r corstir gerllaw ceg y ceunant. Ond maent oll yn tystio'n groyw i'r ffaith nad 'lle i enaid gael llonydd' oedd ceunant Cilgerran 'slawer dydd, er mai cyrchfan canŵ-wyr yw dyfroedd yr afon heddiw.

Y mae'r rhan fwyaf o ddigon o afonydd Cymru yn dilyn eu dyffrynnoedd o'u blaenddyfroedd hyd y môr, ond nid felly afon Teifi. Ei nodwedd hynotaf yw'r ffaith ei bod hi, mewn mannau, yn cefnu ar ddolydd eang ei dyffryn, gan ddilyn sawl hafn greigiog, megis ceunant troellog a choediog Cilgerran, sydd dros 30 metr o ddyfnder yn ei fannau dyfnaf. Wrth edrych tua'r de o lwybr y Cardi Bach, a saif ar arglawdd ychydig uwchlaw tir soeglyd ac ansad y gors, a rhwng muriau isel a godwyd o flociau o slag o ffwrneisi copr Abertawe, y

Blociau o slag ar ymylon llwybr hen lein y Cardi Bach

mae amlinell dyffryn Teifi yn amlwg ddigon rhwng llechweddau coediog y Rhiwlas, tua'r dwyrain, a Throed-y-rhiw, tua'r gorllewin. Ond mae creiglawr y dyffryn yn gorwedd tua 30 metr dan arwyneb y corstir yn ogystal â gwely creigiog afon Teifi ym mhen gorllewinol y ceunant. Golyga hyn hefyd fod creiglawr yr hen ddyffryn, yn ddwfn dan arwyneb y gwelyau cyrs, oddeutu 25 metr dan lefel bresennol y môr. Serch hynny, nid dyma fan dyfnaf y dyffryn claddedig sydd, ychydig i'r gogledd-orllewin o ganol tref Aberteifi, yn bwrw draw tuag aber afon Teifi. Yno, gerllaw Gwbert, mae'r creiglawr o leiaf 40 metr o dan lefel y môr!

I'r de o'r warchodfa natur a hen bentref chwarelyddol Cilgerran, y denai adfeilion rhamantus ei gastell Normanaidd artistiaid megis J M W Turner (1775–1851) a Richard Wilson (1712/13–82), gellir olrhain yr hen ddyffryn yr arferai afon Teifi lifo drwyddo cyn belled ag eglwys hynafol Dewi Sant, Maenordeifi, a saif ar gyrion gorlifdir presennol yr afon a heb fod ymhell o Lechryd Isaf, pen dwyreiniol ceunant Cilgerran. Yr hyn a rwystrodd afon Teifi rhag dilyn ei chwrs gwreiddiol oedd trwch mawr o glai, yn bennaf, a ymgasglodd ar lawr y dyffryn a'i ddagu yn ystod y Rhewlifiant Diwethaf, a oedd yn ei anterth tuag 20,000 o flynyddoedd yn ôl. Yna, wrth i'r iâ a orchuddiai'r ardal ddechrau dadmer ac encilio, tua 18,000 o flynyddoedd yn ôl, rhyddhawyd llifeiriant o ddŵr-tawdd tanrewlifol a feddai ar y grym i dyrchu'r cerrig llaid a'r llechfeini lleol, a chreu'r ceunant pum cilometr o hyd y manteisiodd afon Teifi ar ei bresenoldeb wedi i'r iâ lwyr ddiflannu.

Amodau tebyg a roes fod nid yn unig i geunant Cilgerran yn nyffryn Teifi, ond hefyd i'r ceunentydd, ynghyd â'u dyffrynnoedd 'coll' cysylltiedig, sydd i'w gweld yng Nghenarth, Castellnewydd Emlyn, Henllan, Alltcafan, Llandysul, Craig Gwrtheyrn a Llanllwni. Aruthredd a chyfaredd ceunant afon Teifi ger Pentre-cwrt a ysbrydolodd neb llai na T Llew Jones i lunio 'Cwm Alltcafan', un o'i delynegion hyfrytaf a mwyaf adnabyddus:

> 'Welsoch chi mo Gwm Alltcafan,
> Lle mae'r coed a'r afon ddofn?
> Ewch, da chi, i Gwm Alltcafan,
> Peidiwch oedi'n hwy... rhag ofn!

Nyth parod ar gyfer gwalch y pysgod

Dolaucothi

Mae canolbwynt mwynglawdd aur hynafol Ogofâu, fel y'i gelwid yn lleol, yn guddiedig i raddau helaeth. Fe'i gwelir yng nghanol y coed collddail ar lawr a llechweddau'r bwlch rhwng Allt Cwmhenog ac Allt Ogofâu, uwchlaw dolydd afon Cothi, nid nepell o bentref Pumsaint. Mae'r safle yn unigryw gan mai hwn yw'r unig fwynglawdd aur Rhufeinig y gwyddys amdano ym Mhrydain. Roedd aur o bwys mawr i'r Rhufeiniaid, ac mae'n debyg iddynt gyrchu ardal Dolaucothi oherwydd eu bod yn ymwybodol o'r ffaith fod y brodorion eisoes yn

gwybod am bresenoldeb y mwyn gwerthfawr yng nghreigiau Ordofigaidd y fro. Er hynny, y goresgynwyr oedd y cyntaf i ddatblygu'r mwynglawdd ar raddfa fawr, gwaith a'u darbwyllodd, yn ôl pob tebyg, i sefydlu caer gyfagos Pumsaint tua OC 70 er mwyn iddynt warchod a rheoli'r cloddfeydd.

Mae aur Dolaucothi, sydd ar ffurf gronynnau bychain nad oes modd i'w gweld â'r llygad noeth, fel rheol, i'w gael naill ai mewn haenau o grisialau o fwynau sylffid (pyrit ac arsenopyrit) neu ynteu

Mynedfa Mitchell, a enwyd ar ôl James Mitchell, goruchwyliwr y mwynglawdd rhwng 1905 ac 1912

haenau o'r un mwynau yn gysylltiedig â gwythiennau o gwarts gwyn, oddi mewn i sialau du Allt Cwmhenog–Allt Ogofâu. Aeth y mwynwyr Rhufeinig ati i agor siafftiau a thwnelau, ac mae'n ymddangos iddynt lwyddo i ryddhau peth o'r aur drwy falu'r cwarts yn fân, er mwyn gwahanu'r aur trwm oddi wrth y mwynau diwerth ysgafnach gyda chymorth dŵr. Ond drwy agor pyllau agored, yn y mannau hynny lle roedd y sialau wedi'u hindreulio a'r pyrit-arsenopyrit wedi'i droi yn glai, y llwyddwyd i ennill y rhan fwyaf o'r aur a gynhyrchid yn Nolaucothi, a hynny drwy ddefnyddio techneg a ddisgrifiwyd gan yr awdur Rhufeinig Plini'r Hynaf yn y flwyddyn OC 77. Gyda chymorth

digonedd o ddŵr, gellid golchi ymaith y creigiau a'r mwynau hindreuliedig diwerth a chronni'r gronynnau aur mewn ffosydd neu focsys wedi'u leinio â chnuoedd neu eithin.

Ar lechweddau gorllewinol a dwyreiniol Allt Cwmhenog ceir olion dyfrffosydd a dyfrbontydd a gariai ddŵr o afonydd Cothi ac Annell cyn belled â thanciau lle câi'r dyfroedd eu cronni. Amcangyfrifir y gallai'r system hydrolig soffistigedig hon gyflenwi dros 11 miliwn o litrau o ddŵr y dydd, yn barod i'w ryddhau'n genllif dros wynebau'r cloddfeydd brig. Y gloddfa fwyaf oedd Pwll Ogofâu – safle'r atyniad twristaidd presennol – lle y cloddiwyd hanner miliwn tunnell o greigiau a mwynau diwerth, yn ôl un amcangyfrif. Esgorodd y llafurwaith ar 830 cilogram o aur a gâi ei brosesu yn ddarnau arian naill ai ym mathdy'r Ymerodraeth yn Lyon yn Ffrainc neu Trier yn yr Almaen.

Ni wyddys pryd y rhoes y Rhufeiniaid y gorau i'w menter yn Nolaucothi, ond wedi iddynt gefnu ar yr ardal, ni fu unrhyw gloddio o bwys ar y safle tan ddiwedd y ddeunawfed ganrif, pan gyflawnwyd peth gwaith ar gais John Johnes, perchennog plasty Dolaucothi. Serch hynny, roedd y mwynglawdd yn segur yng ngwanwyn 1842 pan dderbyniodd y daearegydd enwog Andrew Crombie Ramsay, a oedd yn un o hoelion wyth yr Arolwg Daearegol, wahoddiad gan John Johnes i bicnic a gynhaliwyd yn un o 'ogofâu' gwaith 'Gogofau'! Ddwy flynedd yn ddiweddarach, fodd bynnag, darganfu un o swyddogion eraill yr Arolwg Daearegol ronyn o aur mewn darn o gwarts, digwyddiad a fu'n sbardun i eraill roi cynnig ar ailagor y mwynglawdd yn ystod ail hanner y bedwaredd ganrif ar bymtheg a blynyddoedd cynnar yr ugeinfed ganrif.

Cyfnod mwyaf llewyrchus y mwynglawdd oedd y 1930au, pryd y dyfnhawyd y siafft a suddwyd rhwng 1905 ac 1910, hyd ddyfnder o 140 metr, a chodwyd melin newydd i drin y mwyn. Fodd bynnag, roedd yr aur a oedd ar gael ar ddyfnder yn yr Wythïen Rufeinig yn gaeth oddi mewn i byrit – 'aur ffyliaid' – ac nid oedd y cwmni yn meddu ar y dechnoleg briodol i'w ryddhau. Felly, yn 1936, anfonwyd peth o'r mwyn eurddwyn i'w drin yn Hamburg ond, oherwydd y sefyllfa wleidyddol yn Ewrop ar ddiwedd y 1930au, bu'n rhaid newid y drefn honno a'i allforio i Seattle, dinas a phorthladd yn nhalaith Washington, Unol Daleithiau America, lle y câi mwyn Dolaucothi ei brosesu ar gost na allai perchenogion y mwynglawdd ei fforddio. Yn 1938, y flwyddyn y caeodd y gwaith, llwyddodd y gweithlu o 200 i gynhyrchu tua 39 cilogram o aur (gwerth dros £11,000 ar y pryd) drwy falu dros 17,000 tunnell o fwyn.

Cyrchfan ymwelwyr yw mwynglawdd Dolaucothi heddiw, canolfan a ddatblygwyd gan yr Ymddiriedolaeth Genedlaethol wedi iddynt dderbyn tiroedd stad Dolaucothi yn rhodd gan deulu Johnes yn 1941. Ddiwedd y 1980au, codwyd adeiladau a ffrâm pen-pwll hen waith mwyn Olwyn Goch, Rhyd-y-mwyn, Sir y Fflint, ar y safle i gymryd lle'r adeiladau a'r offer gwreiddiol a ddymchwelwyd wedi i'r mwynglawdd gau. Yna, aed ati i ddehongli'r safle er budd y cyhoedd.

Ond mae'r mwynglawdd hefyd yn feca i archaeolegwyr sydd â'u bryd ar ddeall ei hanes a'i ddatblygiad yn well, ac i ddaearegwyr dan gyfaredd unigrywiaeth ddaearegol Dolaucothi, yr unig fwynglawdd aur mewn ardal a nodweddir gan wythiennau mwynol ac ynddynt blwm, sinc, copr ac arian yn unig.

Mynedfa'r Rhufeiniaid: mae ei ffurf yn ymdebygu i fynedfeydd mwyngloddiau'r Rhufeiniaid mewn mannau eraill

MILITARY DEBRIS
IT MAY EXPLODE AND KILL
YOU

PERYGL
PAN CHANIATAU MYNEDIADAU
MYNEDIAD AR HYD LLWYBRAU
FFYRDD CYHOEDDOS YN YNUG
PEIDIWCH A CHYFFWRDD
UNRHIW GWASTRAFF MILWROL
FE ALL FFRWYDRO ACH LLAD.

062

Merthyr Cynog a Mynydd Epynt

Nid yw'n syndod yn y byd fod Mynydd Epynt yn ddieithr iawn i lawer o bobl. Dim ond cyffwrdd â rhan ddwyreiniol y talp sylweddol hwn o ucheldir Cymru y mae'r B4520 rhwng Aberhonddu a Llanfair-ym-Muallt, a'r B4519 rhwng Capel Uchaf a Garth. Llwyfandir gogwyddog yw'r mynydd-dir nad yw ei drumiau rhwng dyffrynnoedd afonydd Gwydderig, Clydach, Cilieni, Brân, Ysgir a Honddu yn codi fawr uwch na 450 metr uwchlaw'r môr ym mlaenau'r cymoedd, nac yn is nag oddeutu 350 metr gerllaw eu cymerau ag afon Wysg, rhwng Llywel ac Aberhonddu. Sylfaen daearegol y llwyfandir yw cerrig llaid a cherrig silt coch ynghyd â thywodfeini coch, porffor, gwyrdd a llwyd yr Hen Dywodfaen Coch yn bennaf. Dyddodion afonol ydynt a bentyrrwyd fesul haen ar orlifdiroedd afonydd tymhorol ac oddi mewn i'w sianeli dolennog ar ddiwedd y cyfnod Silwraidd a dechrau'r cyfnod Defonaidd, tua 410 miliwn o flynyddoedd yn ôl.

Mae'r pridd coch yr esgorodd creigiau'r Hen Dywodfaen Coch arno ar lawr y dyffrynnoedd cysgodol yn ddigon ffrwythlon, ond ar yr uchelfannau ceir tir corsiog a barodd i James Rhys 'Kilsby' Jones, a olygodd gasgliad o holl weithiau llenyddol William Williams Pantycelyn yn 1867, ddatgan nad oedd yn credu i frân erioed hedfan 'Dros fryniau mwy llwmgroen, a mawndiroedd mwy corsog' na'r rheiny a nodweddai'r Epynt. Ymdeimlir â'r cyferbyniad trawiadol hwnnw drwy ddilyn y lôn wledig sy'n dilyn afon Ysgir Fechan hyd Bont Rhyd-y-berry, cyn troi ar i fyny i bentref bach Merthyr Cynog ar gopa'r trum, rhwng dyffrynnoedd Ysgir Fechan ac Ysgir Fawr. Yna, i gyfeiliant erchyll gêmau rhyfel trystfawr, yn amlach na pheidio, ei bwrw hi ar i fyny ar hyd llwybr cyhoeddus cyn belled â ffin maes tanio'r Weinyddiaeth Amddiffyn ar Gefn Merthyr Cynog (409 m).

Oddi yno mae'r olygfa eang tua'r gogledd-ddwyrain, y gogledd a'r gogledd-orllewin yn ddolur i'r llygad, yn dyst i bennod waradwyddus yn hanes yr ardal, ac yn enghraifft o ddefnydd tir na ddylid ei ganiatáu oddi mewn i ffiniau tiriogaeth gwlad wâr. Yma, ar y

Eglwys Sant Cynog, Merthyr Cynog

rhostiroedd digysgod ac ym mlaenau anghyfannedd cymoedd Mynydd Epynt, y mae milwyr yn ymgyfarwyddo â thrin arfau ac yn ymberffeithio'r grefft o ladd eu cyd-ddynion.

Seliwyd tynged y rhan hon o Frycheiniog, sef oddeutu 16,000 hectar o dir a fu gynt yn nodedig am ei harddwch, ym misoedd cynnar 1940 pan gyrhaeddodd y gorchymyn oddi wrth y Swyddfa Ryfel fod yn rhaid i bawb oddi mewn i ffiniau'r maes tanio arfaethedig ymadael â'u cartrefi erbyn canol haf y flwyddyn honno. Drwy orfodi 54 o deuluoedd – dros 200 o unigolion, neu gynifer ag oddeutu 400 yn ôl rhai – i gefnu ar eu haelwydydd ar fyr rybudd, chwalwyd cymdeithas wâr, Gymraeg, distrywiwyd eu cartrefi, anrheithiwyd eu tiroedd a difrodwyd Capel y Babell, tŷ cwrdd y Methodistiaid Calfinaidd a godwyd yn 1857 ac a safai ar dir y maes tanio ym mhen uchaf Cwm Cilieni. Yn ddiweddarach, plannwyd nifer o flociau sgwâr, hyll o goed conwydd estron ar y ffriddoedd y tu hwnt i gloddiau terfyn y ffermydd. Codwyd ambell wylfa o ble y gallai swyddogion y fyddin ddilyn hynt y gêmau rhyfel a ymleddid, ac yn niwedd y 1980au, yn ystod y 'Rhyfel Oer', adeiladwyd pentref Almaenig ei wedd nid nepell o adfeilion y Babell, gan gynnwys 'eglwys' a 'mynwent', sef maes ymarfer rhyfela trefol. A rhwng 'Parc Aberporth – Parc Uffern', chwedl y cyflwynydd teledu Angharad Mair, a 'meysydd cad' yr Epynt yr arbrofir yr awyrennau di-beilot – yr 'adar angau' – rhai o arfau dieflig diweddaraf lluoedd arfog Prydain ac Unol Daleithiau America.

'Eu tir a gollant' yw pennawd un o'r ysgrifau yn *Personau* (1982), cyfrol hunangofiannol Iorwerth C Peate, cyn-Guradur Amgueddfa Werin Cymru, ac ynddi mae'n dwyn i gof yr wythnos yr aeth i'r Epynt ddiwedd Mehefin 1940 gyda'r bwriad o ymweld â'r holl dai a waceid a'u cofnodi. Yn yr ysgrif hefyd y mynegodd y gobaith mai 'dros dro' y byddai'r darn gwlad hwnnw yng nghrafangau'r fyddin, er y gwyddai nad gwerin Mynydd Epynt a fyddai'n ailboblogi'r fro pe digwyddai'r Weinyddiaeth Amddiffyn ollwng eu gafael ar y tir a fyddai'n eiddo iddynt: 'nid gwerin Mynydd Epynt a fydd yno, nid gwŷr a gwragedd â'u gwreiddiau ers canrifoedd yn y fro, a'r iaith gynhenid ar eu gwefusau, ond yn hytrach "dynion dwad"'.

Eto i gyd, er nad yw'n debygol y gwireddir gobaith Iorwerth Peate, nid ofer y daith cyn belled â phen deheuol Cefn Merthyr Cynog. Drwy droi cefn ar hagrwch y maes tanio daw rhannau o amlinell lom tarren fawreddog yr Hen Dywodfaen Coch i'r golwg y tu hwnt i odreuon Mynydd Epynt a dyffryn Wysg: tua'r de, triban uchaf Bannau Brycheiniog, y Cribyn (795 m) a'r Corn Du (873 m) y naill ochr a'r llall i Ben y Fan (886 m); tua'r de-de-orllewin, Fan Gyhirych (725 m), mynydd uchaf Fforest Fawr, a thua'r de-orllewin, Fan Brycheiniog (802 m), crib uchaf Bannau Sir Gâr a gwyd uwchlaw Llyn y Fan Fawr.

Amlinell lom Bannau Sir Gâr

Garn Fawr a Phen-caer

063

Oddiogelwch cymharol eu bryngaer ar gopa'r Garn Fawr (213 m) tua 2,500 o flynyddoedd yn ôl, gallai aelodau o'r llwyth a'i cododd yn ystod yr Oes Haearn fwrw golwg dros y rhan helaethaf o dir Penfro. Y tu hwnt i Bwllderi, wrth odre'r Garn, cyfeiriai Penbwchdy eu golygon tua Charn Llidi a Phenbiri ger Penmaendewi; i'r de, dan orchudd o goed a phrysgwydd, gorweddai tirwedd undonog canolbarth Penfro; tua'r dwyrain, y tu draw i Garn Ingli, roedd amlinell lom y Preselau i'w gweld; ac i'r gogledd, islaw waliau sychion y fryngaer, ymledai tir lled-wastad Pen-caer rhyngddynt a'r môr.

Ni chawn fyth wybod a fu hen furiau adfeiliedig y gaer, sy'n cysylltu cyfres o gernydd creigiog ar ben y Garn Fawr, yn dystion i ambell frwydr waedlyd a ymladdwyd rhwng llwythi cwerylgar yr ardaloedd cyfagos. Ond ar eangderau llwyfandir arfordirol Pen-caer, a wastatawyd pan oedd lefel y môr tua 60–70 metr yn uwch na'i lefel bresennol, y llwyfannwyd ffars 'Glaniad y Ffrancod' ddiwedd Chwefror 1797, brwydr a ddisgrifiwyd gan T Llew Jones fel 'jôc filitaraidd fwya'r ddeunawfed ganrif'. Mae Carreg Wastad neu 'Camp y Ffrensh', fel y'i gelwir gan rai o'r Cymry lleol, sef y pentir lle y glaniodd *La Légion Noire* (600 o filwyr rheolaidd ac 800 o gyn-garcharorion annisgybledig dan arweiniad y Cadfridog William Tate) a lle y codwyd cofeb i goffáu'r cyrch seithug, i'w gweld o gopa'r Garn Fawr. Daeth drama fawr 'Glaniad y Ffrancod' i ben ymhen cwta ddeuddydd pan ildiodd y Ffrancwyr eu harfau ar draeth Wdig, diolch yn rhannol i wrhydri a gorchest honedig Jemeima Nicholas, y mae ei charreg fedd i'w gweld ar dir Eglwys y Santes Fair, Abergwaun.

Ond os byrhoedlog oedd y 'Berw Gwyllt yn Abergweun', chwedl

T Llew yn ei lyfr o'r un enw, ceir yn y creigiau rhwng Abergwaun a'r Garn Fawr gofnod o frwydr ddaearegol ffyrnicach a mwy hirhoedlog o lawer a ymladdwyd yn ystod y cyfnod Ordofigaidd, pan orweddai tir Pen-caer yn hemisffer y de. Trwch o lafa, yn bennaf, sy'n sail i Ben-caer, cynnyrch echdoriadau folcanig grymus a ddigwyddodd tua 470 miliwn o flynyddoedd yn ôl wrth i ddau gyfandir, a oedd yn rhan o ddau blât tectonig yn gorwedd y naill ochr a'r llall i gefnfor hynafol, glosio a tharo yn erbyn ei gilydd. Mae'r un broses ar waith heddiw o amgylch glannau'r Cefnfor Tawel, lle y nodweddir y ffiniau rhwng y platiau tectonig gwrthdrawiadol gan gadwyni o losgfynyddoedd byw, rhai ar y tir ac eraill o dan y môr.

Mae'n amlwg mai cyfres o echdoriadau tanfor a esgorodd ar lafâu basaltig du Pen-caer, gan fod y lafa ar ffurf pentyrrau blêr o glustogau. Wrth i lafa eiriasboeth lifo allan o agorfeydd tanfor (megis past dannedd o diwb), caiff arwynebau'r llifau eu hoeri'n gyflym wrth iddynt ddod i gysylltiad â'r dŵr oer. O ganlyniad, mae croen gwydrog ond hyblyg yn ymffurfio o amgylch craidd o lafa hylifol, sy'n meddu ar y gallu i symud yn null balŵn yn llawn dŵr. Mae enghreifftiau rhagorol o lafâu clustog i'w gweld yn y clogwyni gerllaw'r maes

Dolerit colofnog ar gopa'r Garn Fawr

Rhan o fur y gaer

Lafa clustog (dde)

Arfordir Pen-caer

parcio a'r hen wylfa filwrol (sydd bellach yn gyrchfan gwylwyr adar môr, llamidyddion a dolffiniaid), nid nepell o oleudy Pen Strwmbwl. Yn gysylltiedig â'r lafâu, ceir rhywfaint o gerrig llaid du, sef llaid a gafodd ei grasu a'i galedu gan wres tanbaid y creigiau folcanig. Mae'r pentwr o lafâu clustog yng nghyffiniau Pen Strwmbwl hyd at 1,300 metr o drwch, ond gan ei fod yn teneuo'n sylweddol wrth ei olrhain draw i gyfeiriad Abergwaun, awgryma hyn mai'r ardal i'r de o'r goleudy oedd canolbwynt y gweithgaredd folcanig. Yn wir, mae'n bosibl fod y cnwc creigiog ger Caer-lem, y ffermdy wrth odre Garn Fechan, yn dynodi lleoliad un o'r pibau y codai'r graig dawdd (magma) drwyddo, gan fwydo un neu fwy o'r llosgfynyddoedd tanfor.

Cynnyrch gweithgaredd folcanig hefyd yw'r graig (dolerit) sy'n sail i Garn Fawr a'i chymdogion tua'r dwyrain: Garn Fechan, Garn Gilfach, Garn Folch a'r Garn. Ond nid lafa a oerodd ac a grisialodd yn gyflym ar lawr y môr mo dolerit, ond caledfaen a ffurfiwyd wrth i haen neu ddalen drwchus o fagma gael ei fewnwthio i ganol creigiau hŷn ac yna araf oeri, crisialu a chrebachu. Mae'r broses hon yn peri i graciau (bregion) ddatblygu ar ongl sgwâr i wynebau allanol oer y mewnwthiad gan ei rannu'n unedau colofnog sy'n dueddol o fod yn chweonglog eu siâp. Er gwyched yw bregion colofnog Sarn y Cawr ar arfordir Antrim, Gogledd Iwerddon, ac Ogof Fingal ar Staffa yn yr Alban, nid oes rhaid teithio ymhellach na chopa'r Garn Fawr neu bentir Pen Anglas, ym mhen dwyreiniol Pen-caer, er mwyn gweld enghreifftiau gwych ohonynt. Yn ôl Dillwyn Miles, awdur *Portrait of Pembrokeshire* (1984), fe'u gelwid yn lleol yn 'dorthe ceinioge' – ar gyfrif ffurf onglog y torthau a werthid am geiniog, mae'n debyg, yn hytrach na'u caledwch!

064

Y Preselau a'u carnau

Go brin fod rhagorach disgrifiad cryno o'r Preselau nag englyn y Prifardd Tomi Evans:

> Daear rhamant a garw drumau – cwmwd
>   Y cwmin a'r creigiau;
>   I'n cenedl, tir ei chwedlau,
>   Anial fyd yr hen helfâu.

Gyda'r hynaf o'r chwedlau hynny yw 'Culhwch ac Olwen' yn y Mabinogion. Yn y chwedl Arthuraidd honno cofnodir ymdrech arwrol Culhwch i hela'r Twrch Trwyth gyda chymorth gwŷr gosgordd Arthur, antur a ysbrydolodd Tomi Evans i lunio ei awdl 'Y Twrch Trwyth', a enillodd iddo Gadair Eisteddfod Genedlaethol Rhydaman, 1970.

Bedd Arthur a Charn Meini

Mae Bedd Arthur, 16 o feini bach wedi'u trefnu ar ffurf pedol, i'w weld ar lechweddau dwyreiniol Talmynydd ychydig islaw Carn Bica, o ble y cafwyd y 'cerrig gleision smotiog' ar gyfer yr heneb na ŵyr neb ei hoedran. Gerllaw bedd honedig y brenin y mae Carn Arthur ac ar y gweundir rhwng Talmynydd a Foel Cwmcerwyn (536 m) saif Cerrig Meibion Arthur, dau faen hir sydd, yn ôl traddodiad, yn dynodi lleoliad beddau dau o feibion Arthur a laddwyd gan y Twrch Trwyth. Mae Cerrig y Marchogion, rhes o garnau danheddog ar grib y Preselau rhwng Foel Cwmcerwyn a Thalmynydd, yn dwyn i gof osgordd Arthur. O edrych tua'r de-ddwyrain o Fedd Arthur, saif Foel Dyrch (368 m) y tu hwnt i bentref gwasgaredig Mynachlog-ddu wrth odre llechweddau deheuol y Preselau.

'Bryn a bataliwn anniben o greigiau "llosg" yn gwersyllu ar ei gopa' yw disgrifiad penigamp E Llwyd Williams, awdur *Crwydro Sir*

Benfro (1960), o gopa Carn Meini (365 m). Yn ddiweddarach yn hanes y creigiau daeth y rhew i'w hollti'n golofnau parod a ddefnyddid i lunio meini hirion hynafol a degau o byst ietau a godwyd ar hyd a lled gogledd Sir Benfro a rhannau o dde Ceredigion yn ystod y ddeunawfed ganrif a'r bedwaredd ganrif ar bymtheg. Mae Carn Meini yn un ymhlith nifer o dyrrau (*tors*) sydd yn cynrychioli rhannau caletach a mwy gwydn na'i gilydd o ddalennau trwchus o ddolerit, craig igneaidd a fewnwthiwyd i ganol llechfeini Ordofigaidd y Preselau, tua 470 miliwn o flynyddoedd yn ôl. Ond yn wahanol i ddolerit cyffredin, mae i'r graig grisialog, lwydlas, sy'n brigo yng nghyffiniau Carn Meini, Carn Breseb a Charn Goedog wedd smotiog, gan ei bod yn cynnwys crisialau mawr o fwyn gwyn (ffelsbar).

Yn ôl un ddamcaniaeth gyfarwydd, o Garn Meini yn bennaf y casglwyd tua 80 o 'feini gleision smotiog' ac yna eu cludo hyd safle Côr y Cewri, drwy eu llusgo yn gyntaf hyd lannau dyfrffordd Aberdaugleddau o ble yr hwyliai cludwyr y meini draw cyn belled ag aber afon Avon, ger Bryste, cyn eu halio drachefn hyd Wastadedd Caersallog. Yn ôl y sôn, cyflawnwyd yr orchest anhygoel tua 5,000 o flynyddoedd yn ôl gan rai o drigolion Gwastadedd Caersallog, gwŷr a oedd nid yn unig yn 'hyddysg yn y grefft o godi pwysau a threfnu trafnidiaeth', ond hefyd yn gyfarwydd, drwy ddirgel ffyrdd, â daearyddiaeth de Prydain gyfan a daeareg de-orllewin Cymru!

Fodd bynnag, ar sail ymchwil ddaearegol fanwl ddiweddar, gwyddys i sicrwydd nad Carn Meini oedd ffynhonnell y rhan fwyaf o'r 'meini gleision smotiog' a geir yng Nghôr y Cewri ond yn hytrach Garn Goedog (c. 300 m), fry ar lechweddau gogleddol y Preselau. Gwyddys hefyd fod rhai o'r cerrig mân (math o graig folcanig yn dwyn yr enw rhyolit) a ganfuwyd ar safle'r heneb ar Wastadedd Caersallog yn dod o Graig Rhosyfelin ar lethrau ceunant afon

Brynberian, un o isafonydd afon Nyfer wrth droed gogleddol y mynydd-dir. Oherwydd anymarferoldeb y gorchwyl o lusgo'r meini o Garn Goedog dros grib y Preselau ac i lawr hyd Aberdaugleddau, rhoes rhai archaeolegwyr ystyriaeth i'r posibilrwydd y cawsent eu hallforio o aber afon Nyfer ar lan Bae Trefdraeth. Ond daethpwyd i'r casgliad y byddai'r dasg o hwylio cychod bregus, trymlwythog o amgylch Penmaendewi ac ynysoedd Penfro, ac yna ar draws Môr Hafren, hefyd y tu hwnt i allu trigolion yr oes gyntefig honno. Felly, cred yr archaeolegwr adnabyddus Mike Parker Pearson, awdur *Stonehenge A New Understanding* (2012), i'r meini gael eu llusgo yn llafurus bob cam dros y tir am oddeutu 350 cilometr, gorchest a gyflawnwyd gyda chymorth tasglu o 'filoedd o bobl' anhysbys.

Ond mae meini o dde-orllewin Cymru i'w canfod ym Mro Gŵyr a Bro Morgannwg. Ceir cerrig o dde Cymru mewn gwaddodion rhewlifol yng Ngwlad yr Haf. Gyda golwg ar y fath dystiolaeth ddaearegol, mae'n anodd osgoi'r casgliad mai llen iâ a orchuddiai Gymru gyfan a'r rhan helaethaf o Loegr i'r gogledd o ddyffryn Tafwys tua 450,000 o flynyddoedd yn ôl a fu'n gyfrifol am gludo llwyth cymysg o 'feini gleision' o leiaf cyn belled â gwastadeddau Gwlad yr Haf, ychydig i'r gorllewin o Wastadedd Caersallog. Ond pwy a wâd nad yw'r hanes am orchest cludwyr dychmygol y 'meini gleision', gwŷr a feddai, heb os, ar nerth a gallu goruwchnaturiol, wedi esgor ar chwedl gyfoes lawn cystal â'r stori am gampau Culhwch!

Carn Goedog

Craig Rhosyfelin

Llanfyrnach a'r Glog

065

Byddai'n gamarweiniol, hyd yn oed heddiw, i ddisgrifio'r rhan honno o Ddyffryn Taf rhwng Llanfyrnach a'r Glog fel ardal wledig ei naws. Mae Llanfyrnach, cofier, yn ganolfan i 'Mansel Davies a'i Fab Cyf.', un o gwmnïau halio a storio mwyaf Cymru, sydd hefyd yn berchen ar hen chwarel lechi'r Glog. Nid felly yr oedd hi ychwaith yn ystod bachgendod a llencyndod John Brynach Davies (1872–1923), gŵr a ddaeth i gryn amlygrwydd fel bardd a golygydd y *Cardigan & Tivy-side Advertiser*. Serch hynny, mynnai Brynach, fel y'i gelwid, yn un o'i gerddi mai pennaf nodwedd 'anghymharol fro ei febyd' oedd 'pêr gynghanedd gwledig fywyd' ei haelwydydd glân. Safai ei gartref gyferbyn â gorsaf reilffordd Llanfyrnach ac o fewn ergyd carreg i ddadwrdd 'diwydiannol fywyd' gwaith mwyn a gyflogai tua 100 o

bobl yn ystod y 1880au. Oddeutu'r un adeg, cyflogid rhwng 30 a 50 o wŷr yn chwarel y Glog, gwaith swnllyd arall a oedd o fewn clyw i drigolion Llanfyrnach.

Prin yw'r hanes cynnar am fwynglawdd Llanfyrnach. Ni wyddys na phryd na phwy a ddarganfu'r wythïen gyntaf o fwyn plwm (galena) yn y cerrig llaid llwyd-ddu lleol a ddyddodwyd ar lawr y môr yn ystod y cyfnod Ordofigaidd, tua 465 miliwn o flynyddoedd yn ôl. Serch hynny, gwyddys y bu sawl cais i godi mwyn plwm o byllau Llanfyrnach yn ystod y ddeunawfed ganrif, er mai segur oedd y mwynglawdd pan ymwelodd Richard Fenton â'r ardal adeg llunio'i gyfrol *A Historical Tour through Pembrokeshire* (1810). Blynyddoedd digon dilewyrch oedd hanner cyntaf y bedwaredd ganrif ar bymtheg hefyd, ond

Olion safleoedd y buddles: defnyddid y peiriannau i nithio'r galena o afael y graig a oedd wedi'i malu'n fân

daeth tro ar fyd yn ystod y 1850au. Dan gyfarwyddyd criw bach o fwynwyr profiadol a ddaethai o gyffiniau Falmouth yng Nghernyw, cafodd tŷ peiriant trawst Cernywaidd ei godi ar y safle. Golygai hyn y gellid, o 1860 ymlaen, godi dŵr o berfeddion y ddaear pan nad oedd digon ohono yn afon Taf i droi'r rhodau dŵr yr arferid dibynnu arnynt i ddraenio'r siafftiau a'r lefelau 100 metr a mwy dan lawr y dyffryn, a'u cadw'n gymharol sych. Roedd y Cernywiaid wedi cefnu ar yr ardal rywbryd cyn 1871, ond erbyn hynny enillai tua 60 o weithwyr – yn wŷr a gwragedd, ynghyd ag ambell blentyn – eu bywoliaeth yn y mwynglawdd. Arwydd o lwyddiant y fenter oedd Brick Row, dwy res o chwech o dai cefngefn â'i gilydd, a godwyd gan y perchenogion anfrodorol yn gynnar yn y 1870au i gartrefu rhai o'r gweithwyr. Ond byrhoedlog fu'r dyddiau da. Oherwydd i'r mwynwyr golli gafael ar y gwythiennau cynhyrchiol, wyth tunnell pitw o fwyn plwm a gynhyrchwyd yn 1877.

Yna, yn haf 1878 darganfuwyd gwythïen hynod gyfoethog. Rhwng 1879 ac 1886 cynhyrchwyd dros 10,000 tunnell o fwyn plwm, gwerth dros £130,000. Yn ystod y cyfnod hwn, ni allai hyd yn oed Nant-y-mwyn, ger Rhandir-mwyn, y mwynglawdd pwysicaf o ddigon yn ne Cymru, gystadlu â Llanfyrnach. Ond ymhen deng mlynedd achosodd ffawtiau, sy'n tarfu ar hynt y gwythiennau yng nghreigiau'r fro, i'r wythïen werthfawr ddiflannu o afael y mwynwyr. Methiant hefyd fu pob ymdrech i ddod o hyd i wythiennau eraill o unrhyw werth, a halen ar y briw oedd y cwymp ym mhris plwm. Caeodd gwaith mwyn Llanfyrnach yn 1891 gan achosi chwalfa gymdeithasol. Yn cartrefu yn Brick Row yn 1881 roedd deg teulu, cyfanswm o 56 o bobl, 11 ohonynt yn gweithio yn y mwynglawdd. Pum teulu yn unig a drigai yno yn 1891 ac nid oedd ymhlith yr 17 o bobl un gŵr dros 16 oed.

Fodd bynnag, yr oedd peth gwaith i'w gael yn chwarel lechi'r Glog, a ddatblygwyd gan John Owen a'i fab John, dau entrepreneur lleol, rhwng y 1850au a'r 1880au. Y mab, hefyd, fu'n bennaf cyfrifol am ddatblygu rheilffordd Hendy-gwyn ac Aberteifi – y Cardi Bach – a gyrhaeddodd y Glog yn 1873 ac a fu'n gyfrwng i ddwyn cynnyrch y chwarel i farchnadoedd ehangach. Slabiau o lechfaen, rhagor na llechi toi, oedd prif gynnyrch y gloddfa, gan nad oedd y llechfaen yn hollti'n dda. At hynny, roedd y gwaith o ennill clytiau boddhaol o'r graig yn wastraffus: am bob tunnell o lechi a gynhyrchwyd, crëwyd 28 tunnell o gerrig gwast. Wedi dyddiau John Owen yr ieuengaf, a fu

Adfeilion y tŷ peiriant trawst Cernywaidd

farw yn 1886, profodd sawl cwmni lleol yr un llanw a thrai parhaus â'r Oweniaid. Cyflogwyd cynifer ag 80 o weithwyr am gyfnod byr wedi'r Rhyfel Mawr, ond ni lwyddodd y fenter i oroesi dirwasgiad y 1920au.

Caeodd y chwarel yn 1926, dair blynedd wedi marwolaeth Brynach, na fynnai gydnabod bod ar ei 'baradwysaidd ardal febyd' na staen na chraith o fath yn y byd. Yn y cyfamser, roedd Mansel Davies (1880–1971), cyw melyn olaf John Davies y Gof a aeth ati i sefydlu cwmni gwerthu glo a chalch wedi iddo golli ei waith yn y mwynglawdd yn 1891, yn prysur ddatblygu'r cwmni y mae ei lorïau heddiw yn wrthrychau cyfarwydd ar lonydd Cymru ac ymhell y tu hwnt i Glawdd Offa.

Sgrwff, gwastraff gwenwynig y gwaith mwyn. Dim ond rhai mathau o gen a mwsogl a all dyfu arno (isod a dde uchod)

Hen chwarel lechi'r Glog

066

Carn Llidi a Phentir y Sant

egis Waldo, y mae'n rhaid cyrchu copa ysgithrog Carn Llidi (181 m) er mwyn profi swyn lledrithiol Pentir y Sant. Mae'r bryn mynyddig ei wedd yn bwrw ei drem dros benrhyn mwyaf gorllewinol tir mawr Cymru ac Ynys Dewi. Ac yno, ar gadernid y garn lwyd ar ryw brynhawn o haf yn ystod y 1930au cynnar, y teimlai'r bardd ei hunan yn un â'r wlad o'i gwmpas, profiad a gweledigaeth gyfriniol a'i

hysbrydolodd i lunio'r awdl 'Tŷ Ddewi', a ddyfarnwyd yn ail yng nghystadleuaeth y Gadair yn Eisteddfod Genedlaethol Abergwaun yn 1936.

Ffugenw Waldo oedd Clegyr Boia, sef enw'r fwyaf a'r amlycaf o'r 'ynysoedd' creigiog llai sy'n codi eu pennau uwchlaw gwastadrwydd undonog llwyfandir Pentir y Sant, oddeutu tri chilometr i'r de o gopa

'hen Garn Llidi' y bardd. Ond er hyned creigiau igneaidd y garn, a ffurfiwyd tua 470 miliwn o flynyddoedd yn ôl yn ystod y cyfnod Ordofigaidd, mae'r deunydd folcanig y naddwyd Clegyr Boia ohono yn gynnyrch echdoriadau folcanig grymus a ddigwyddodd dros 600 miliwn o flynyddoedd yn ôl, yn hwyr yn ystod y cyfnod Cyn-Gambriaidd. Mae'r creigiau hynafol hynny, cyfuniad yn bennaf o lwch, lludw a lafâu folcanig amryliw, nid yn unig yn ffurfio craidd y penrhyn, ond hefyd graidd plyg (anticlin) ar ffurf bwa anferthol yn ymestyn o naill ochr y penrhyn i'r llall.

Ar ystlys deheuol yr anticlin mae tywodfeini porffor, gwyrdd a llwyd, ynghyd â cherrig llaid coch, a ymgasglodd ar lawr môr y cyfnod Cambriaidd cynnar tua 500 miliwn o flynyddoedd yn ôl, yn goleddu'n serth tua'r de ar hyd arfordir deheuol y penrhyn. Maent i'w gweld ar eu gorau rhwng Porth Clais a baeau Caerfai a Chaerbwdi, lle y cafodd adeiladwyr Eglwys Gadeiriol Tyddewi gyflenwadau o dywodfaen porffor Caerbwdi, y garreg nadd y codwyd y mur gorllewinol ohoni, ond a ddefnyddid yn bennaf y tu mewn i'r adeilad. Mae'r un creigiau Cambriaidd i'w gweld yn wynebau'r clogwyni rhwng Porth Stinan, gyferbyn ag Ynys Dewi, a Phorth Mawr, lle y maent yn ffurfio ystlys gogledd-orllewinol Anticlin Tyddewi.

Ym mhen gogleddol 'maith ymylwaith melyn' traeth Porth Mawr gallai Waldo, o'i safle ar gopa Carn Llidi, weld 'y tonnau gwyn – yn eu llwch / Dan eira'n harddwch o dan Drwyn Hwrddyn', y pentir a ddynoda'r ffin rhwng y creigiau Cambriaidd a chreigiau diweddarach y cyfnod Ordofigaidd, yr oes fwyaf tanllyd o ddigon yn holl hanes

daearegol Cymru. Heddiw y mae Ynys Dewi – cartref Stinan Sant gynt, cyffeswr Dewi Sant – yn un o warchodfeydd y Gymdeithas Frenhinol er Gwarchod Adar (RSPB) sy'n enwog am ei phoblogaethau o adar y môr a'r glannau, ac am ei hogofâu a'i thraethellau caregog, anghysbell, magwrfeydd y morlo llwyd ddiwedd hydref. Ond oddeutu 470 miliwn o flynyddoedd yn ôl, roedd yn ganolfan folcanig, yn safle echdoriadau ffrwydrol, tanddwr, a esgorodd yn bennaf ar lifau lafa a lludw a ymgasglodd ar lawr y môr. Tua'r un pryd, ymwthiodd dalennau trwchus o graig dawdd (magma) i ganol cerrig llaid yn ddwfn yng nghramen y Ddaear ac yna araf oeri a chrisialu. Y graig igneaidd, fras-grisialog, galed hon (gabro) yw sail y rhes o gernydd rhwng Carn Llidi a Phenbiri, yn ogystal â'r gefnen greigiog rhwng Penmaendewi a Phenllech-wen.

Un o'r ddwy gromlech Neolithig ar lechweddau Carn Llidi

Yr arfordir rhwng Penbiri a'r Garn Fawr

Tŵr yr Eglwys Gadeiriol

arwynebau'r creigiau ar gopa Carn Llidi, ond hefyd am gludo meini mawrion o'r gabro llwyd-ddu tua'r de a'u gwasgaru ar hyd a lled y penrhyn wrth i'r iâ ddadmer ac encilio. Casglwyd rhai ohonynt ynghyd a'u hymgorffori ym muriau allanol y Gadeirlan a'r adeiladau perthynol sy'n swatio ar lawr Glyn Rhosyn. Sianel nadreddog, ddofn yw'r dyffryn hwnnw a gerfiwyd gan ddŵr tawdd wedi ei ryddhau gan y llen iâ enciliol, ac a feddiannwyd yn ddiweddarach gan afon Alun.

Diflanedig, i raddau helaeth, yw hen chwareli Glyn Rhosyn. Ond yno, ar lechweddau'r sianel ddŵr-tawdd, yr ymlafniai'r crefftwyr a oedd, yng ngeiriau Waldo, 'yn mynnu ceinder o'r meini cyndyn'. Defnyddid y cerrig Cyn-Gambriaidd yn bennaf i godi waliau rwbel y rhyfeddaf o eglwysi cadeiriol Cymru y ceir cip o'i thŵr yn unig o gopa Carn Llidi.

Yn wahanol i'r creigiau hynafol, creadigaethau cyfnodau daearegol diweddarach o lawer yw tirffurfiau Pentir y Sant. Y nodwedd amlycaf yw'r llwyfandir lled-wastad, ar uchder o oddeutu 35–50 metr, y gellir ei olrhain ar draws y tir mawr a rhannau o Ynys Dewi. Mae'n debyg mai'r môr a'i lluniodd, a dim ond y creigiau igneaidd caletaf, sylfaen cadarn yr hen ynysoedd, megis Carn Llidi–Penbiri a Chlegyr Boia ar dir mawr y penrhyn, a Charn Llundain (136 m) a Charn Ysgubor (101 m) ar Ynys Dewi, a lwyddodd i wrthsefyll a goroesi ergydion didostur y tonnau. Ond mae cryn ansicrwydd a dadlau ynglŷn ag oed y llwyfandir a grëwyd, yn ôl pob tebyg, rywbryd rhwng 23 miliwn a dwy filiwn o flynyddoedd yn ôl, ac o bosibl tua phum miliwn o flynyddoedd yn ôl.

Llawer llai dadleuol eu hoedran yw nodweddion rhewlifol bro Dewi. Bu'r llen iâ a sgubodd ar draws y penrhyn tua 20,000 o flynyddoedd yn ôl yn gyfrifol nid yn unig am lyfnhau rhai o

Harbwr Solfach

067

Cymharol brin yw'r angorfeydd cysgodol naturiol o amgylch Carfordir Cymru ac yn Sir Benfro y ceir tair o'r goreuon. Yr angorfa fwyaf, a'r fwyaf adnabyddus o ddigon, yw dyfrffordd Aberdaugleddau, yr harbwr a oedd ym marn y llyngesydd hwnnw o Sais, Horatio Nelson, gyda'r gorau a welodd ef erioed. Porth Clais, y porthladd a wasanaethai gymuned fynachaidd Tyddewi, yw'r angorfa leiaf, ond harbwr Solfach yw'r fwyaf atyniadol, yn enwedig ar benllanw pan fo'r môr yn cyrraedd pen ucha'r gilfach y mae afon Solfach yn ymarllwys ei dyfroedd i mewn iddi.

Megis dyfrffordd Aberdaugleddau a Phorth Clais, enghraifft wych o ria yw Solfach, dyffryn a foddwyd wrth i lefel y môr yn fyd-eang godi a chyrraedd ei lefel bresennol tua 6,500–7,000 o flynyddoedd yn ôl. Digwyddodd hynny yn dilyn diflaniad y llenni iâ anferthol a orchuddiai'r rhannau helaethaf o ogledd cyfandir Gogledd America a gogledd-orllewin Ewrop – gan gynnwys y rhan fwyaf o dir Cymru – yn ystod y Rhewlifiant Diwethaf. Y llifeiriant o ddŵr tawdd tanrewlifol a lifai oddi ar Bentir y Sant a oedd hefyd yn bennaf cyfrifol am gerfio'r dyffryn dwfn neu'r sianel ddŵr-tawdd sy'n nadreddu ei ffordd o ganol y pentir, sianel a feddiannwyd gan afon Solfach wedi diflaniad yr iâ.

Er gwaethaf presenoldeb bygythiol y Garreg Ddu a Charreg Sant Eilfyw yng ngheg yr harbwr, y gilfach hon, yn ôl John Leland, a deithiodd drwy rannau o Gymru yn ystod haf 1538, oedd yr orau ar

Cei'r Drindod

Yr odynau calch

lannau Bae Sain Ffraid ar gyfer 'llongau hwyliau bach a chychod pysgota'. Serch hynny, aeth 200 mlynedd heibio cyn y gwelwyd datblygu'r harbwr a'r pentref ar lawr y dyffryn. Hwb nid ansylweddol yn hanes datblygiad y pentref oedd sefydlu cwmni llongau lleol yn 1756.

Menyn ac ŷd oedd y prif allforion, ond y prif fewnforion oedd calchfaen a glo, ac ar y traeth, dan gopa'r Gribyn, y gefnen ac arni olion caer yn dyddio o'r Oes Haearn, ceir pedair o'r dwsin o odynau calch a godwyd yn Solfach yn ystod y ddeunawfed ganrif. Ynddynt y llosgid y llwythi o galchfaen a gâi eu mewnforio o chwareli West Williamston, ar lannau dyfrffordd Aberdaugleddau, a glo o Nolton Haven, ar lan Bae Sain Ffraid, er mwyn cynhyrchu'r calch yr oedd ffermwyr lleol ei angen i felysu priddoedd asidig, sur eu tiroedd. Ym mlynyddoedd cynnar y bedwaredd ganrif ar bymtheg, ganrif cyn i danau'r pedair odyn islaw'r Gribyn ddiffodd am y tro olaf, bernid y byddai'r pentref yn llecyn dymunol oni bai am y mwg drewllyd, yn ogystal â'r nwyon gwenwynig a'r llwch a oedd yn gysylltiedig â'r diwydiant calch.

Ar lannau'r harbwr hefyd, yn 1775–6, y cwblhawyd y gwaith o adeiladu'r goleudy cyntaf a godwyd ar y Smalls, y clwstwr o fân ynysoedd creigiog tua 25 cilometr i'r gorllewin-de-orllewin o Solfach. Yn 1861, fodd bynnag, disodlwyd yr hen oleudy gan adeiladwaith cadarnach. Trefn arferol y cyfnod oedd defnyddio cerrig adeiladu lleol, ond oherwydd anaddasrwydd creigiau gwaddod ac igneaidd y fro, codwyd y tŵr newydd, ychydig dros 38 metr o uchder, o flociau o wenithfaen arianllwyd caled a gloddiwyd yn chwareli enwog De Lank, ar ochr orllewinol Gwaun Bodmin yng Nghernyw.

Unwaith eto, Solfach oedd pencadlys y gweithwyr a fu'n gyfrifol am godi'r goleudy newydd, a hynny dan oruchwyliaeth Syr James Douglass, prif beiriannydd Tŷ'r Drindod. Y gorchwyl cyntaf oedd adeiladu Cei'r Drindod ar lan orllewinol y ria, glanfa at ddefnydd y llongau a gludai'r 3,000–4,000 tunnell o wenithfaen o Gernyw. Yma, hefyd, y câi'r blociau mawrion o wenithfaen, a gostiodd £50,125, eu trin a'u naddu, cyn i'r meini nadd gael eu cludo i safle'r gwaith adeiladu 'ym merw llid y môr llydan'. Treuliai Douglass a'i griw o weithwyr y rhan fwyaf o bob gwanwyn a haf wrth eu gwaith, gan fwrw eu blinder wedi diwrnodau hir o lafur caled yn eu gwelyau ar fwrdd llong wedi'i hangori gerllaw. Dychwelai'r llong i glydwch

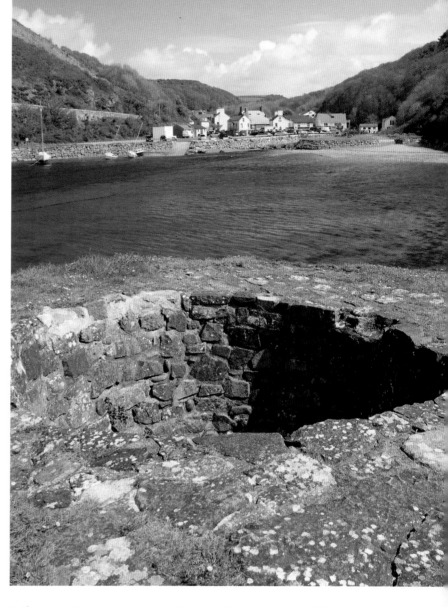

dyfroedd tawel ria Solfach dim ond pan fyddai'r môr ar ei fwyaf cynddeiriog.

Ond heblaw am y goleudy ei hunan, yr unig gofeb i gamp a dewrder James Douglass a'i gyd-weithwyr yw un piler bach sgwâr o wenithfaen hynafol De Lank nad yw'r elfennau wedi llwyr bylu ei ddisgleirdeb yn wyneb haul llygad goleuni. Er hynny, ac er gwaetha'r ffaith fod y maen yn sefyll wrth odre llwybr cyhoeddus sy'n ddolen gyswllt rhwng pen draw Cei'r Drindod a'r rhan honno o bentref

Solfach uwchlaw'r harbwr, ychydig iawn o bobl sy'n sylwi arno. Llai fyth o'r llu ymwelwyr a pherchenogion cychod pleser sy'n cyrchu Solfach bob haf a allai egluro arwyddocâd y ddwy briflythyren a'r dyddiad ar wyneb y garreg: 'T[rinity] H[ouse] 1856', blwyddyn lansio'r fenter a ddaeth i'w phenllanw yn 1861 pan gynheuwyd llusern goleudy newydd y Smalls am y tro cyntaf, y talaf a'r mwyaf lluniaidd o holl oleudai Cymru.

068

Traeth Niwgwl

Yn 1188 treuliodd Gerallt Gymro chwe wythnos yn un o fintai'r Archesgob Baldwin yn cylchu Cymru i bregethu'r groesgad. Wrth deithio o Hwlffordd i Dyddewi bu'n rhaid iddynt groesi traeth noethlwm Niwgwl ym mhen gogleddol Bae Sain Ffraid, siwrnai a barodd i Gerallt ddwyn ar gof a chofnodi'r 'ffenomenon hynod' y bu Harri II yn dyst iddo yng ngaeaf 1171–2, yn dilyn storm enbyd a chwipiodd lannau de Cymru gyfan.

Yn ôl fersiwn Gerallt o'r hanes, daeth y brenin wyneb yn wyneb â bonion a boncyffion coed duloyw a safai'n dalsyth yn y dŵr, ynghyd â phridd cyn ddued â'r frân. Yn wir, mynnai fod y traeth yn ymdebygu i goedwig a gafodd ei thorri i lawr 'adeg y Dilyw, neu efallai ychydig yn gynt, ond yn bendant amser maith yn ôl', cyn cael ei thraflyncu gan y môr. Amser maith yn ôl, yn wir, gan ei bod hi'n wybyddus bellach i'r môr foddi'r goedwig a'r tir mawnog du y tyfai'r coed ynddo tua 6,500–7,000 o flynyddoedd yn ôl wrth i lefel y môr godi'n fyd-eang, yn dilyn diflaniad llenni iâ a rhewlifau'r Rhewlifiant Diwethaf. Pur

anaml, fodd bynnag, y daw'r fforest soddedig i'r golwg. Fe'i gwelir dim ond pan fo'r trai ar ei isaf ac wedi i stormydd y gaeaf, megis drycinoedd Ionawr a Chwefror 2014, ddinoethi'r traeth.

Ond y tu cefn i'r llain odidog o dywod euraid, caled, sydd yn baradwys i hwylfyrddwyr a brigdonwyr yn ystod misoedd yr hydref a'r gaeaf, pan fo'r tonnau ar eu mwyaf a'r gwyntoedd de-orllewinol ar eu cryfaf, gwelir un o dirffurfiau arfordirol mwyaf trawiadol Cymru. Yn ymestyn tua'r de o bentref Niwgwl, gerllaw aber nant Breudeth (Brandy Brook), ceir clawdd llydan o gerrig crynion tua 2.5 cilometr o hyd y mae ei frig oddeutu pum metr uwchlaw tywod y traeth. Mae'r stormdraeth naturiol hwn, sy'n codi uwchlaw'r marc penllanw, wedi ymffurfio a phentyrru yng nghornel gogledd-ddwyreiniol Bae Sain Ffraid gan mai dyma'r rhan o'r bae sydd fwyaf agored i'r elfennau. Mae'r rhan fwyaf o ddigon o'r cerrig llyfnion yn dywodfeini llwyd, gwyrdd a glas cymharol leol, ond yn eu plith ceir hefyd rai cerrig estron, meini dyfod a ddyddodwyd ar lawr y bae wrth i len iâ'r Rhewlifiant Diwethaf ddadmer ac encilio tua'r gogledd. Dyddodion rhewlifol, felly, yw tarddiad y cerrig a gafodd eu graddol symud tua'r dwyrain dan ddylanwad grym ac egni'r tonnau wrth i lefel y môr godi dros gyfnod o ryw 15,000 o flynyddoedd.

Y corstir ar lannau nant Breudeth (uchod)
Haenau mawn y fforest soddedig (dde)

Safle hen Lofa Trefrân, nid nepell o ben deheuol y stormdraeth (uchod)

Chwalwyd y rhan helaethaf o Eglwys Brynach Sant yng Nghwmyreglwys, gerllaw Trefdraeth, yn ystod storm fawr, ofnadwy, nos 25/26 Hydref 1859 pan longddrylliwyd y *Royal Charter* ar greigiau geirwon Moelfre, Ynys Môn. Er nad oes gwir yn y stori fod stormdraeth Niwgwl wedi ymffurfio yn ystod y storm honno, mae'n wir i ddweud y byddai torddwr grymus y tonnau wedi hyrddio tunelli o gerrig dros grib y gefnen. Dyna, yn sicr ddigon, a ddigwyddai'n gyson yn ystod y cyfnod wedi 1887, y flwyddyn yr aeth tirfesurwyr yr Arolwg Ordnans ati i baratoi'r map cyntaf o'r ardal ar y raddfa chwe modfedd i'r filltir, ond cyn llunio ailargraffiad 1906. Yn 1887 safai'r Bridge Inn – neu'r Duke of Edinburgh, fel y'i gelwid yn dilyn ymweliad mab ieuengaf y Frenhines Fictoria, a oedd ar ei ffordd i Dyddewi yn 1882 – wrth odre'r stormdraeth ac ar yr ochr honno o'r heol agosaf at y môr. Ni wyddys am faint o flynyddoedd y llwyddodd yr adeilad i wrthsefyll yr ymosodiadau o du'r môr ond fe'i llwyr ddinistriwyd yn ystod storm fawr 1895, y dymestl a chwipiodd arfordir Penfro ar yr ail o Hydref, yn ôl pob tebyg. Yn ôl yr hanes, dihangodd y dafarnwraig a'i merch rhag y chwalfa fawr drwy un o ffenestri llofft y dafarn, ond nid cyn cipio ugain o sofrenni aur o'r drâr arian, a'i galluogodd i dalu am godi tafarn newydd yr ochr arall i'r ffordd!

Er bod y dafarn bresennol, a saif ar safle'r hen dafarn, mewn llai o berygl na'r Bridge Inn gwreiddiol, dioddefodd y Duke of Edinburgh ac adeiladau eraill gryn ddifrod adeg storm arw 17 Rhagfyr 1989. Yn ogystal â lluchio miloedd o dunelli o gerrig mawr a mân ar hyd ac ar led yr A487 ac yn erbyn muriau diamddiffyn y dafarn a byngalo cyfagos, sgubodd y tonnau gerbydau ar draws y gwastatir corsiog y naill ochr a'r llall i nant Breudeth wrth i'r môr orlifo'r clawdd. Tebyg fu effeithiau stormydd gaeaf 2014 ac mae'r ffaith fod gofyn i weithwyr Cyngor Sir Penfro glirio tunelli lawer o gerrig oddi ar y briffordd sy'n cydredeg â throed y clawdd yn flynyddol, bron, yn dangos yn glir fod yr awdurdod lleol yn ymladd brwydr na fedrir ei hennill. Trech grymoedd natur na gallu dyn, yn enwedig erbyn diwedd y ganrif pryd y disgwylir i lefel y môr fod oddeutu metr yn uwch na'i lefel bresennol ac i dywydd y gaeaf fod yn fwy stormus. Gorau po gyntaf, felly, yr eir ati i adleoli'r A487 a'r adeiladau dan fygythiad, gan roi rhwydd hynt i'r stormdraeth barhau ar ei daith anorchfygol tua'r tir ac i'r môr foddi'r gwastadeddau ar lannau nant Breudeth.

Dyffryn Tywi: Dinefwr–Dryslwyn

069

Dro ar ôl tro wrth grwydro'r wlad rhwng Llanarthne a Llandeilo deuir ar draws rhyw olwg newydd ar ddyffryn gogoneddus afon Tywi. Dewis fan John Dyer (1699–1757), y bardd a'r peintiwr y cysylltir ei enw ag Aberglasne, oedd copa Bryn y Grongaer. Yn ei gerdd 'Grongar Hill' ceir disgrifiad o'r olygfa wych o ddyffryn Tywi ar ei hyd. Yr un mor wych yw'r olygfa honno o do'r hen blasty sy'n ganolbwynt i Barc Gwledig Gelli Aur ar lethrau deheuol y dyffryn, bron gyferbyn â Bryn y Grongaer.

Anodd hefyd yw maeddu'r panorama o Dŵr Paxton, un o ffoleddau hynotaf Cymru a godwyd er cof am yr Arglwydd Nelson gan Syr William Paxton, perchennog Neuadd Middleton, yn 1808. Yn yr ystafell ar lawr cyntaf y tŵr, câi gwahoddedigion Paxton gyfle i wledda, nid yn unig ar ddanteithion cogyddion ei blasty, ond hefyd ar brydferthwch y rhan honno o'r dyffryn rhwng Castell Dryslwyn a Chastell Dinefwr, dau gadarnle ac iddynt le pwysig ym meddwl a chalon y Cymry.

Ond i lawn werthfawrogi ffurf y dyffryn a'r prosesau a roes fod iddi, mae'n rhaid cyrchu Castell Dinefwr. Saif y gaer ar gopa bryn sy'n codi tua 75 metr uwchlaw dolydd gwyrddion gorlifdir yr afon, ac o'r rhodfa ben mur, rhwng tŵr hirsgwar y de a thŵr crwn y

Gorlifdir afon Tywi dan furiau Castell Dinefwr

Ystumiau'r afon wrth droed Castell Dryslwyn

Tŷ Newton: mae ei wedd bresennol yn dyddio o 1856–7

gogledd-ddwyrain, y mae modd gweld cyn belled â Chastell Dryslwyn. Nodwedd amlycaf llawr y dyffryn yw ei led, nad yw'n llai nag oddeutu 600 metr, a'i wastadrwydd, priodweddau a luniwyd wrth i'r afon ailgylchu, ailddosbarthu ac ad-drefnu trwch o waddodion rhewlifol drosodd a throsodd – tywod a graean, yn bennaf – a adawyd ar lawr gwlad yn dilyn diflaniad rhewlif Tywi tua 17,000 o flynyddoedd yn ôl. Ac mae'r broses o danseilio troeon allanol yr ystumiau a chreu tir newydd ar eu glannau mewnol yn parhau wrth i'r afon ymddolennu ar draws ei gorlifdir. Er hynny, mae seiliau cadarn llwybr yr hen reilffordd yn atal dyfroedd Tywi rhag meddiannu pob rhan o'i thiriogaeth naturiol.

Heblaw am un tro pedol amlwg, cymharol syth, ar hyn o bryd, yw'r rhan honno o'r sianel y tu hwnt i Barc Dinefwr, ac felly yr oedd y

Fflagiau Llandeilo

tu isaf i Gastell Dryslwyn mor ddiweddar ag 1946. Hyd sianel afon Tywi rhwng Pont y Dryslwyn a'i chymer ag afon Dulas, y pryd hwnnw, oedd tua 1.6 cilometr, ond erbyn heddiw mae'r ystumiau a ddatblygodd dros y 70 mlynedd a aeth heibio wedi ychwanegu dros 600 metr at ei hyd, gan lwyr weddnewid golwg y gorlifdir.

Mae olion hen ystumiau, rhai ar ffurf ystumllynnoedd bach, yn tystio i'r cyfnod pan oedd y rhan honno o'r afon sydd i'w gweld o furiau Castell Dinefwr yn fwy troellog o lawer na'i phatrwm presennol. At hynny, mae'r llethrau coediog, gorserth, islaw muriau'r castell yn gofnod o'r cyfnod pan oedd afon Tywi yn prysur danseilio llechweddau gogleddol y dyffryn.

O orthwr anferth y castell, ceir cip ar Dŷ Newton, canolbwynt tirwedd donnog, dirluniedig Parc Dinefwr. Un gŵr a dderbyniodd groeso cynnes ar aelwyd Syr George Rice, perchennog y plasty a godwyd tua 1660, oedd neb llai nag Edward Llwyd, Ceidwad Amgueddfa Ashmole, Rhydychen, a dreuliodd y rhan fwyaf o'r cyfnod rhwng Mai 1697 ac Ebrill 1701 yn crwydro Cymru a'r gwledydd Celtaidd eraill. Erbyn mis Rhagfyr 1697 yr oedd ef a'i gymdeithion wedi cyrraedd Llandeilo ac yn y creigiau sy'n sail i Barc Dinefwr canfu Llwyd, a oedd yn gasglwr ffosilau wrth reddf, weddillion 'flat fish', chwedl yntau, sef darnau niferus o drilobitau mawrion ynghyd ag ambell sbesimen cyflawn. Ystyriai ei ddarganfyddiad, yn un o chwareli bach niferus y parcdir, yn 'un o'r pethau prinnaf erioed i dderbyn sylw

y rheiny sy'n ymddiddori mewn ffosilau', ac roedd yn llygad ei le. Yn wir, Llwyd, yn ôl pob tebyg, oedd y cyntaf i ddarganfod a darlunio'r cramenogion hynafol hynny a oedd yn fyw ac yn iach ym môr bas y cyfnod Ordofigaidd yr ymgasglodd deunydd crai creigiau Parc Dinefwr ynddo, tua 470 miliwn o flynyddoedd yn ôl.

Mae'r trilobitau i'w cael mewn haenau tenau o dywodfeini calchaidd, llwyd tywyll, sy'n hindreulio'n frown golau. Fe'u henwyd yn 'Fflagiau Llandeilo', ar ôl tref Llandeilo, gan Roderick Impey Murchison, ac mae disgrifiad ohonynt i'w gael yn ei gyfrol *The Silurian System* (1839), a ystyrir yn glasur daearegol. Ynddi, hefyd, ceir disgrifiad a darlun gwych o un o 'flat fish' Llwyd, a adwaenid fel *Asaphus Buchii* gan Murchison, ond a elwir bellach yn *Ogygiocarella debuchi*. Ond pam rhoi sylw i ffosil Ordofigaidd mewn cyfrol yn ymdrin â'r cyfnod Silwraidd? Bu'r ffin rhwng y creigiau Cambriaidd a'r creigiau Silwraidd yn destun dadlau chwyrn yn ystod y 1850au. Cafodd yr anghydfod ei ddatrys yn 1879 wedi i'r Athro Charles Lapworth ddiffinio'r Ordofigaidd am y tro cyntaf, sef cyfnod a oedd yn gyfuniad o'r creigiau Cambriaidd Uchaf a'r Silwraidd Isaf a oedd yn cynnwys 'Fflagiau Llandeilo Silwraidd' Murchison.

Gwarchodfa Natur Coed y Castell, Parc Dinefwr

070

Carreg Cennen a Llygad Llwchwr

Nid oes yng Nghymru gastell mwy dramatig ei leoliad na hwnnw a saif ar gopa Carreg Cennen, sef blocyn anferth o'r garreg galch sydd, ar ei ochr dde-ddwyreiniol, yn codi'n unionsyth oddeutu 100 metr uwchlaw gorlifdir afon Cennen. Digon serth hefyd yw'r llethrau ar y tair ochr arall i'r 'adfail rhamantus' a all, ar adegau, a barnu yn ôl y peintiad ohono gan J M W Turner, ymddangos yn fygythiol ei olwg. Yn erbyn cefndir o awyr stormus y dewisodd yr arlunydd hwnnw osod amlinell foel y castell yn ei lyfr brasluniau dyddiedig 1798.

Mae'r adeilad, yn ei ffurf bresennol, yn dyddio o'r drydedd ganrif ar ddeg neu'n gynnar yn y bedwaredd ganrif ar ddeg, ac fe'i codwyd o'r graig lwyd leol. Eto i gyd, nid oedd y calchfaen yn ateb holl ofynion y seiri meini. Gan fod y garreg yn galed iawn, mae'n anodd i'w thrin a'i naddu'n gywrain. Felly, tywodfeini cochion mwy hydrin yw'r cerrig nadd a welir, er enghraifft, o amgylch y ffenestri, bwa ambell ddrws a'r rhes o gorbelau fry ar ochr fewnol mur y ward fewnol a godwyd ar ben uchaf y clogwyn.

Mae haenau o dywodfeini a cherrig silt yr Hen Dywodfaen Coch i'w gweld yn wyneb y llwybr sy'n arwain o'r ffermdy a'r caffi tuag at fynedfa'r castell. At hynny, mae cochni'r gwaddodion yn nhorlannau sianel ddolennog afon Cennen hefyd yn tystio i bresenoldeb yr Hen Dywodfaen Coch sydd, mewn gwirionedd, yn llwyr amgylchynu'r blocyn o Galchfaen Carbonifferaidd y saif y castell arno. Hyd oddeutu 300 miliwn o flynyddoedd yn ôl roedd Carreg Cennen yn rhan annatod o frig y garreg galch y mae modd i'w olrhain i'r dwyrain a'r gorllewin o ogof Llygad Llwchwr, tua 1.5 cilometr i'r de o'r castell.

Ond yna datgysylltwyd yr 'ynys' fach hirgrwn o galchfaen o ganlyniad i frwydr dectonig hirhoedlog, ffyrnig, wrth i ddau gyfandir hynafol, a orweddai ar y pryd yng nghyffiniau'r cyhydedd, fynd benben â'i gilydd. Yn wir, y mae amlinell yr 'ynys' yn cyfateb i ddau ffawt, y naill yn dilyn y rhan honno o ddyffryn Cennen wrth droed y clogwyn, a'r llall yn dilyn godre'r llethr ar ochr ogleddol y castell. Ond rhan fechan yw'r ddau rwyg o ffawt mawr y gellir ei ddilyn o gyffiniau Pentywyn ar lannau Bae Caerfyrddin, heibio i Bontsenni yn nyffryn Wysg a Chefn Hergest, ger Pencraig, ac ymlaen i Church Stretton, y tu hwnt i Glawdd Offa.

Pan oedd y gwrthdaro rhwng y ddau blât tectonig yn ei anterth a'r ffawtiau ar eu mwyaf byw, byddai'r ardal yn ganolbwynt daeargrynfeydd niferus a grymus. Mae'r cyfnod hynod aflonydd hwnnw wedi hen ddirwyn i ben, ond erys y creithiau a'r gwendidau, ac ar nos Lun, 27 Hydref 1999, siglwyd seiliau'r ardal o gwmpas Pontsenni gan yr hyn a ddisgrifiwyd yn briodol ddigon gan y *Western Mail* fel 'mwy o ddirgryniad nag o ddaeargryn'.

Er i drigolion Llandeilo a'r cylch brofi digwyddiad tebyg am 10.30 o'r gloch y nos ar 30 Hydref 1868, gwyddys bellach mai sgil-effaith daeargryn yn ardal Castell-nedd oedd y cryndod hwnnw. Y gŵr a'i cofnododd oedd Thomas Jenkins (1813–71), 'Carpenter and Diarist', yn ôl ei garreg fedd ym mynwent Eglwys Teilo Sant, Llandeilo. Ond yn ogystal â bod yn saer coed ac yn ddyddiadurwr, roedd Jenkins yn

bensaer, yn seryddwr, yn wyddonydd, yn ogofäwr ac yn llawer mwy. Ymwelai'n gyson â Chastell Carreg Cennen. Cafwyd gwybod ganddo fod yr ogof naturiol sy'n ymestyn i grombil y graig ym mhen draw'r rhodfa fwaog a godwyd ar hyd erchwyn y clogwyn tua 48.5 metr o hyd, a bod ffynnon o ddŵr glân i'w chael ger ei phen eithaf.

Jenkins hefyd oedd y cyntaf i archwilio Llygad Llwchwr a pharatoi map o'r ogof yr oedd Edward Llwyd wedi ymweld â hi yn ystod y

1690au, gan gasglu 'St Cuthbert's Beads' oddi yno, sef darnau crynion ffosiledig o goesau crinoidau, creaduriaid a ffynnai ym moroedd trofannol cynnes y cyfnod Carbonifferaidd cynnar. Yng ngolau gwan eu canhwyllau, mentrodd Jenkins, ynghyd â phedwar cyfaill, i mewn i'r ogof am 8 o'r gloch nos Galan Mai 1841, gan aros yna hyd 1 o'r gloch y bore. Er i ddŵr dwfn eu rhwystro rhag mynd ymhellach na 172 metr o'r fynedfa, ni fynnai Jenkins roi'r ffidil yn y to.

Ar 9 Medi 1844, flwyddyn wedi iddo ddarganfod rhai canghennau newydd o'r system danddaearol, lluniodd y saer coed gwrwgl y gellid ei ddatgymalu a thrannoeth aeth yntau yn ôl i'r ogof yng nghwmni chwe chyfaill. Gyda chymorth y cwrwgl, ac wedi 17 awr dan ddaear, llwyddwyd i ddilyn y llif a chroesi nifer o byllau dwfn iawn ar siwrnai a'u harweiniodd drwy sawl ceudwll gwych 'lle nad oedd dyn wedi mentro â mynd o'r blaen'. Bellach, mae ogofawyr – gyda chymorth deifwyr – wedi mapio tua 1.2 cilometr o'r tramwyfeydd tanddaearol, ond hyd heddiw caiff Thomas Jenkins ei gydnabod yn wir ogofäwr cyntaf de Cymru gyfan.

Ffenest ac iddi ffrâm o dywodfaen coch

Ogof Llygad Llwchwr

Llyn y Fan Fach

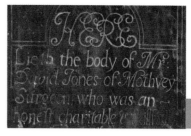

071

Mynydd-dir mwyaf diarffordd de Cymru yw Bannau Sir Gâr, sef y rhan fwyaf gorllewinol o sgarpdir yr Hen Dywodfaen Coch y gellir ei olrhain cyn belled â chopa Penybegwn, i'r de o'r Gelli Gandryll. Mae'r mynyddoedd cymharol anhygyrch a phrin eu llwybrau hyn yn rhan o Geoparc y Fforest Fawr, parc daearegol cyntaf Cymru, a ddaeth yn aelod o'r Rhwydwaith o Geoparciau Ewrop a Rhwydwaith Byd-eang UNESCO yn 2005. Wrth reswm, mae'r dynodiad hwnnw yn fodd i gydnabod treftadaeth ddaearegol gyfoethog tirwedd warchodedig y parc sy'n cwmpasu dros 763 cilometr sgwâr, sef hanner gorllewinol Parc Cenedlaethol Bannau Brycheiniog. Ond mae'r geoparc, hefyd, yn ymwneud â phobl a'u perthynas â'r tir dros y canrifoedd, yn ogystal â'u chwedlau, a go brin fod chwedl fwy rhamantus ac athrist yn bod na honno a adroddir am hynt morwyn Llyn y Fan Fach.

Gorwedd mewn basn lled-gaeedig wrth droed copa uchaf Bannau Sir Gâr (677 m) y mae dyfroedd tywyll y llyn lle'r ymddangosodd y forwyn dlos honno ohonynt a dod yn wraig i un o feibion fferm gyfagos Blaen Sawdde. Yn Esgair Llaethdy, nid nepell o Fyddfai, yr ymgartrefodd y ddeuddyn ifanc, gan fagu tri mab. Ond yna, wedi blynyddoedd o fywyd priodasol hapus, bu'r gŵr, druan, yn

Llyn y Fan Fach a chopaon y Picws Du a Fan Foel

Llyn Cwm Llwch

euog o dorri addewid a roes i'w wraig cyn priodi, sef na fyddai'n ei tharo'n ysgafn a difeddwl â haearn ar dri gwahanol achlysur. Yn dilyn y drydedd ergyd, troes golygon ei wraig tua'r Bannau ac aeth yr holl anifeiliaid a roddwyd iddi'n waddol adeg ei phriodas i'w chanlyn dros y mynydd, yn ôl i wlad y Tylwyth Teg yn nyfnderoedd Llyn y Fan Fach.

Dywed traddodiad i'r tad a'i feibion geisio gwacáu'r llyn, ond fe'u rhwystrwyd gan anghenfil mawr, salw, ac y mae gan bobl Llanelli le i ddiolch i'r anghenfil hwnnw, oherwydd yn gynnar yn yr ugeinfed ganrif, codwyd argae er mwyn ehangu a rheoli lefel dŵr y llyn, a fyddai o hynny ymlaen yn cyflenwi dŵr yfed iachus i drigolion y dref

ddiwydiannol honno. Bach, serch hynny, yw'r argae gan fod y llyn yn cronni mewn basn cwbl naturiol y tu ôl i gefnen o ddyddodion rhewlifol twmpathog. Ymgasglodd y marian hwnnw o flaen trwyn rhewlif bach, a oedd wedi llwyr adfeddiannu llawr yr amffitheatr greigiog rhwng 13,000 ac 11,500 o flynyddoedd yn ôl. Adweinir y cyfnod rhewlifol byrhoedlog hwnnw fel Is-gyfnod Rhewlifol Loch Lomond, oherwydd mai yn y rhan honno o'r Alban yr oedd y rhewlifau ar eu mwyaf.

Fodd bynnag, nid rhewlif Llyn y Fan Fach oedd yr unig un i feddiannu peirannau'r rhan gysgodol honno o darren fawreddog yr

Hen Dywodfaen Coch rhwng y llyn a Thro Fan Foel (781 m), amffitheatrau nad ydynt byth yn mwynhau gwres haul y prynhawn. Gorweddai'r ddau rewlif arall, y nodir eu terfynau gan farianau, wrth droed y ddau gefnfur crwm, y naill ochr a'r llall i gopa'r Picws Du (749 m). Am gyfnod wedi i'r iâ ddiflannu, cronnodd llynnoedd bychain y tu ôl i'r cloddiau hynny o ddyddodion rhewlifol hefyd, fel y tystia'r enwau lleoedd: Pwll yr Henllyn a Sychlwch (llyn sych).

Roedd hinsawdd rewllyd y cyfnod yn gyfrifol hefyd am ddryllio a chwilfriwio tywodfeini a cherrig llaid cochion y darren gan esgor ar lethrau sgri, pentyrrau o greigiau maluriedig sy'n gorchuddio'r llechweddau dan drem y clogwyni tywyll. Ond tra gwahanol yw'r hinsawdd heddiw i'r hyn ydoedd ar ddiwedd y Rhewlifiant Diwethaf a ddaeth i ben 11,500 o flynyddoedd yn ôl. Hyd yn gymharol ddiweddar, bu'r sgrïau yn lled sefydlog dan orchudd o borfa, ond mae'r gylïau dyfnion sy'n eu creithio yn arwydd o rym erydol nentydd sydd, bellach, yn prysur dyrchu ac yn ailgylchu eu cynnwys yn ystod cyfnodau o law trwm.

Er gwaethaf cynhesrwydd cymharol y cyfnod ôl-rewlifol presennol, ceir adlais o dywydd rhewllyd y gorffennol ar silffoedd ac yng nghilfachau'r clogwyni fry uwchlaw Llyn y Fan Fach. Yno, ymhlith blodau eraill y mynydd a mannau creigiog, megis briwydd y Gogledd (*Galium boreale*), briweg Gymreig (*Sedum forsterianum*) ac arianllys bach (*Thalictrum minus*), gwelir clustogau trwchus o dormaen llydandroed (*Saxifraga hypnoides*) â'i glystyrau o flodau gwynion, ynghyd â chlytiau o bren y ddannoedd (*Sedum rosea*) â'i ddail gwyrddlas noddlawn a'i flodau melyn, y naill rywogaeth a'r llall yn blanhigion arctig-alpaidd.

Mae'r enw Cymraeg 'pren y ddannoedd' yn cyfeirio at y defnydd yr arferai pobl ei wneud o'r planhigyn hwnnw i leddfu poen y ddannoedd, hen feddyginiaeth sy'n dwyn i gof Feddygon Myddfai, gan mai i'w mab hynaf, Rhiwallon, mae'n debyg, y datgelodd morwyn Llyn y Fan Fach rinweddau planhigion a'u defnydd meddygol. Ceir gwybodaeth am Riwallon, sylfaenydd llinach y meddygon, a'i dri mab yntau, a oedd hefyd yn feddygon, yn Llyfr Coch Hergest. Daeth llinach hir Meddygon Myddfai i ben yn dilyn marwolaeth David Jones (m. 1719) a'i fab John Jones (m. 1739), y mae eu carreg fedd i'w gweld yn sefyll yng nghyntedd Eglwys Sant Mihangel, Myddfai.

072

Cwm Llwch a'r Bannau

Nid yw geiriau Alun Llywelyn-Williams bellach yn wir. 'Trawiadol iawn', meddai yn ei gyfrol *Crwydro Brycheiniog* (1964), 'yw'r gwrthgyferbyniad rhwng y sgarmes wyllt ar lwybrau poblog Eryri ac unigrwydd y Bannau', a hynny er ei fod yn cydnabod bod llawer o bobl yn cyrchu copaon a thrumiau mynyddoedd uchaf de Cymru yn ystod yr haf. Gwaetha'r modd, ni ellir profi'r unigrwydd hwnnw mwyach ar lwybrau na phedwar copa – Pen y Fan (886 m), Corn Du (873 m), y Cribyn (795 m) a Fan y Big (719 m) – y rhan arbennig hon o darren yr Hen Dywodfaen Coch, craidd Parc Cenedlaethol Bannau Brycheiniog, a ddynodwyd yn 1957.

Cymaint oedd, ac yw, traul blynyddol y miloedd sy'n dewis troedio'r mynyddoedd fel y bu'n rhaid i'r Ymddiriedolaeth Genedlaethol, tirfeddianwyr y Bannau, fynd ati i balmentu'r ddau lwybr mwyaf poblogaidd sy'n arwain hyd y copaon, y naill o Bont ar Daf ym mhen uchaf dyffryn Taf Fawr, a'r llall o Ganolfan Addysg Awyr Agored Storey Arms, ar fin priffordd brysur yr A470.

Y llwybr a gwyd o Storey Arms yw'r mwyaf trawiadol ei olygfeydd o ddigon. Dyma'r caletaf hefyd, yn enwedig cymal olaf y daith. Ond wrth ymlwybro'n araf i fyny crib Craig Cwm Llwch, dringfa o 170 metr hyd gopa Corn Du, ceir cyfle i ystyried y prosesau a roes fod i

Llyn Cwm Llwch

greigiau'r Hen Dywodfaen Coch, ac i ryfeddu at y grymoedd a luniodd y tirffurfiau dramatig presennol.

Tua 390 miliwn o flynyddoedd yn ôl, gorweddai'r cilcyn hwn o ddaear tua 30° i'r de o'r cyhydedd ac i'r de o gadwyn o fynyddoedd mawrion a godai uwchlaw iseldiroedd lletgras, poeth. Wrth i wres y dydd ac oerfel y nos chwilfriwio'r creigiau, câi'r malurion – tywod a llaid yn bennaf – eu hysgubo ymaith gan lifogydd byrhoedlog ac yna ymgasglu fesul haen ar wastadeddau eang wrth droed yr uchelfannau. Dyma a esgorodd ar y Cerrig Cochion, pentwr trwchus o haenau o dywodfaen am yn ail â cherrig llaid sydd i'w gweld yn wyneb y clogwyn dan drum Corn Du. Yn gorwedd ar ben y Cerrig Cochion ceir haenau o dywodfeini gwynnach a adwaenir fel Haenau'r Llwyfandir, oherwydd eu bod yn gyfrifol am nodwedd amlycaf y Bannau, sef gwastadrwydd y ddau gopa uchaf. Gwaetha'r modd, mae'r haenau o fawn a arferai orchuddio Haenau'r Llwyfandir wedi diflannu i raddau helaeth dan bwysau traed cerddwyr lu. Drylliedig hefyd yw'r ddwy garnedd hynafol, y naill ar Gorn Du a'r llall ar Ben y Fan.

Grym erydol rhewlifau'r Rhewlifiant Diwethaf a drawsnewidiodd nid yn unig flaenau nentydd Llwch, Sere, Cynwyn a Menasgin, dan drem y pedwar copa, yn beirannau tywyll, dyfnion, ond hefyd newid ffurf eu dyffrynnoedd yn gyfres o gafnau rhewlifol serthochrog a chyfochrog i'w gilydd – Cwm Llwch, Cwm Sere, Cwm Cynwyn a Chwm Oergwm. Dan ddylanwad hinsawdd gynhesach, roedd yr

afonydd iâ a'u lluniodd wedi hen ddiflannu erbyn 15,000 o flynyddoedd yn ôl ond, 2,000 o flynyddoedd yn ddiweddarach, oerodd yr hinsawdd drachefn a thros gyfnod o 1,500 o flynyddoedd ymsefydlodd rhewlifau bychain wrth odre llechweddau oeraf y

Copa moel Corn Du

peirannau. Llechai un dan gysgod trwm Craig Cwm Llwch, ac o amgylch ei drwyn, ar uchder o oddeutu 580 metr, ymgasglodd marian, pentwr o feini mawr a mân yn gymysg â thywod a rhywfaint o glai. Wedi diflaniad y rhewlif 11,500 o flynyddoedd yn ôl, cronnodd Llyn Cwm Llwch (gair arall am 'llyn' yw 'llwch'), tua naw metr o ddyfnder, y tu ôl i'r argae o ddyddodion rhewlifol.

'Slawer dydd, yn ôl y chwedl a gysylltir â'r llyn, cynlluniodd pobl yr ardal i'w ddraenio er mwyn canfod a oedd gan y Tylwyth Teg a drigai ynddo drysorau ynghladd dan ei wely. Aeth y brodorion ati i gloddio ffos ddofn drwy'r marian yn y gobaith o wacáu'r llyn. Ond tarfwyd ar eu gwaith gan gawr a gododd o ferw'r dyfroedd tywyll yn ystod storm enbyd o fellt a tharanau, gan eu rhybuddio:

> Os torrwch ar fy heddwch i,
> Ar fyr mi godaf hyglyw lef
> I foddi glannau'r Wysg i gyd
> Gan ddechrau'n Aberhonddu dref.

Mae'n debyg y rhoddwyd y gorau i'r cynllun gwallgof yn ddiymdroi, a hyd heddiw erys y llyn a'r marian – gyda'r perffeithiaf o holl farianau peiran Cymru – yn dystion trawiadol i ddiwedd y Rhewlifiant Diwethaf.

Ond ceir adlais o'r cyfnod rhewllyd a roes fod i Lyn Cwm Llwch ar gefnfuriau peirannau'r Bannau. Yno'n tyfu, diolch i'r mymryn lleiaf o galch yn y cerrig llaid, y mae ambell blanhigyn arctig-alpaidd, megis tormaen porffor (*Saxifraga oppositifolia*), tormaen llydandroed (*Saxifraga hypnoides*) a phren y ddannoedd (*Sedum rosea*).

Arwydd arall o erwinder ac oriogrwydd tywydd y mynydd-dir, hyd yn oed ym misoedd yr haf, yw'r gofeb i Tomi Jones, druan, a saif ar ben y clogwyn uwchlaw Llyn Cwm Llwch. Gerllaw'r fan honno, yn Awst 1900, cafwyd hyd i gorff y plentyn pum mlwydd o ffermdy Login, yng Nghwm Llwch, wedi iddo fynd ar goll yn y niwl. Ond er mawr syndod, lluniwyd y gofgolofn, a godwyd ym mis Gorffennaf 1901, nid o dywodfaen coch bro ei febyd ond o wenithfaen enwog Shap, Cymbria.

Haenau'r Llwyfandir, sail copa gwastad Corn Du

Dyffryn Ewias a Chwm-iou

073

'Man unig, ymhell o'r neilltu oddi wrth dwrf swnllyd pobl': dyna ddisgrifiad Gerallt Gymro o'r rhan honno o Ddyffryn Ewias, ar lan afon Honddu, lle safai priordy ysblennydd Awstinaidd Llanddewi Nant Hodni. Er bod ymhell dros wyth can mlynedd wedi mynd heibio ers i Gerallt ymlwybro drwy'r cwm yng nghwmni'r Archesgob Baldwin yn y flwyddyn 1188, nid oes fawr ddim i darfu'n ormodol ar ddedwyddwch a hyfrydwch digymar yr ardal. Am hynny mae'n rhaid diolch yn bennaf i gulni'r lôn wledig sy'n arwain o bentref Llanfihangel Crucornau, heibio i bentrefan Cwm-iou a Chapel-y-ffin, drwy Fwlch yr Efengyl rhwng y Twmpa (c. 680 m) a Phenybegwn (677 m) – dau o gopaon y Mynydd Du ym mhen uchaf y dyffryn – cyn i'r heol ei bwrw hi ar i waered tuag at y Gelli Gandryll ar lannau afon Gwy.

'Cwm culach na cham ceiliog', chwedl Thomas Evans ('Telynog'), yw'r Rhondda, ond cwm nad yw yn unman yn lletach na saethiad tair saeth yw Dyffryn Ewias, yn ôl Gerallt, a dim ond pan ddyrchafai mynaich y priordy eu llygaid y 'gwelant megis ar orwel pellaf yr olwg, gopâu mynyddoedd fel petaent yn cyffwrdd â'r awyr'. Fel Cwm Rhondda, trawsnewidiwyd ffurf y dyffryn gan rym erydol rhewlif grymus wrth i hwnnw lifo'n araf tua'r de yn ystod y Rhewlifiant Diwethaf. Dyfnhawyd ei lawr ac unionwyd ei ochrau, gan greu ohono gafn ac iddo lechweddau creigiog lle y mae'r rheiny ar eu mwyaf serth. Mae rhannau helaeth o lawr y dyffryn dan orchudd o ddyddodion rhewlifol, trwch o dywod cleiog a chlai tywodlyd, caregog, cochlyd eu lliw, a adawyd ar ôl wedi i'r iâ ddadmer ac encilio. Gweddillion drylliedig a maluriedig creigiau'r fro – yr Hen Dywodfaen Coch – yw'r dyddodion hynny ac yn ystod y cyfnod ôl-rewlifol fe'u hailgylchwyd yn rhannol gan grwydriadau afon Honddu, proses a esgorodd ar y dolydd ffrwythlon ir ar y naill ochr a'r llall i'w glannau.

Ond un o briodweddau amlycaf y dyffryn yw ansadrwydd ei lechweddau gorserth a nodweddir gan greithiau nifer o dirlithriadau. Dan glogwyn Tarren yr Esgob, fry uwchlaw safle'r mynachdy y bwriadai Joseph Lyne ei godi ger Capel-y-ffin ddiwedd y bedwaredd ganrif ar bymtheg, mae golwg dwmpathog a gwrymiog talpiau anferthol o dir i'w phriodoli i gyfres o lithriadau a sbardunwyd filoedd o flynyddoedd yn ôl. Mae arwyddion bygythiol tebyg i'w gweld ar y llethrau sy'n bwrw eu trem dros adfeilion priordy Llanddewi Nant Hodni, ond maent yn gliriach fyth dan glogwyni'r Darren ar lechweddau de-orllewinol Hatterrall Hill, ac yn enwedig yng Nghwm-iou. Yno, ar droed y tirlithriad oddeutu 40 metr uwchlaw gorlifdir afon Honddu, saif eglwys wyrgam Sant Martin, adeilad nad oes ei debyg yn unman arall yng ngwledydd Prydain.

Nid oes yn yr eglwys, y mae ei rhannau hynaf yn dyddio o'r ddeuddegfed a'r drydedd ganrif ar ddeg, nac ongl sgwâr na mur unionsyth a dywedir bod y tŵr yn gwyro ar ongl serthach na thŵr byd-enwog Pisa, a oedd yn gogwyddo ar ongl o 5.5° cyn i beirianwyr ei sythu ryw gymaint rhwng 1990 a 2001. Ysigo y mae crib y to, hefyd, ac anwastad yw llawr corff yr eglwys. At hynny, mae'r craciau ym mur mewnol y corff yn tystio'n groyw i eirwiredd swyddogion Arolwg Daearegol Prydain, sy'n bendant o'r farn fod y ddaear dan seiliau'r adeilad yn dal i ymgripio ar i waered yn awr ac yn y man.

Yn ôl y chwedl leol, y ddaeargryn a siglodd y Ddaear adeg croeshoeliad Crist a sbardunodd y tirlithriad, ond nid felly y bu. Natur ac osgo creigiau'r Hen Dywodfaen Coch a serthrwydd llethrau'r cwm

yw'r drwg sylfaenol. Cerrig llaid a cherrig silt cochlyd, sy'n goleddu'n raddol tua'r de, yw sylfaen y llethr y saif yr eglwys arno, ond fe'u gorchuddir gan ddilyniant o dywodfeini llwydwyrdd a phorffor sy'n sail i lechweddau uchaf a chopa Hatterrall Hill (531 m). Gall dŵr drylifo drwy'r craciau a'r bregion yn y tywodfeini, ond nid drwy'r creigiau anathraidd oddi tanynt. Felly, mae'r dŵr na all ddianc yn iro arwyneb y cerrig llaid a cherrig silt gan beri i flociau mawrion o'r tywodfeini ymryddhau a llithro i lawr y llethrau gorserth dan ddylanwad disgyrchiant.

Yn ôl pob tebyg, sbardunwyd y symudiadau cyntaf yn ystod y cyfnod oer iawn hwnnw a nodweddai'r ardal yn union wedi diflaniad y rhewlif a lanwai Ddyffryn Ewias 20,000 o flynyddoedd yn ôl. Fodd bynnag, ni ellir llwyr ddiystyru'r posibilrwydd fod ansefydlogrwydd parhaus y tirlithriad i'w briodoli'n rhannol, o leiaf, i adeiladwyr Eglwys Sant Martin, oherwydd nid y peth callaf dan haul yw gorlwytho tir ansad. Er gwaethaf cyflwr yr eglwys, ni wnaed unrhyw ymdrech i unioni ei furiau simsan pan aeth gŵr o'r enw J James Spencer ati i adnewyddu'r adeilad yn 1889. Felly, heb ymgymryd â gwaith peirianyddol drudfawr i'w sefydlogi, pur ansicr yw dyfodol yr eglwys fach o'i chymharu ag adfeilion rhamantus mynachlog Llanddewi a saif ar dir cadarnach llawr y dyffryn.

Tirlithriad a roes fod i'r agen amlwg uwchlaw'r eglwys

074

Ysgyryd Fawr

Ni wyddai William Coxe, awdur *An Historical Tour of Monmouthshire* (1801), y profiadau a ddeuai i'w ran ar 'gefnen gul a noethlwm' Ysgyryd Fawr. Yn wir, go brin y byddai wedi mentro cyrchu copa'r bryn ar gyrrau dwyreiniol y Mynydd Du, tua phum cilometr i'r gogledd-ddwyrain o'r Fenni, pe gwyddai. Roedd yr 'arswyd a phleser' a brofodd bron yn drech na'r hyn a brofasai 'hyd yn oed yn Alpau'r Swistir'! Erbyn cyrraedd pen deheuol y gefnen yr oedd wedi llwyr ymlâdd a bu'n rhaid iddo orwedd er mwyn cael ei wynt ato. Ac yna, wrth ymlwybro'n araf tua'r pegwn uchaf, dioddefai byliau cas o'r bendro wrth iddo edrych i lawr 'ochrau serthion' y bryn, yn enwedig ar bwys yr 'agen fawr' gerllaw'r copa.

Gorliwio, yn sicr ddigon, yr oedd y teithiwr o Sais. Serch hynny, mae'r daith ar hyd y llwybr – caregog iawn mewn mannau – yn gofyn ymdrech, gan ei bod yn ddringfa o 270 metr dros bellter o ychydig

dros ddau gilometr o'r lle parcio bach ar fin y B4571 cyn belled â'r hen biler triongli ar gopa Ysgyryd Fawr (486 m). Ond mae'n werth ymegnïo pe bai dim ond er mwyn gweld holl ehangder y wlad oddi amgylch a rhyfeddu at yr 'agen fawr' y soniodd Coxe amdani, sy'n nodwedd amlwg ar lethrau gorllewinol y bryn, islaw'r copa.

Yn ôl un chwedl, datblygodd yr agen pan 'siglwyd y ddaear a holltwyd y creigiau' adeg marwolaeth Crist. Cred eraill mai Arch Noa a'i creodd wrth i gil y llong enfawr a thrymlwythog honno gyffwrdd â thir Cymru ac agor y gŵys ddofn 'pan ddaeth dyfroedd y dilyw ar y ddaear... nes gorchuddio'r holl fynyddoedd uchel ym mhob man dan y nefoedd'.

Fodd bynnag, nid daeargryn na diffyg sgiliau morwriaethol Noa a greodd yr agen, ond yn hytrach dirlithriad a barodd i un dafell drwchus o ystlys gorllewinol uchaf y bryn serthochrog symud ar i waered, naill ai ar ffurf un symudiad mawr neu gyfres o symudiadau llai, dan ddylanwad disgyrchiant. Mae'r ffaith fod y tirlithriad hwn, yn ogystal â thirlithriadau eraill i'r de o'r 'agen fawr', yn gyfyngedig i lethrau gorllewinol y bryn i'w phriodoli i osgo a natur creigiau'r Hen Dywodfaen Coch y naddwyd Ysgyryd Fawr ohonynt.

Sail y rhan fwyaf o'r bryn a'r tir cyfagos yw cerrig llaid a cherrig silt cochion, ynghyd â rhai haenau o dywodfaen, ond ar eu pennau ceir capan o dywodfeini llwydborffor. Gall dŵr drylifo drwy'r tywodfeini athraidd, ond nid drwy'r cerrig llaid a cherrig silt anathraidd. O ganlyniad mae'n iro'r arwyneb rhyngddynt, a chan fod hwnnw, ynghyd â holl haenau'r creigiau, yn gogwyddo tua'r de-orllewin, mae'r creigiau'n llithro tua'r gorllewin. Mewn cyferbyniad â llethrau gorllewinol Ysgyryd Fawr, mae'r rhai dwyreiniol yn fwy sefydlog o lawer gan fod y creigiau sy'n sail iddynt yn goleddu i mewn i'r ddaear. Er na wyddys pryd yn union y llithrodd y tir, sbardunwyd y symudiadau mwyaf, yn ôl pob tebyg, gan y cyflenwadau mawr o ddŵr tawdd a ryddhawyd wrth i rewlifau'r ardal ddadmer ac encilio tua 17,000 o flynyddoedd yn ôl.

Y ddau faen ger y piler triongli: unig olion yr hen eglwys

Er nad oes gwirionedd yn y ddwy chwedl sy'n gysylltiedig ag Ysgyryd Fawr, ystyrid y bryn yn lle sanctaidd. Arferai ffermwyr y fro gasglu pridd coch oddi ar ei lethrau a'i wasgaru dros eu tiroedd er mwyn sicrhau cynaeafau da. Câi'r pridd hefyd ei daenu ar ben eirch cyn claddu'r meirw, a rhywbryd tua diwedd yr Oesoedd Canol codwyd capel anwes, neu eglwys fach wedi'i chysegru i Sant Mihangel, ar gopa'r bryn lle y saif yr hen biler triongli heddiw. Bellach, dim ond tir twmpathog a dau faen o boptu safle'r fynedfa sy'n dynodi'r man lle safai'r adeilad hirsgwar, syml. Ond i'r fangre gysegredig a diarffordd hon y deuai Catholigion yn ystod yr ail ganrif ar bymtheg i ddathlu'r offeren yn y dirgel. Yn wir, yn 1676 addawai'r Pab Clement X faddeuebau i'r rheiny a ymwelai â'r cysegrfan ar 29 Medi, dydd gŵyl y sant.

Yr agen fawr

Roedd y rhan hon o Went a oedd o fewn golwg i'r 'mynydd cysygredig' nid yn unig gyda'r fwyaf Catholig yng Nghymru, ond bu hefyd yn gartref i John Arnold, Aelod Seneddol ac ynad a drigai ym mhentref cyfagos Llanfihangel Crucornau. Ac yntau'n Brotestant penboeth, erlidiai'r 'Pabyddion' a arferai ymgynnull ar gopa Ysgyryd Fawr yn ddidrugaredd, ac ef, medd rhai, a ddyfarnodd y Tad David Lewis (1616–79), offeiriad Jeswitaidd o Gymro a brodor o'r Fenni, i farwolaeth. Fe'i dienyddiwyd ym Mrynbuga ar 27 Awst 1679 drwy ei grogi a'i ddiberfeddu. Yn 1970 canoneiddiwyd 'Merthyr olaf Cymru' a 'Thad y Tlodion' gan y Pab John VI ac ym Mrynbuga, ar safle gyferbyn â'r Eglwys Gatholig a gysegrwyd i Sant Francis Xavier a Sant David Lewis, ceir cofeb ddwyieithog ac arni'r geiriau canlynol: 'Ger y man yma y dienyddiwyd Sant David Lewis S.J. Merthyr Catholig dros ei ffydd.'

Mynydd Pen-y-Fâl

075

'Nid wrth ei big mae adnabod cyffylog', medd yr hen air, ac nid wrth ei bryd a'i wedd yn unig mae adnabod llosgfynydd. Er bod i Fynydd Pen-y-fâl (596 m) ffurf gonigol gymesur, yn enwedig o edrych arno o gopa cyfagos Ysgyryd Fawr (486 m), nid 'llosgfynydd marw' mohono fel y mynnai awduron argraffiad diwygiedig *The National Trust Guide* (1977). Bwrw ei drem dros dref y Fenni a Chwm Wysg y mae'r mynydd hwn a ddaeth yn eiddo i'r Ymddiriedolaeth Genedlaethol yn 1936. Fe'i naddwyd, megis gweddill y Mynydd Du, o greigiau'r Hen Dywodfaen Coch, er nad ydynt i gyd yn dywodfeini, nac yn goch o ran hynny. Yn wir, o gyrchu'r copa o'r maes parcio ar uchder o oddeutu 330 metr ar lechweddau Mynydd Llanwenarth, prin y byddai'r cerddwr a ddewisai rodio'r llwybr glaswelltog ar hyd cefnen esmwyth y mynydd hwnnw yn ymwybodol o bresenoldeb

tywodfeini a cherrig llaid coch y Cerrig Cochion – un o raniadau'r Hen Dywodfaen Coch – gan fod y creigiau'n guddiedig dan orchudd o redyn, grug a llus.

Fodd bynnag, wrth droed y llethrau caregog, serth, yn union islaw copa creigiog Mynydd Pen-y-fâl, y mae clytiau o bridd tywodlyd, coch, ynghyd â meini gwasgaredig, yn dystion i fodolaeth y Cerrig Cochion dan yr wyneb, er nad oes argoel ohonynt ar y copa. Yno, o amgylch troed hen biler triongli'r Arolwg Ordnans, llwydwyrdd yw'r haenau noeth o dywodfaen a dreuliwyd dan draed cerddwyr lu.

Er bod y creigiau hyn a'r Cerrig Cochion oddi tanynt yn goleddu'n raddol tua'r de, dyddodwyd y tywod a'r llaid a roes fod iddynt, fesul haen lorweddol, gan afonydd a lifai ar draws gwastadeddau eang, cras, pan orweddai Cymru'r cyfnod Defonaidd tua 30° i'r de o'r

cyhydedd. Er hynny, y mae gwahaniaeth rhwng oedran y coch a'r llwydwyrdd. Perthyn i'r cyfnod Defonaidd Isaf, tua 390 miliwn o flynyddoedd yn ôl, y mae'r Cerrig Cochion, ond priodolir y tywodfeini gwyrddion i ddiwedd y Defonaidd a ddaeth i ben tua 360 miliwn o flynyddoedd yn ôl.

Fel yr awgryma'r enw, creigiau tra gwahanol eu natur sy'n goron ar Ben Cerrig Calch (701 m), trum a saif i'r gogledd-orllewin o Fynydd Pen-y-fâl a'r ochr draw i ddyffryn afon Grwyne Fawr. Ond er ei bod hi'n wir i ddweud bod creigiau'r Hen Dywodfaen Coch dan orchudd o 'gerrig calch', sef Calchfaen Carbonifferaidd, ceir ar ben y calchfeini

Pen Cerrig Calch

gapan llai o dywodfeini 'Grut Melinfaen' y cyfnod Carbonifferaidd. Perthyn i greigiau Mynydd Llangatwg, ar ochr ddeheuol dyffryn Wysg, y mae'r 'ynys' fach Garbonifferaidd hon, gweddillion brig y Calchfaen Carbonifferaidd a'r 'Grut Melinfaen' a ymestynnai ymhellach o lawer tua'r gogledd cyn y cafodd eu tiriogaeth ei bylchu a'i hynysu wrth i afon Wysg dyrchu'n gynyddol ddyfnach i'r tir.

Y tu hwnt i dir amaethyddol bras dyffryn Wysg ac uwchlaw pentref prydferth Llangatwg, cwyd Craig y Cilau, erchwyn gwaun uchel, wastad Mynydd Llangatwg ar ymylon gogleddol maes glo de Cymru. Er gwaethaf ei golwg, nid amffitheatr greigiog gwbl naturiol mo Craig y Cilau oherwydd, yn ystod y ddeunawfed ganrif a'r bedwaredd ganrif ar bymtheg, arferid cloddio'r calchfaen sy'n sail i'w tharenni toredig. Oddi yno câi'r cerrig eu cludo ar dramffordd yr holl ffordd i Nant-y-glo, lle y llosgid y garreg galch ynghyd â mwyn haearn a glo yn ffwrneisi gweithfeydd haearn yr ardal honno.

Ond Gwarchodfa Natur Genedlaethol yw Craig y Cilau heddiw, ar gyfrif nid yn unig ei phlanhigion – dros 250 o rywogaethau ohonynt, gan gynnwys y gerddinen wen fach (*Sorbus minima*), coeden na cheir mohoni yn unman arall yng Nghymru – ond hefyd fawnog y Waun Ddu, a'r rhwydwaith rhyfeddol o ogofâu yng nghrombil tywyll Mynydd Llangatwg. Bellach, mae ymhell dros 70 cilometr o dramwyfeydd wedi'u harchwilio, sy'n cynnwys systemau adnabyddus Agen Allwedd (32.5 km o hyd) ac Ogof Darren Cilau (27 km o hyd).

Rhan o'r un darren â Chraig y Cilau yw Bryn Gilwern (441 m), y clogwyni ym mlaen Cwm Llanwenarth a'r Blorens (559 m) i'r de o Fynydd Pen-y-fâl, ac yma eto daw olion diwydiannau ddoe a gogoniannau natur ynghyd. Ac eithrio hen chwareli calchfaen Pwll-du ym mhen uchaf Cwm Llanwenarth, mae'r creithiau diwydiannol yn anweledig o gopa Mynydd Pen-y-fâl. Ond draw ar lechweddau gorllewinol y Blorens, bryn y dynodwyd rhan helaeth ohono yn Safle o Ddiddordeb Gwyddonol Arbennig ar gyfrif ei rostir grugog, cynefin y grugiar, ceir olion Gefail Garnddyrus a agorwyd yn 1817 ynghyd â llwybr tramffordd Hill. Y dramffordd honno oedd y ddolen gyswllt nid yn unig rhwng gwaith haearn Blaenafon a'r efail, ond hefyd â basn Llan-ffwyst ar Gamlas Aberhonddu a'r Fenni a safai ar waelod yr inclein ar lechweddau gogleddol y Blorens.

Caeodd yr efail a'r dramffordd yn 1860–1 a daeth y gwaith cloddio yn chwareli Pwll-du i ben yn dilyn diffodd ffwrnais olaf gwaith haearn Blaenafon yn 1904. Ond gerllaw'r chwareli segur mae mynedfa Ogof Draenen, sydd dros 70 cilometr o hyd – yr ogof hwyaf yng Nghymru a'r ail hwyaf ym Mhrydain.

Dyffryn afon Grwyne Fawr a thrumau'r Mynydd Du i'r gogledd o Fynydd Pen-y-fâl

076

Pen-twyn a Phontsticill

Gall Cwm Taf Fechan frolio mwy o lynnoedd nag unrhyw ddyffryn arall yn ne Cymru, er nad yw'r un ohonynt yn naturiol. Yr hynaf o'r pedair cronfa ddŵr ac un o'r cronfeydd cynharaf yng Nghymru yw Pen-twyn. Fe'i codwyd yn 1858 i ddiwallu'r galw am ddŵr yfed glân yr oedd ei ddirfawr angen ar drigolion Merthyr Tudful, lle bu farw dros 1,500 ohonynt o'r colera yn 1848–9. Bum mlynedd wedi i'r gronfa ddŵr agor gellid cyrchu'r dyffryn nid yn unig ar droed, ond hefyd ar drên, yn dilyn agor gorsaf Dôl-y-gaer ar y rheilffordd a gysylltai Aberhonddu â Dowlais.

Agoriad y rheilffordd, yn anad unrhyw ddigwyddiad arall, a roes fod i'r regatas a gynhelid bob haf ar Lyn Dôl-y-gaer, fel y gelwid y gronfa ddŵr yn lleol. Ar yr adegau hynny, arferai perchenogion siopau a busnesau Merthyr gau eu drysau am un o'r gloch y prynhawn, wrth i foned a gwrêng heidio yn eu miloedd i ben uchaf Cwm Taf Fechan er mwyn dianc rhag mwg, llwch, sŵn, drewdod a budreddi'r dref ddiwydiannol a oedd yn gartref i oddeutu 52,000 o bobl yn 1861.

Ar 7 Gorffennaf 1866, er enghraifft, ddwy flynedd cyn agor y rheilffordd rhwng Merthyr a Phontsticill, a hwylusai'r daith i Ddôl-y-gaer i'r rheiny a oedd yn byw yng nghanol y dref boblog, ymgasglodd 11,000 o bobl ar y llechweddau glaswelltog o amgylch y llyn. Yno, caent fwynhau'r rasys cychod a gwylio llong ager, o bopeth, yn hwylio'r dyfroedd, a hynny yng ngolwg copaon urddasol Bannau Brycheiniog. Ac nid dyna unig atyniadau Regatas Pen-twyn. Gallai'r werin bobl fwynhau'r bwyd a'r ddiod a oedd i'w cael yn Nhafarn Pen-twyn ac ar stondinau eraill, i gyfeiliant Band Pres Cyfarthfa, tra byddai'r byddigions yn gwledda ar ffigys, bananas ac eirin gwlanog – cynnyrch tai gwydr Castell Cyfarthfa – ym mhabell breifat Robert Thompson Crawshay, sylfaenydd y band pres enwog a pherchennog y castell, yn dilyn marwolaeth ei dad, William Crawshay II, yn 1867.

Ond fyth er y diwrnod yr agorwyd cronfa Pen-twyn roedd ei dyddiau wedi'u rhifo, oherwydd o'r cychwyn cyntaf roedd yr argae a godwyd ar draws y dyffryn yn gollwng dŵr! Roedd lleoliad yr argae yn ymddangosiadol ddelfrydol gan fod y dyffryn, yn y man arbennig hwnnw, ar ei fwyaf cul. Byddai unrhyw beiriannydd gwerth ei halen wedi archwilio'r rheswm dros gulni'r cwm, ond er mawr embaras a chywilydd i Thomas Hawkesly – a ystyrid yn 'beiriannydd o fri', yn ôl un o ohebwyr y *Merthyr Express* – aeth ef ati i godi'r argae yn yr union fan lle y mae rhwyg enfawr yn y creigiau, ffawt y gellir ei olrhain o gyffiniau Castell-nedd yn y gorllewin draw ymhell y tu hwnt i Grucywel yn y dwyrain, yn croesi Cwm Taf Fechan. O ganlyniad i'r ffawt, yr hyn a geir yn Nôl-y-gaer yw 'ynys' nid ansylweddol ei maint o galchfaen caled yng nghanol y 'môr' o dywodfeini a cherrig llaid cochion Hen Dywodfaen Coch y Bannau. Ond er gwaethaf ei galedwch, pennaf nodwedd y calchfaen yw nid yn unig y craciau naturiol niferus (bregion) a geir ynddo, ond hefyd y rhwydwaith o ogofâu mawr a bach, llwybrau a grëwyd gan ddŵr glaw a dŵr daear asidig sydd â'r gallu, dros filoedd o flynyddoedd, i hydoddi'r graig lwydlas, haenog, tua 350 miliwn o flynyddoedd oed.

Cronfa ddŵr Pontsticill

O achos trafferthion argae Pen-twyn a'r cynnydd ym mhoblogaeth Merthyr, aed ati i godi dwy gronfa ddŵr arall ym mhen uchaf Cwm Taf Fechan. Agorwyd cronfa ddŵr Neuadd Isaf ychydig y tu hwnt i Lyn Dôl-y-gaer yn 1884, ac yna yn 1902, y flwyddyn y daeth y Rhyfel yn erbyn y Boeriaid i ben, cwblhawyd cronfa ddŵr Neuadd Uchaf (neu'r 'Zulu', chwedl pobl Merthyr) ym mhen uchaf oll y dyffryn.

Yn y cyfamser, fodd bynnag, roedd cronfa Pen-twyn yn dal i ollwng oddeutu 50,000,000 o litrau o ddŵr y dydd! Ofer fu pob ymgais i atal y llif, er i'r gwaith peirianyddol a gyflawnwyd yn 1912–13 leihau'r golled i oddeutu 9,092,000 o litrau y dydd. Gan nad oedd modd datrys y broblem ddifrifol hon, mater o raid oedd codi argae newydd ar seiliau cadarnach creigiau'r Hen Dywodfaen Coch ymhellach i lawr y dyffryn, argae a fyddai'n cronni'r dŵr a ddihangai'n ddi-baid o Lyn Dôl-y-gaer. Felly, yn 1913, dechreuwyd ar y gwaith o godi argae newydd ar draws llawr dyffryn afon Taf Fechan yng nghyffiniau pentref gwasgaredig Pontsticill, ond o ganlyniad i'r Rhyfel Byd Cyntaf, ni chafodd cronfa ddŵr Pontsticill mo'i chwblhau tan 1927.

Yn briodol ddigon, glaw trwm a chymylau dudew, isel, a gafwyd ar achlysur yr agoriad swyddogol, ddydd Iau, 21 Gorffennaf 1927, tywydd diflas a weddai i dorcalon y trigolion hynny y bu'n rhaid iddynt dalu'r pris am ofer esgeulustod peiriannydd cronfa Pen-twyn drwy ymadael â'u cartrefi ar lawr y cwm. Er hyfryted yr olygfa tua'r Bannau heddiw, yn guddiedig ar lawr y llyn y mae tiroedd wyth fferm, ambell fwthyn a thyddyn, Capel Taf Fechan, sef eglwys Dôl-y-gaer a godwyd yn y bymthegfed ganrif, a chapel yr Annibynwyr.

Llyn Dôl-y-gaer, Craig Gwaun Taf, Corn Du a Phen y Fan

Pen-wyllt

077

Rai blynyddoedd wedi i Adelina Patti brynu Bryn Melin yn 1878 a'i drawsnewid yn greadigaeth Gothig a enwyd ganddi yn Graig-y-nos, cyfaddefodd y gantores opera fyd-enwog fod yr holl amser a dreuliai oddi cartref yn 'amser coll'. O'r foment yr ymwelodd hi a'i chariad, y tenor Ernesto Nicolini, â'r eiddo am y tro cyntaf, syrthiodd Patti mewn cariad â natur wyllt a gwedd ramantus, wledig, pen uchaf Cwm Tawe, a hyd ei marwolaeth yn 1919 roedd ei 'chastell', ar lannau afon Tawe, yn rhywle lle y gallai fwynhau cyfnodau o breifatrwydd a llonyddwch.

Llonyddwch, efallai, ond nid distawrwydd, oherwydd ar y pryd roedd Craig-y-nos o fewn clyw ardal ddiwydiannol gyfagos Pen-wyllt, fry ar lechweddau dwyreiniol y cwm. Yn ystod hanner cyntaf y bedwaredd ganrif ar bymtheg, ymhell cyn i Patti ymgartrefu yng

Nghraig-y-nos, câi calchfaen yr ardal ei gloddio a'i losgi yn odynau Twyn-y-ffald, Pen-wyllt, a'r calch a gynhyrchid ynddynt ei gludo ar hyd Tramffordd y Fforest Fawr cyn belled â Phontsenni tua'r gogledd, i ddiwallu anghenion ffermwyr Cwm Crai a'r cyffiniau, ac i weithfeydd haearn Ynysgedwyn ac Ystalyfera ymhellach i lawr Cwm Tawe.

Datblygodd yr ardal ymhellach yn ystod y 1860au a'r 1870au. Yn ogystal â helaethu'r chwareli calchfaen a chodi mwy o odynau calch a wasanaethid gan rwydwaith o dramffyrdd, codwyd rhesi byrion o fythynnod (gelwid un rhes yn Patti Row) i gartrefu gweithwyr y gwahanol ddiwydiannau, ac agorwyd gwaith briciau tân Pen-wyllt a rheilffordd Castell-nedd–Aberhonddu.

Roedd Patti yn gwbl gyfarwydd â thirwedd ddiwydiannol Pen-wyllt gan iddi hi fanteisio i'r eithaf ar ddyfodiad y rheilffordd. O orsaf

Fan Hir a chwareli calchfaen Pen-wyllt

a chlir, gallai droi ei chefn ar yr hagrwch diwydiannol o'i chwmpas drwy ddyrchafu ei llygaid i'r mynyddoedd o boptu iddi, mawredd Fan Hir tua'r gogledd a chreigiogrwydd tarenni'r Garreg Lwyd a Charreg Cadno tua'r dwyrain.

Yn gorwedd wrth odre Fan Hir, ychydig i'r de o Lyn y Fan Fawr – tarddle rhai o flaenddyfroedd afon Tawe – y mae un o dirffurfiau dyddodol mwyaf rhyfeddol ac enigmatig Cymru. Dros y rhan fwyaf o'i hyd, mae'r gefnen serthochrog, 1,200 metr o hyd, yn codi 30 metr uwchlaw'r 'ffos' rhyngddi a Fan Hir, er bod ei phen deheuol yn cyffwrdd â throed y darren. Arferid credu bod y tirffurf hwn wedi ymffurfio wrth i ddarnau rhewfriw o greigiau'r Hen Dywodfaen Coch, a ddeilliai o ben ucha'r darren, gwympo a llithro ar i waered dros

Carreg Cadno: creigiau rhewgerfiedig

Pwll Byfre

ddiarffordd Pen-wyllt roedd pob canolfan boblog ym Mhrydain o fewn ei chyrraedd, gan gynnwys America drwy borthladd Lerpwl, a gwledydd cyfandir Ewrop drwy Lundain. Nid oes ryfedd, felly, iddi hi dalu am greu ffordd newydd a alluogai geffyl a thrap i gyrraedd yr orsaf, yn ogystal â thalu'r gost o greu a dodrefnu ei hystafell aros breifat ei hun, heb sôn am godi llinell ffôn rhwng ei chartref a'r orsaf, a ailenwyd yn 'Craigynos' [*sic*] yn 1907. O'r orsaf, ar ddiwrnodau braf

arwyneb maes eira hirhoedlog a oedd wedi ymgrynhoi yng nghysgod Fan Hir. Ond gan fod rhychiadau (crafiadau a grëir wrth i gerrig yn sownd yng ngwadn rhewlif daro yn erbyn ei gilydd) i'w gweld ar arwynebau nifer o'r meini, mae'n debyg mai marian yw'r gefnen a ymgasglodd o flaen trwyn rhewlif hirgul rhwng 13,000 ac 11,500 o flynyddoedd yn ôl.

Ond 20,000 o flynyddoedd yn ôl, roedd yr ardal gyfan dan orchudd llen iâ a gafodd gryn ddylanwad ar arwynebau'r tywodfeini cwartsitig, caled ('Grut Melinfaen'), sy'n goleddu'n raddol tua'r de ac yn gorchuddio'r calchfaen yn ardal y Garreg Lwyd a Charreg Cadno. Wrth lifo tua'r de-orllewin, roedd y cerrig a'r tywod a oedd yn sownd yng ngwadn yr iâ nid yn unig yn gyfrifol am grafu a rhigoli wynebau'r haenau o dywodfaen, ond hefyd eu llyfnhau a'u caboli yn y modd mwyaf trawiadol. Priodolir goroesiad y nodweddion rhewlifol hyn i galedwch y creigiau llwydwyn. Ond er caleted yw'r tywodfeini, arferai un swmp o dywodfaen pydredig orwedd ar ben y calchfaen ar bwys Pwll Byfre, ychydig i'r gogledd o Garreg Cadno, dyddodyn a gloddid i ddarparu'r tywod silica a ddefnyddid i gynhyrchu briciau tân Pen-wyllt, hyd nes i'r gwaith gau ddiwedd y 1930au.

Er i Chwarel Galchfaen Pen-wyllt ailagor am gyfnod byr yn 2007–8, roedd oes ddiwydiannol Pen-wyllt wedi hen ddarfod. Caeodd y rheilffordd i deithwyr yn 1962. Adfeilion yw Patti Row, ond nid Stryd Powell, gerllaw'r hen orsaf reilffordd. Bellach, y rhes hon o ddeg tŷ yn wreiddiol yw pencadlys Clwb Ogofa De Cymru, a sefydlwyd yn 1946.

Yn yr un flwyddyn, darganfu dau o'i aelodau Ogof Ffynnon Ddu, y system ogofâu ddyfnaf ym Mhrydain a'r ail hwyaf yng Nghymru, sef prif nodwedd Gwarchodfa Natur Genedlaethol Ogof Ffynnon Ddu. Rhwng Pwll Byfre, lle y mae Byfre Fechan yn diflannu dan-ddaear, a Ffynnon Ddu, lle y mae'r afon yn ailymddangos ac yn ymuno ag afon Tawe – cwymp o 308 metr – ceir rhwydwaith o dramwyfeydd tanddaearol tua 68 cilometr o hyd.

Hen orsaf Craig-y-nos

Mae'r ffris yn rhan o fur theatr Patti a godwyd yn 1890

078

Dan yr Ogof

I'r sawl sy'n chwennych llonyddwch, mae unigeddau'r Mynydd Du yng nghyffiniau pen uchaf Cwm Tawe yn ddiguro. Yno, mewn mannau diarffordd megis Waun Fignen Felen a Sinc y Gïedd, nid oes fawr ddim i atgoffa'r cerddwr – ac eithrio'r defaid – o bresenoldeb dyn, nac ychwaith o'r rhyfeddodau ym mherfeddion y calchfaen dan

Stalagmid, dwy len grog a philer (hawlfraint©Dan yr Ogof)

draed, ac eithrio ambell afon ddiflan ynghyd â'r tyllau crynion (dolinau), mawr a bach, sy'n britho'r gweundiroedd. Yn amlach na pheidio, dynoda'r tirffurfiau hyn fannau lle y mae rhannau o ddoeau ogofâu anweledig wedi mynd â'u pennau iddynt.

Porth i ran o Annwfn, y byd tywyll tanddaearol, yw Dan yr Ogof, y lle diamser hwnnw sydd y tu hwnt i gyrraedd y rhan fwyaf o ddigon o bobl, ac eithrio'r ogofawyr mwyaf mentrus. A diolch i ymdrechion arwrol cenedlaethau o'r anturiaethwyr di-ofn hynny a fu'n archwilio'r rhwydwaith o ogofâu yng nghrombil y Mynydd Du fyth oddi ar 1912, gall y degau o filoedd o bobl sy'n ymweld â Dan yr Ogof – Canolfan Ogofâu Cenedlaethol Cymru – bob blwyddyn ryfeddu at hynodion naturiol yr hyn yw ogof arddangos wychaf Prydain.

Gan Theophilus Jones, awdur *History of the County of Brecknock* (dwy gyfrol, 1805, 1809), y ceir un o'r cyfeiriadau cynharaf at yr ogof y llifa afon Llynfell allan ohoni wrth droed Darren yr Ogof, cyn ymuno ymhen dim o dro ag afon Tawe. Ond mae'n debyg mai'r brodyr Ashwell a Jeff Morgan o Aber-craf oedd y cyntaf i archwilio'r ogof honno, a hynny yn 1912. Gyda chymorth cwrwgl, a ddefnyddid i groesi tri llyn, a chanhwyllau a lamp olew i oleuo'r ffordd, llwyddodd y ddau frawd i fapio'r cilometr cyntaf o rwydwaith cymhleth o dramwyfeydd a cheudyllau.

Oddeutu hanner cilometr yn unig yw'r daith i ben draw'r Ogof Arddangos ar ddyfnder o oddeutu 90 metr dan wyneb y ddaear, ond er byrred y daith y mae'r tramwyfeydd a'r ceudyllau wedi'u haddurno â ffurfiannau craig y mae eu bodolaeth i'w phriodoli i natur arbennig y Calchfaen Carbonifferaidd. Er caleted yw'r graig, a ffurfiwyd o weddillion sgerbydau calchaidd creaduriaid megis cwrelau a physgod cregyn a ffynnai yn nyfroedd cynnes môr trofannol, bas tua 350 miliwn o flynyddoedd yn ôl, mae dŵr asidig (try dŵr glaw yn asid gwan wrth iddo ddod i gysylltiad â charbon deuocsid yn yr atmosffer) yn meddu ar y gallu i'w hydoddi yn araf bach dros gyfnod o filoedd lawer o flynyddoedd. Y cyfuniad o graig hydawdd a

Ogof y Gadeirlan (hawlfraint©Dan yr Ogof) (dde)

thrylifiad dŵr drwy graciau ac ar hyd yr arwynebau rhwng y gwahanol haenau o galchfaen sydd, ymhen amser, yn gyfrifol am drawsnewid agennau bach yn ogofâu ac yn geudyllau mawr, wrth i lif y dŵr droi'n nentydd ac afonydd ac iddynt rym erydol.

Yn ogystal â hydoddi'r calchfaen, caiff peth o'r calsiwm carbonad yn y dŵr ei waddodi ar ffurf y mwyn calsit y tu mewn i ogofâu wrth i gyfran o'r carbon deuocsid yn y dŵr asidig gael ei ryddhau i'r aer. Cyn disgyn o do ogof, mae pob diferyn o ddŵr yn gadael ar ei ôl ychydig o galsit, sydd ymhen cannoedd neu filoedd o flynyddoedd yn esgor ar stalactid. Ac wrth i ddiferion ddisgyn ar lawr yr ogof islaw stalactid, mae'r calsit a waddodir yn ffurfio stalagmid. Ymhen amser gall stalactidau a stalagmidau uno â'i gilydd i ffurfio pileri.

Ffurfiannau mwyaf cyffredin yr Ogof Arddangos ac Ogof y Gadeirlan, y ceudwll anferthol a ddarganfuwyd yn 1953, yw stalactidau (rhai ar ffurf tiwbiau tenau tebyg i wellt yfed), stalagmidau a phileri, nifer ohonynt wedi'u staenio'n goch a melyn o ganlyniad i bresenoldeb mwyn haearn yn y dŵr. Ar sail eu ffurf, cyffelybwyd y creadigaethau eithriadol hardd hynny a geir yn y ddwy ogof i wrthrychau mor wahanol i'w gilydd â 'bysedd' a 'lleianod', 'angel' a 'dagr'! Ceir enghreifftiau ysblennydd o gerrig dylif yn ogystal, sef dalennau o galsit sy'n ymdebygu i raeadrau wedi'u rhewi'n gorn, a ddyddodwyd gan ddŵr rhedegog ar rannau o furiau a lloriau'r tramwyfeydd. At hynny, mae llenni crog i'w gweld hwnt ac yma hefyd, ffurfiannau nid annhebyg eu golwg i dafelli mawr o gig moch rhesog, a ffurfir pan fo dŵr yn trylifo i lawr to ogof ar oleddf, gan adael haenen ar ben haenen denau o galsit ar ei ôl.

Ychydig dros gilometr o dramwyfeydd yn unig y gwyddys am eu bodolaeth y tu hwnt i ben draw Ogof y Gadeirlan, ond y tu draw i ben eithaf yr Ogof Arddangos ceir cymhlethdod o dramwyfeydd hir a chyfyng a cheudyllau mawr a bach y gellir eu dilyn dros bellter o 15 cilometr a mwy i berfeddion y Mynydd Du. Fodd bynnag, gwyddys fod dŵr sy'n diflannu dan ddaear ger Twyn Tal y Ddraenen, dros bedwar cilometr i'r gogledd-orllewin o'r Ogof Arddangos, yn cymryd 48 awr i gyrraedd ceg Dan yr Ogof. Awgryma hyn fod rhannau helaeth o'r rhwydwaith anhygoel, y dynodwyd un rhan ohoni yn Warchodfa Natur Genedlaethol yn 2004 ar gorn ei nodweddion daearegol, heb eu darganfod hyd yn hyn.

(hawlfraint©Dan yr Ogof)

Craig Derwyddon a Phant-y-llyn

079

Rhan o frig main, hir, y garreg galch i'r gogledd o Bentregwenlais yw Craig Derwyddon a Phant-y-llyn, y naill a'r llall yn rhan o Warchodfa Natur Genedlaethol Carmel. Mae'r warchodfa hefyd yn un rhan fach o Gernydd Carmel, Ardal Gadwraeth Arbennig a ddynodwyd yn 2004, sy'n ymestyn tua'r gorllewin cyn belled â chyffiniau Parc Gwledig Llyn Llech Owain ger Gors-las.

Ond daeth Craig Derwyddon, y clogwyn ar lechweddau gorllewinol Pant-y-llyn, i sylw'r byd a'r betws am y tro cyntaf yn 1813. Wrth i chwarelwyr gloddio'r calchfaen, trawyd ar Ogof Craig Derwyddon (a adwaenir hefyd fel Ogof Pant-y-llyn neu Ogof y Penglogau) ac yn un o'r ceudyllau darganfuwyd gweddillion deuddeg sgerbwd dynol, ynghyd â llestri copr ac esgyrn elc a baedd gwyllt. Gwaetha'r modd, cafodd y rhan fwyaf o'r darganfyddiadau eu dinistrio ac aeth eraill ar goll, ac eithrio un benglog a gyflwynwyd i sylw'r Parchedig Ddoctor William Buckland, y palaeontolegydd enwog a oedd ar y pryd yn aelod o staff Prifysgol Rhydychen. Rhoddodd ef y crair i amgueddfa'r brifysgol a diau mai yno y mae o hyd yn hel llwch ymhlith creiriau anghofiedig eraill.

Safle llyn diflannol Pant-y-llyn

Yn y cyfamser, daeth yr esgyrn a ddarganfuwyd yn sail i un o chwedlau hynotaf a mwyaf anhygoel Sir Gâr. Dywed haneswyr bod Owain Lawgoch, y milwr o Gymro a gor-nai Llywelyn ein Llyw Olaf, wedi cyfarfod â'i ddiwedd yn ystod gwarchae Mortagne-sur-Gironde, ger Bordeaux, ym mis Gorffennaf 1378. Ond dywed y chwedl y cafodd Owain a'i wŷr eu caethiwo rywbryd neu'i gilydd yn Ogof Pant-y-llyn ac yno, yn ôl y sôn, y syrthiodd y fintai a'i harweinydd i drwmgwsg, gan ddisgwyl yr alwad i godi drachefn ac achub Cymru rhag ei gelynion. Yn ôl traddodiad, diofalwch yr un Owain a arweiniodd at greu Llyn Llech Owain wrth i ddŵr ffynnon y bu'n yfed ohoni orlifo oherwydd iddo anghofio ailosod y llech ar ben tarddell 'y grisial win'.

Er i'r gwaith cloddio ddinistrio'r ogof esgyrn, y mae mynedfa fach un ogof i'w gweld hyd heddiw dan gysgod Craig Derwyddon ac uwchlaw Pant-y-llyn, ar fin y llwybr sy'n arwain o amgylch y warchodfa, yn ogystal â hen chwarel fawr gyfagos Glangwenlais. Un o nodau amgen tirwedd Calchfaen Carbonifferaidd yw ogofâu ond y mae ar lawr Pant-y-llyn 'turlough' hefyd, hynotbeth nad oes enghraifft arall ohono i'w gael yn unman arall yng Nghymru, nac ym Mhrydain gyfan ychwaith, er bod llawer i'w gweld yn ardal y Burren,

Chwarel Glangwenlais

bro'r garreg galch yng ngorllewin Iwerddon. Seisnigiad o'r ddau air Gwyddeleg *tuar* (sych) a *loch* (llyn) yw *turlough*, sef llyn diflannol nad oes nac afon na nant yn llifo i mewn iddo nac allan ohono ond sydd, fel arfer, yn llenwi â dŵr ym misoedd gwlyb y gaeaf cyn diflannu drachefn yn ystod misoedd sychaf yr haf.

Gorwedd mewn pant ar lawr sianel ddŵr-tawdd y mae'r llyn diflannol dienw, ceunant a gerfiwyd gan rym y dŵr a ryddhawyd adeg enciliad llen iâ'r Rhewlifiant Diwethaf ac a fanteisiodd ar Ffawt y Betws, y llinell honno o wendid rhwng Craig Derwyddon a Chraig y Ddinas (safle chwarel enfawr Cilyrychen ger Llandybïe). Sail y llyn yw'r calchfaen lleol, craig y mae dŵr glaw asidig yn ei hydoddi gan greu ynddi gymhlethdod o geudyllau, ogofâu bach a thramwyfeydd mawr a mân. Ar ddyfnder arbennig, mae'r tyllau a'r agorfeydd hyn yn llawn dŵr drwy gydol y flwyddyn, ond dim ond yn dilyn glawogydd y gaeaf y mae'r gweddill ohonynt yn llenwi. Y dŵr daear hwn yn unig, a gwyd i'r wyneb drwy lyncdyllau ac agennau eraill yn y calchfaen ar lawr y pant, sy'n cyflenwi'r llyn, a all fod cyn ddyfned â thri metr yn dilyn cyfnodau gwlyb iawn. Wedi'r gaeaf, graddol ostwng y mae lefel y dŵr gan adael, ambell waith, un pwll bach llonydd yn unig yn dynodi lleoliad un o'r llyncdyllau y diflannodd y dŵr drwyddo ar lawr y llyn. Wrth reswm, nid yw natur dymhorol y llyn wrth fodd pysgod, ond y mae'r cynefin arbennig hwn yn gartref i frogaod, llyffantod dafadennog a madfallod, ynghyd â nifer o fân greaduriaid dyfrol eraill.

Yn ystod y 1980au roedd ofn y byddai unrhyw gynllun i ehangu chwarel Glangwenlais yn amharu ar lif y dŵr drwy'r calchfaen, gan fygwth einioes y llyn diflannol unigryw. Ond osgowyd y perygl hwnnw pan ddynodwyd yr ardal yn Warchodfa Natur Genedlaethol ac yn dilyn penderfyniad cwmni Tarmac i gau'r chwarel a fu'n segur o ganol y 1970au ymlaen. Heblaw am y clogwyni calchfaen trawiadol, gogoniant yr ardal o amgylch yr hen chwarel yw'r coetir, cynefin yr onnen yn bennaf yn ogystal ag ychydig o goed derw yn eu llawn dwf. Ond mae'r priddoedd tenau calchaidd hefyd yn cynnal nifer o wahanol blanhigion blodeuol, megis bresychen y cŵn (*Mercurialis perennis*), craf y geifr (*Allium ursinum*), clychau'r gog (*Hyacinthoides non-scripta*), blodyn y gwynt (*Anemone nemorosa*), lili'r dyffrynnoedd (*Convallaria majalis*) a thegeirian coch y gwanwyn (*Orchis mascula*), oll ar eu mwyaf lliwgar yn ystod misoedd y gwanwyn a'r haf cynnar.

Mynedfa'r ogof dan gysgod Craig Derwyddon

Cei Landshipping

Yn ôl M R Connop-Price, yr archaeolegydd diwydiannol a'r hanesydd rheilffyrdd, y mae yng Nghymru un maes glo anghofiedig. Er ei bod hi'n wir i ddweud nad oes yr un pwll glo dwfn ar waith yn y wlad heddiw, mae hanes maes glo'r gogledd-ddwyrain, sy'n ymestyn o gyffiniau'r Waun cyn belled â'r Parlwr Du ar lannau moryd afon Dyfrdwy, yn ddigon cyfarwydd. Mwy cyfarwydd fyth yw hanes maes glo'r de, y gellir ei olrhain o Bont-y-pŵl yn y dwyrain cyn belled â Chwm Gwendraeth Fawr yn y gorllewin. Ond anghofiedig, i raddau helaeth, yw maes glo Sir Benfro, y mae modd ei olrhain ar ffurf gwregys o ardal Amroth–Saundersfoot ar lannau Bae

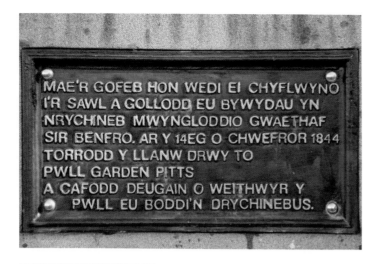

MAE'R GOFEB HON WEDI EI CHYFLWYNO
I'R SAWL A GOLLODD EU BYWYDAU YN
NRYCHINEB MWYNGLODDIO GWAETHAF
SIR BENFRO. AR Y 14EG O CHWEFROR 1844
TORRODD Y LLANW DRWY TO
PWLL GARDEN PITTS
A CAFODD DEUGAIN O WEITHWYR Y
PWLL EU BODDI'N DRYCHINEBUS.

THOMAS GRAY		BENJAMIN PICTON	(16)
BENJAMIN HART		RICHARD COLE	(18)
WILLIAM LLEWELLIN	(30)	JOHN COLE	(16)
JOHN LLEWELLIN	(12)	WILLIAM HUGHES	(15)
THOMAS LLEWELLIN	(45)	JAMES JENKINS	(14)
WILLIAM LLEWELLIN	(58)	WILLIAM HITCHINGS	(13)
BENJAMIN JONES	(25)	JOHN NOWFIELD	(18)
JOSEPH PICTON	(40)	THOMAS DAY	(11)
JAMES PICTON	(15)	JOHN COLE	(16)
MARK PICTON	(13)	THOMAS COLE	(14)
JOSEPH PICTON	(11)	RICHARD JONES	
JOHN COLE	(25)	MINER WILKINS	
JOHN HITCHINGS		MINER HART	
JOHN RICHARDS		MINER LLEWELLIN	
ISAAC OWEN	(23)	MINER JOHN	(CHILD)
JOSUA DAVIES	(22)	MINER DAVIES	
JOHN DAVIES	(18)	MINER BUTLER	
THOMAS JOHN	(20)	MINER BUTLER	
EDWARD JOHN	(13)	MINER THOMAS	
JOSEPH PICTON	(11)	UNKNOWN MINER	

Caerfyrddin hyd Aber-bach (Little Haven)–Niwgwl ar lannau Bae Sain Ffraid, ac y cofnodwyd ei hanes 'coll' yn gampus gan Connop-Price yn ei gyfrol *Pembrokeshire The Forgotten Coalfield* (2004). Pan gaeodd glofa Hook yn 1948, gwaith a safai gerllaw glan afon Cleddau Wen, ger Hwlffordd, daeth 600 mlynedd o hanes y diwydiant yn Sir Benfro i ben. Serch hynny, erys rhai creithiau hwnt ac yma, megis hen dipiau a lefelau, traciau rheilffyrdd a thramffyrdd diflanedig ac

adfeilion adeiladau pen-pwll, ynghyd â rhai olion nad oes a wnelont, ar yr olwg gyntaf, ddim oll â'r diwydiant glo.

Daw'r heol gyhoeddus, gul i'r gorllewin o bentrefan gwasgaredig Landshipping i ben yn Landshipping Quay, ar lan ddwyreiniol afon Daugleddau, ychydig i'r de o gymer Cleddau Ddu a Chleddau Wen. Ond rhwng chwarter olaf y ddeunawfed ganrif a diwedd y 1860au, y tir o amgylch y bae deniadol, tawel, diarffordd, hwn oedd canolbwynt glofa Landshipping, a'r bae ei hun yn safle porthladd yr allforid y glo carreg a'r cwlwm (llwch glo/glo mân) ohono, cynnyrch a godid o byllau bas niferus y lofa. Roedd y gwaith yn rhan o stad Oweniaid Orielton ac yn negawd agoriadol y bedwaredd ganrif ar bymtheg bu Syr Hugh Owen yn gyfrifol am fuddsoddi arian mawr yn y fenter. Yn 1800 prynwyd peiriant ager, y cyntaf i'w ddefnyddio ym maes glo Penfro, ar gyfer pwmpio dŵr o'r pyllau; codwyd arglawdd newydd a phont dros Landshipping Pill (afon yw 'pill') yn ogystal â chei newydd ar y pentir, ar ochr ddeheuol y bae. Ddeng mlynedd yn ddiweddarach agorwyd tramffyrdd a gysylltai brif byllau'r lofa â'r arglawdd a'r cei newydd. Yn sgil y gwelliannau hyn allforiai'r lofa tua 10,000 o dunelli o lo a chwlwm y flwyddyn. Cludid y cynnyrch mewn llongau hwylio, nid yn unig i borthladdoedd bach ar lannau dyfrffordd Aberdaugleddau, ond hefyd i fannau megis Aberteifi,

Ffosil coes planhigyn

Landshipping Pill

Aber-porth, Llangrannog a'r Bermo, ar lannau Bae Ceredigion, lle y câi'r cwlwm ei ddefnyddio'n bennaf yn danwydd mewn odynau calch. Datblygodd masnach arbennig rhwng Landshipping ac Aberdyfi, a rhwng 27 Mawrth a 3 Ebrill 1835 ymwelodd deg o longau Aberdyfi â'r cei prysur ar lannau afon Daugleddau.

Er cystal oedd ansawdd y glo carreg, a losgai'n boeth heb gynhyrchu fawr ddim mwg na lludw, tenau a drylliedig oedd y gwythiennau a oedd i'w canfod ymhlith yr haenau plyg a thoredig o gerrig llaid a thywodfeini cystradau glo'r sir. At hynny, roedd rhai o dramwyfeydd tanddaearol a thalcenni glo pyllau glofa Landshipping yn ymestyn dan ddyfroedd llanwol afon Daugleddau. Felly yr oedd hi yn achos Garden Pit, pwll tua 60 metr o ddyfnder gerllaw'r pentir ar lan ddeheuol y bae.

Brynhawn Dydd Gŵyl San Ffolant 1844, roedd o leiaf 58 o ddynion, gwragedd a phlant wrth eu gwaith yn y rhan honno o'r pwll, y tu hwnt i'r lan. Yna, yn ddisymwth, daeth y gweithwyr ar ben y siafft yn ymwybodol o hyrddiadau grymus o wynt a godai o berfeddion y pwll ar yr union eiliad yr ymffurfiai trobyllau chwyrn yn yr afon nid nepell o'r lan, wrth i genllif o ddŵr daranu drwy'r tramwyfeydd tanddaearol. Ac eithrio'r pedwar gŵr a'r 14 o blant a achubwyd, nid oedd dianc rhag rhyferthwy'r dilyw. Er na chafwyd hyd i gyrff y meirw, gwyddys i'r trychineb, y gwaethaf o'i fath yn ne Cymru gyfan, hawlio o leiaf ddeugain o'r gweithwyr, er bod trigolion yr ardal o'r farn fod y cyfanswm yn agosach at 70–80, gan na chedwid cofnodion o blant dan ddeg oed. Ar y gofeb a godwyd ar yr arglawdd yn 2002 credir mai gwragedd a phlant oedd yr wyth 'Miner' nad oes iddynt enwau bedydd, oherwydd i'r Ddeddf Seneddol a basiwyd yn 1842, ddwy flynedd cyn y trychineb, wahardd yr arfer o gyflogi gwragedd a phlant dan ddeg oed dan ddaear. Priodolwyd y trychineb i esgeulustod rheolwyr y lofa.

Bu glofa Landshipping yn segur am rai blynyddoedd wedi digwyddiad erchyll Chwefror 1844 a byrhoedlog hefyd fu'r ymdrech a wnaed i'w hadfywio yn ystod y 1850au a'r 1860au. Heblaw'r gofeb, yr unig atgof o'r hyn a fu yw rhan o fur dadfeiliedig cei'r pentir, un tŷ yn dwyn yr enw 'Garden Pitts [*sic*]' a chreigiau'r Cystradau Glo Canol ac Isaf – cerrig llaid a thywodfeini ac ynddynt ffosilau o'r coed a roes fod i'r gwythiennau glo, tua 310 o filiynau o flynyddoedd oed – sy'n ffurfio'r clogwyni ar lan ogleddol y bae.

Talacharn

081

Yn 1949 yr ymgartrefodd Dylan Thomas a'i wraig, Caitlin, yn y Boat House ar lan moryd afon Taf a byth oddi ar hynny 'tref Dylan' yw Talacharn. Yno, ym mynwent Eglwys Sant Martin, ar gyrion y dreflan hanesyddol, y'i claddwyd wedi'i farwolaeth annhymig yn Efrog Newydd ar 9 Tachwedd 1953. 'Laugharne' oedd testun ei sgwrs radio olaf a ddarlledwyd ar 5 Tachwedd 1953, portread gogleisiol a chofiadwy o'r 'dref ddigyfnewid, hyfryd, falmaidd' a oedd, yn ei farn ef, yn lle pwysig – ymhlith pethau eraill – ar gyfer crehyrod, bilidowcars, gwylanod, jac-dos, gylfinirod, ystlumod, cocos a chastell.

O'i gwt ysgrifennu gerllaw'r tŷ cwch roedd y bardd o fewn golwg ysblander yr 'heron Priested shore' a'r ardal gyfagos a fu'n gefndir i lawer o'i gerddi diweddarach megis 'Poem on his Birthday'.

Dyddio o'r ddeuddegfed ganrif y mae'r castell Normanaidd, cochlyd ei liw, a saif ar frig creigiau cochion yr Hen Dywodfaen Coch ar lan afon Coran. Dan furiau'r gaer, a adwaenid gynt fel Castell Coran, mae sianel ddolennog yr afonig, sy'n ymdroelli drwy glwt o forfa heli, yn cynnig noddfa i ambell gwch. Rhan o Lwybr Pen Blwydd Dylan, a aned ar 27 Hydref 1914, yw'r lôn ar lan y morfa ac ymhen dim

Y morfa heli ar lannau moryd afon Taf

o dro mae'n graddol godi drwy'r coed ar lechweddau dwyreiniol serth St John's Hill i'r de o'r dref. Dyma lwybr y mae'n werth ei ddringo, yn enwedig ar ddiwrnod braf o haf, gan fod yr olwg a geir ar foryd afon Taf a'r rhan honno o Fae Caerfyrddin lle y mae afonydd Taf, Tywi a Gwendraeth yn ymuno â'i gilydd yn syfrdanol. Mae'r olygfa ar ei gorau pan fo'r môr ar drai. Y pryd hwnnw, gellir dilyn yr afon ar ei thaith droellog, ddioglyd, drwy gymhlethdod o fanciau tywod cyfnewidiol eu patrwm, bob cam hyd ei chymer â'r ddwy afon arall rhwng Traeth Talacharn a Thraeth Cefn Sidan.

Ymestyniad o Draeth Pentywyn (Pendein ar lafar gwlad), a fu'n gyrchfan rhai o raswyr ceir enwocaf y byd, yw Traeth Talacharn ac yn gefn i'r ddau cwyd llain o dwyni tywod mawr, naw cilometr o hyd a rhwng 500 a 1,000 metr o led, ar sylfaen tafod o ro. Wrth i'r tafod raddol ymestyn tua'r dwyrain, datblygodd morfeydd heli yn ei gysgod, tir gwastad y mae'r rhan fwyaf o ddigon ohono wedi'i adennill o'r môr a'i droi'n dir amaeth. Ond aros mae un rhimyn o forfa heli o flaen y clawdd llanw sy'n cysylltu pen dwyreiniol y twyni tywod (Pentir Ginst) â godreuon llechweddau deheuol St John's Hill. Dyma gynefin y planhigion a all wrthsefyll amodau eithafol: gwres a

sychder yr haf, a chael eu boddi gan ddŵr heli. Llygwyn llwydwyn (*Atriplex portulacoides*) â'i ddail llwydwyrdd hirgrwn yw'r amlycaf o'r planhigion sy'n tyfu yma ar arwyneb y morfa rhwng y pantiau heli a'r rhwydweithiau cymhleth o sianeli mwdlyd, ond ceir hefyd rywogaethau eraill, megis llyrlys cyffredin (*Salicornia europaea*) â'i goesau noddlawn, bwytadwy, seren y morfa (*Aster tripolium*) â'i flodau porffor golau, a lafant y môr (*Limonium vulgare*) sydd hefyd â blodau porfforaidd.

Tystia'r ogofâu a'r cilfachau bach a welir hwnt ac yma yn y creigiau sy'n sail i St John's Hill mai hen glogwyni môr yw'r tirffurfiau sy'n codi uwchlaw gwastadeddau'r morfeydd. Gellir dilyn y clogwyni hyn bob cam i Bendein ac fe'u lluniwyd ar adegau pan oedd lefel y môr yn uwch na'i lefel bresennol. Felly yr oedd hi tua 125,000 o flynyddoedd yn ôl, yn ystod y cyfnod rhyngrewlifol cynnes a ragflaenai'r Rhewlifiant Diwethaf, pan oedd lefel y môr oddeutu wyth metr yn uwch na'i lefel bresennol. Haenau o dywodfeini a cherrig llaid cochion, a ymgasglodd ar wyneb y tir yn ystod y cyfnod Defonaidd, tua 400 miliwn o flynyddoedd yn ôl, yw'r creigiau y naddwyd yr holl glogwyni ohonynt, ac eithrio'r pentir a ddaw i'r golwg wrth ddilyn y llwybr cyhoeddus sy'n cydredeg â throed y clogwyni i gyfeiriad Pendein.

Talp o galchfaen llwydlas, gwytnach na'r creigiau cochion sydd yn ei amgylchynu, yw'r pentir. Ei nodwedd amlycaf heddiw yw'r chwarel fawr, gwaith cloddio a fu, ysywaeth, yn gyfrifol am ddinistrio Ogof Coegan, yr unig safle y gwyddys amdano yng Nghymru sy'n dyddio i sicrwydd o'r cyfnod Palaeosöig canol. Cyhoeddwyd canlyniadau'r cloddiadau cyntaf yn 1867, gwaith arloesol a gyflawnwyd gan Dr Henry Hicks, y Cymro Cymraeg a'r meddyg gwlad o Dyddewi a etholwyd yn Gymrawd y Gymdeithas Frenhinol yn 1885 am ei waith

ymchwil daearegol. Wedi hynny, bu archaeolegwyr wrthi'n archwilio cynnwys yr ogof ar wahanol adegau hyd y 1960au. Awgryma eu harchwiliadau fod ein hynafiaid Neanderthalaidd wedi gwneud peth defnydd o'r lloches, rywbryd rhwng 60,000 a 40,000 o flynyddoedd yn ôl. Yna, tua 30,000 o flynyddoedd yn ôl, yn ystod y cyfnod oer a ragflaenai uchafbwynt y Rhewlifiant Diwethaf, meddiannwyd yr ogof gan gnud o udfilod. Yn y ffau hon y darniai ac y bwytâi'r creaduriaid rheibus hynny eu prae, fel y tystia esgyrn cnöedig a thoredig anifeiliaid diflanedig, megis y mamoth a'r rhinoseros blewog, y cafwyd hyd iddynt adeg y gwaith cloddio.

Yr ogofâu wrth droed St John's Hill

251

082

Mynydd Llangyndeyrn

Mae'n amhosibl dweud p'un ai a oedd trigolion yr Oes Neolithig a'r Oes Efydd yn gwneud yn fawr o'r golygfeydd sydd i'w cael o gopa Mynydd Llangyndeyrn, a gwyd uwchlaw'r dolydd ar ddwylan afon Gwendraeth Fach. Ond oddi yma, ar ddiwrnod clir, mae Bannau Sir Gâr i'w gweld tua'r dwyrain, Penrhyn Gŵyr tua'r de, arfordir Bae Caerfyrddin tua'r de-orllewin a'r Preselau a'r Frenni Fawr tua'r gorllewin.

Rhan o'r wahanfa ddŵr rhwng Cwm Gwendraeth Fach a Chwm Gwendraeth Fawr yw Mynydd Llangyndeyrn ac mae'n ymddangos y bu'r uchelfan hwn, a gwyd i uchder o 262 metr, yn ganolbwynt cryn

weithgaredd dynol yn ystod y cyfnod cyn hanes. Bwrdd Arthur a Gwâl y Filiast, dwy siambr gladdu Neolithig ddadfeiliedig ychydig i'r dwyrain o'r copa uchaf, yw'r henebion cynharaf ac fe'u codwyd tua 5,500 o flynyddoedd yn ôl, wrth droed un o sawl crib creigiog sy'n nodweddu ystlys deheuol y mynydd. Sail y cribau, y gellir eu holrhain o'r gogledd-ddwyrain i'r de-orllewin, yw haenau o dywodfeini caled (cwartsitau) sy'n goleddu'n serth tua'r de-ddwyrain, a slabiau o'r cwartsitau ('Grut Melinfaen') hyn a ddefnyddiwyd i godi'r ddwy gromlech fach.

Mwy niferus yw'r henebion sy'n dyddio o'r Oes Efydd, er bod llawer ohonynt – carneddau cylchog yn bennaf – yn anodd i'w canfod ymhlith y pentyrrau o greigiau rhewfriw wrth odre'r cribau a'r lleiniau o lystyfiant corslyd rhwng y naill gefnen greigiog a'r llall. Yr eithriad amlycaf yw'r maen hir, slabyn mawr o gwartsit tua 3.8 metr o hyd a ailosodwyd ar ei draed yn 1976, ond a godwyd yn wreiddiol ychydig dros 3,000 o flynyddoedd yn ôl ar lain o dir rhwng dau grib i'r de o'r copa. Y ddau eithriad arall yw'r cylch o feini bach gerllaw'r copa ynghyd â'r garnedd laswelltog y saif yr hen biler triongli yn ei chanol.

Dan gopa'r mynydd mae clogwyni tarren y garreg galch wedi'u bylchu gan dair chwarel fawr – Crwbin, Torcoed-fawr a Thorcoed – i'r gogledd-ddwyrain o bentref Crwbin, er mai'r gyntaf a'r olaf yn unig a

oedd mewn bodolaeth hyd flynyddoedd cynnar yr ugeinfed ganrif. A barnu yn ôl y tair odyn galch ar ddeg a oedd ar lawr Chwarel Crwbin, hyd nes iddi gau rywbryd rhwng y 1880au ac 1905, calch i ddiwallu gofynion amaethwyr oedd ei phrif gynnyrch. Chwarel Torcoed yn unig sydd ar waith heddiw.

Islaw tarren y Calchfaen Carbonifferaidd mae'r llethrau, y mae tywodfeini a cherrig llaid yr Hen Dywodfaen Coch yn sail iddynt, yn llai serth ac yn esmwythach o lawer. Yma, ar bob llaw ac ar yr ochr draw i lawr Cwm Gwendraeth Fach, y mae clytwaith o gaeau gwyrddion, tir amaeth y byddai cyfran sylweddol ohono wedi

Pentref Llangyndeyrn

Y maen hir

253

diflannu dan ddyfroedd cronfa ddŵr pe bai cynlluniau Corfforaeth Abertawe wedi cael eu gwireddu.

Ym mis Chwefror 1960 y cafodd trigolion Llangyndeyrn a'r cwm ar ddeall am y tro cyntaf fod Corfforaeth Abertawe, a weithredai ar ran corfforaethau Castell-nedd a Phort Talbot, yn ystyried boddi'r cwm prydferth er mwyn sicrhau ffynhonnell ychwanegol o ddŵr ar gyfer anghenion diwydiannau a chartrefi'r ardaloedd poblog hynny. Ymateb y brodorion i'r bygythiad oedd sefydlu Pwyllgor Amddiffyn yr oedd ei aelodau yn barod i ymladd y frwydr i'r pen er mwyn atal yr awdurdodau rhag gwireddu eu cynllun. Y bwriad oedd codi argae yn Llangyndeyrn a chreu cronfa ddŵr tua chwe chilometr o hyd a fyddai'n ymestyn hyd gyrrau Porth-y-rhyd. Bernid y byddai'r cynllun nid yn unig yn effeithio ar tua deugain o ffermydd gan foddi wyth tŷ a thros 400 hectar o dir, ond hefyd yn distrywio harddwch y cwm a niweidio ei fywyd cymdeithasol Cymraeg.

Daeth y frwydr i'w huchafbwynt mwyaf cyffrous ar 21 Hydref 1963. Ar y diwrnod hwnnw llwyddodd trigolion y fro i rwystro swyddogion a gweithwyr yr awdurdodau rhag cael mynediad i gaeau'r cwm, er mwyn tyllu ac archwilio'r tir, drwy sefyll yn gadarn y tu ôl i'r clwydi cloëdig. Ymhen dim o dro, daeth yn amlwg fod ystyfnigrwydd di-ildio ac ysbryd ymladdgar y bobl yn drech na'r awdurdodau. O ganlyniad, bu'n rhaid i Gorfforaeth Abertawe roi'r gorau i'w chynllun i foddi'r cwm, er na dderbyniodd y brodorion yr un gair swyddogol o gyfeiriad Abertawe i ddweud bod eu tiroedd a'u cartrefi'n ddiogel.

Yn 1983 dadorchuddiwyd cofeb yn Llangyndeyrn 'i gofio'r frwydr hir rhwng 1959 a 1964 i gadw Cwm Gwendraeth Fach rhag cael ei foddi gan Gorfforaeth Abertawe ac o barch i'r ddau arweinydd Mr William Thomas [Cadeirydd y Pwyllgor Amddiffyn] a'r Parchedig W.M. Rees'. Ef oedd Ysgrifennydd y Pwyllgor ac awdur *Sefyll yn y Bwlch* (2013) a gyhoeddwyd hanner can mlynedd wedi'r fuddugoliaeth fawr. Ond roedd pris i'w dalu. Yn unol ag awgrym y Pwyllgor Amddiffyn a'r peirianwyr ymgynghorol a weithredai ar ei ran, troes golygon Corfforaeth Abertawe tua phen uchaf dyffryn Tywi. Aflwyddiannus fu'r frwydr ddewr a dygn a ymladdwyd gan Bwyllgor Amddiffyn Dyffryn Tywi ac eraill. Boddwyd 'tir diffaith' blaenau Tywi ac ym Mai 1973 cynhaliwyd seremoni agoriadol swyddogol cronfa ddŵr Llyn Brianne.

Hen lofa Cynheidre

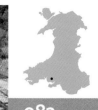

083

Ar ddarn o dir a fu unwaith yn eiddo i fferm Cynheidre Fawr, nid nepell o Bont-iets, saif dwy bibell rydlyd, unig, y naill a'r llall yn codi uwchlaw dau bant glaswelltog lle safai tyrau pen-pwll glofa fawr ('super pit') Cynheidre. Am rai blynyddoedd bu'r pwll hwn yn destun ymffrost y Bwrdd Glo Cenedlaethol. Ond heblaw am ddarnau o ambell lôn goncrit ac olion annelwig o seidins y lofa gerllaw hen lwybr rheilffordd y Mynydd Mawr, yr unig olion a erys o'r hyn a oedd yn ei ddydd y pwll glo carreg mwyaf yng ngorllewin Ewrop yw'r pibelli, tystion mud i fethiant alaethus y fenter.

Ar Ddydd Gŵyl Dewi 1954, cwta saith mlynedd ar ôl gwladoli'r diwydiant glo, y rhoddwyd cychwyn ar suddo'r ddwy siafft (Cynheidre 1 a 2, fel y'u gelwid) hyd ddyfnder o oddeutu 725 metr gyda'r bwriad o ymelwa ar y gwythiennau dyfnion o lo carreg o'r ansawdd gorau. Disgwylid i'r lofa, a agorwyd yn 1960, gyflogi dros dair mil o ddynion a chynhyrchu tua miliwn o dunelli o lo bob blwyddyn, dros gyfnod o gan mlynedd. Ond hyd yn oed yn 1972, ddeuddeng mlynedd wedi'r agoriad swyddogol, ac wedi i Lofa Ddrifft Pentremawr [sic] a Glofa Cwm Sinkings ddod yn rhan o Lofa Cynheidre drwy eu cysylltiadau tanddaearol, roedd cynnyrch a gweithlu'r 'super pit' yn fyr iawn o'r nod a ragwelid. (Safai Glofa Ddrifft Pentre-mawr ychydig i'r de-orllewin o Bontyberem, a Glofa Cwm Sinkings, safle siafftiau Cynheidre 3 a 4, i'r dwyrain o Bontyberem.) Ni lwyddodd y 1,430 o ddynion a gyflogid i gynhyrchu mwy na 472,000 tunnell o lo, cynnyrch gwythïen y Bumcwart a gloddid yn bennaf ym Mhentre-mawr, a'r Fawr, y brif wythïen a gloddid yng Nghynheidre. Ond er mor gyfoethog oedd y Fawr, haen o lo ac iddi drwch o oddeutu tri metr, fel rheol, a 15 metr mewn ambell fan, aeth y sefyllfa o ddrwg i waeth gyda threiglad y blynyddoedd. Yn 1980 roedd y nifer a gyflogid wedi gostwng i oddeutu 1,000 a'r cynnyrch yn llai na hanner cyfanswm 1972.

Un o'r problemau mwyaf yng Nglofa Cynheidre oedd y dull anaddas ac aneconomaidd a fabwysiadwyd i gloddio'r glo. Roedd agor ffasau hir y gellid eu cloddio gyda chymorth peiriannau mawr symudol yn ddull priodol lle nad oedd y gwythiennau wedi'u plygu'n enbyd a'u torri gan ffawtiau. Ond nid felly yr oedd hi yng nghyffiniau Glofa Cynheidre. Un funud, gweithiai'r peiriant torri glo ei ffordd drwy'r wythïen lo a'r funud nesaf câi ei hun yng nghanol haenau o dywodfeini a cherrig llaid diwerth. Y gamp wedyn oedd ailddarganfod lleoliad yr wythïen goll.

Problem ddifrifol arall ym mhob adran o'r lofa oedd y ffrwydradau ('outbursts') niferus a ddigwyddai yng ngwythïen y Fawr, pan gâi tunelli, ac weithiau gannoedd o dunelli, o lwch glo mân yn gymysg â nwy pwll glo (methan) eu chwistrellu ar gyflymder mawr drwy dyllau bach yn y creigiau a'r gwythiennau glo, i ganol y ffyrdd a'r tramwyfeydd tanddaearol. O ganlyniad i'r ffrwydrad a ddigwyddodd ar 6 Ebrill 1971, yr 'outburst' angheuol gwaethaf i'w gofnodi yng ngwledydd Prydain, lladdwyd chwe glöwr ac anafwyd 69.

Er gwaetha'r problemau, roedd Glofa Cynheidre hefyd wedi'i chlustnodi'n safle Glofa Ddrifft Carwe Fawr. Yn 1986 y rhoddwyd cychwyn ar y gwaith o suddo'r ddau dwnnel a redai tua'r de, ond ar ôl gwario dros £30 miliwn, penderfynwyd cau Cynheidre a dwyn y prosiect drudfawr, nad esgorodd ar un dunnell o lo, i ben.

Cymhlethdodau daearegol yn bennaf dim, problemau a oedd yn drech na'r awdurdodau, a arweiniodd at gau Glofa Cynheidre yn Ionawr 1989, 71 o flynyddoedd yn brin o'r cant y rhagwelai ambell un o au proffwydi'r Bwrdd Glo fyddai oes y 'super pit'. Nid bod y penderfyniad yn syndod i'r sawl a oedd yn gyfarwydd â gwaith ymchwil H K Jordan, daearegwr a oedd, ym mlynyddoedd cynnar yr ugeinfed ganrif, wedi dod i'r casgliad, ar sail y ddaeareg ddyrys, mai gwastraff arian fyddai agor glofa yn ardal Cynheidre.

Wedi i'r glowyr droi eu cefn am y tro olaf ar y 60 cilometr a mwy o ffyrdd tanddaearol a ddefnyddid ym mlynyddoedd olaf y lofa, aed ati i glirio'r safle a dymchwel y ddau dŵr pen-pwll eiconig, gyda'u hoffer dirwyn wedi'u lleoli ar ben y naill ffrâm a'r llall, yn hytrach nag mewn adeilad ar wahân. Codwyd hefyd gledrau rheilffordd y Mynydd Mawr, y ddolen gyswllt rhwng y lofa a dociau Llanelli, a'i droi'n llwybr cerdded a beicio. Atgof o ddyddiau'r rheilffordd a adwaenid gynt yn Dramffordd Sir Gâr – y rheilffordd gyhoeddus gynharaf ym Mhrydain, a agorwyd yn 1803 – yw menter Cwmni Rheilffordd Llanelli a Mynydd Mawr Cyfyngedig a sefydlwyd yn 1999. Bwriad y cynllun uchelgeisiol yw datblygu'r safle gerllaw'r hen lofa ddrwg-enwog yn gyrchfan ymwelwyr ac yn 'ganolfan ddiwydiannol a threftadaeth rheilffyrdd' y bydd un rheilffordd, tua chilometr a hanner o hyd, yn rhan ohoni.

Ffos Las, Trimsaran

Byth ers i fodau dynol ymgartrefu ar dir Cymru yn ystod y cyfnod cynhanes, mae eu dylanwad ar bryd a gwedd tirwedd y wlad wedi bod yn gynyddol bwysig. Bellach, mae stamp ein gweithgareddau amrywiol yn annileadwy, i'r graddau bod hyd yn oed tirweddau y rhan fwyaf o warchodfeydd natur cenedlaethol y wlad dan reolaeth dyn. Eto i gyd, cymharol fach, hyd yma o leiaf, fu dylanwad uniongyrchol neu anuniongyrchol dyn ar dirffurf Cymru – ar batrwm ein harfordir a'n dyffrynnoedd, ein bryniau a'n mynyddoedd. Yr eithriad amlycaf, a'r mwyaf o ddigon, yw'r newidiadau syfrdanol a fu i natur a chymeriad y rhan honno o Gwm Cilferi y rhed afon Morlais drwyddi, i'r gorllewin o Bump-hewl rhwng Carwe a Thrimsaran, nid nepell o ben isaf Cwm Gwendraeth Fawr.

Dengys mapiau 1:10,560 (chwe modfedd i'r filltir) yr Arolwg Ordnans, a gyhoeddwyd yn 1907, fod y tir ar lan ddeheuol sianel ddolennog a choediog yr afon yn graddol godi tua'r de, cyn esgyn yn serthach hyd grib Mynydd Pen-bre (192 m). Tua'r gogledd roedd y llechweddau'n fwy esmwyth. Rhannwyd y tir yn glytwaith o gaeau – rhai yn gorsiog – caeau a oedd, yn ôl pob tebyg, yn eiddo i berchenogion stad Plas Trimsaran, ond a gâi eu ffermio gan eu tenantiaid a drigai yn rhai o'r ffermdai lleol, megis Cae-ffaldre, Allt-ysgrech, Gelli'r-ŵydd, Maes Gwilym a Thŷ-canol. Safai'r hen blasty adfeiliedig, a ddyddiai'n ôl i'r ail ganrif ar bymtheg, o fewn tafliad carreg i ddwy lofa weithredol – Upper Trimsaran, ar lan afon Morlais, a Thrimsaran Waun-hir, yng nghanol Coedwig Trimsaran. Yno hefyd yr oedd hen lofa Trimsaran-Drap. Ar ben hynny, ceid yng nghaeau'r ardal nifer o hen siafftiau a lefelau bach a suddwyd er mwyn cyrraedd y gwythiennau glo carreg a orweddai'n lled agos at wyneb y ddaear.

Caewyd glofa ddrifft Trimsaran Waun-hir yn 1934 a daeth Upper Trimsaran yn rhan o Ddrifft Newydd Trimsaran, a agorwyd ar gyrion dwyreiniol y pentref yn 1944. Ddeng mlynedd yn ddiweddarach fe'i caewyd, a hynny yn ystod degawd a fu'n dyst i ddyfodiad y gweithfeydd glo brig, yn dilyn sefydlu Pwyllgor Gwaith Glo Brig y

Bwrdd Glo Cenedlaethol yn 1952. Dyma'r dull o gloddio a fyddai'n caniatáu i gontractwyr mawr preifat ecsbloetio gwythiennau bas, ystumiedig a thoredig yn economaidd, ac a fyddai ymhen dim o dro yn llwyr drawsnewid golwg a ffurf y tir rhwng Carwe a Thrimsaran. Yn ystod ei oes fer, gwaith Carwe (1953–7), a ymestynnai dros 33 hectar,

oedd y mwyaf a'r dyfnaf (tua 67 m) ym Mhrydain. Ond yna, yn 1983, ar safle am y ffin â hen waith Carwe, agorwyd gwaith glo brig anferthol Ffos Las, creadigaeth cwmni peirianneg sifil o dde Cymru.

Roedd gwaith Ffos Las yn ymestyn dros 405 hectar a chloddiwyd y pwll hyd ddyfnder o oddeutu 150 metr. Yn ystod y gwaith cloddio, a

sgubodd ymaith bob nodwedd o dirwedd flaenorol dyffryn gwledig afon Morlais, daethpwyd o hyd i un wythïen ar ddeg o lo carreg – megis y Fawr, y Ddugaled, y Drap, y Felin, y Wyrdd [*sic*], Kings, y Ddwy Droedfedd a'r Llathed, fel y'u gelwid gan lowyr yr ardal – pob un ohonynt yn waddol y fforestydd trofannol a ffynnai yn ystod y cyfnod Carbonifferaidd, tua 310 miliwn o flynyddoedd yn ôl, pan orweddai 'Cymru' o boptu'r cyhydedd. Er ei bod wedi'i phlygu'n enbyd a'i rhwygo'n ddarnau gan ffawtiau niferus, yr wythïen bwysicaf oedd y Fawr, ffynhonnell dwy ran o dair o gynnyrch y gwaith a oedd gyda'r mwyaf cynhyrchiol ym Mhrydain gyfan. Yn 1988 cynhyrchodd y gweithlu o gwta 150 o ddynion tua 220,000 tunnell o lo.

Daeth y gwaith i ben yn 1997, ond roedd newid arall ar y gorwel, cynllun a fyddai'n trawsffurfio'r trawsnewidiad blaenorol. Llanwyd y pwll anferthol â'r 14 miliwn o dunelli o bridd a cherrig y bu'n rhaid eu symud oddi ar wyneb y safle cyn y gellid dechrau cloddio'r glo. Yna, gwastatawyd y safle gan greu cwrs rasio ceffylau hirgrwn ar y tir, 12 ystaden (tua 2,400 m) o hyd a 60 metr o led, yn ogystal ag eisteddle mawr, meysydd parcio a chyfleusterau eraill, ar gost o oddeutu £20 miliwn. Agorwyd y cwrs a'r holl gyfleusterau cysylltiedig yn swyddogol ddiwedd Awst 2009.

Ond nid dyna ddiwedd y trawsffurfiad amgylcheddol. Mewn ymgais i harddu'r safle a chreu cynefin ar gyfer bywyd gwyllt, aed ati yn ystod y 2010au cynnar i blannu miloedd o goed brodorol – gwern, bedw, cyll, drain gwynion, cwyros a helyg deilgrwn. Ar ran arall o'r safle, cafwyd caniatâd i sefydlu fferm solar, miloedd lawer o baneli solar sydd, yn wahanol i'r glo a gloddid, yn cynhyrchu ynni glân. O fewn tafliad carreg i brif fynedfa'r cwrs rasio ceffylau mae'r gwaith o godi rhai cannoedd o dai, gan gynnwys tai moethus iawn, yn mynd rhagddo. Mae hyn oll yn digwydd ar safle gwaith glo brig a oedd, yn ystod y 1980au a'r 1990au, gyda'r mwyaf yn Ewrop.

Sgwd Henryd– Nant Llech

085

Y rhaeadr fwyaf ei chwymp a'r fwyaf gosgeiddig yn ne Cymru gyfan yw Sgwd Henryd, sy'n disgyn yn ddi-dor i mewn i'w phlymbwll dwfn ychydig dros 27 metr islaw ymyl y clogwyn y mae Nant Llech yn llamu drosto. Wedi cyfnod o law trwm, hyrddio'n swnllyd wyllt dros ddibyn y sgwd a wna Nant Llech, gan ymuno ag afon Tawe ger Ynys-wen. Ond nid yw'r rhaeadr damaid yn llai atyniadol adeg sychder. Dyna pryd y gellir cerdded yn ddiogel ar hyd llwybr cul cyn belled â'r silff rhwng y pistyll a'r graig ac oedi yno er mwyn mwynhau'r olygfa drwy'r llen dryloyw o ddŵr a rhyfeddu at y cyfoeth o fwsoglau, rhedyn a llysiau'r afu sy'n ffynnu ar wynebau'r creigiau cysgodol, llaith. Yn wir, y mae amodau llaith ceunant coediog Nant Llech hefyd yn gynefin delfrydol ar gyfer y fath blanhigion ac yn eu plith ceir rhai rhywogaethau hynod brin megis rhedynach teneuwe Wilson (*Hymenophyllum wilsonii*). Coed derw sy'n nodweddu llethrau uchaf y ceunant ond, yn ôl eu harfer, mae coed ynn wedi gwreiddio yn y tir mwy ffrwythlon uwchlaw glannau'r nant. Ond ceir yn ogystal goed bedw, gwern, criafol a phisgwydd dail bach.

Trawiadol, a dweud y lleiaf, yw'r gwahaniaeth rhwng pryd a gwedd ceunant Nant Llech islaw Sgwd Henryd a natur agored, ddi-goed y dyffryn uwchlaw'r rhaeadr, cyferbyniad y gellir ei briodoli'n llwyr i ddaeareg yr ardal. Mae wyneb y clogwyn y cwymp Nant Llech drosto yn cyfateb i un rhan fach o Ffawt Henryd, rhwyg neu doriad yn y creigiau sy'n ymestyn o gyffiniau Dan yr Ogof tua'r gogledd, draw i gyfeiriad Banwen, rhwng rhannau uchaf afonydd Tawe a Nedd, tua'r de. Yn gorwedd ar ben y dilyniant o gerrig llaid hyfriw a thywodfeini sydd i'w gweld yn brigo yn hanner isaf y clogwyn ceir haen o dywodfaen caled, tua 10 metr o drwch. Y Graig Ddiffaith (Farewell Rock) yw enw'r tywodfaen hwn y mae'r nant yn plymio drosto, craig a enwyd gan y glowyr oherwydd eu bod yn gwybod nad oedd gobaith caneri canfod gwythiennau o lo yn y creigiau a orweddai oddi tani. Islaw'r sgwd mae Nant Llech wedi naddu ei ffordd drwy'r Cystradau Glo Canol ac Isaf, dilyniant o sialau llwyd-ddu yn bennaf,

Ceunant coediog Nant Llech

ynghyd ag ambell haen galed o dywodfaen rhydlyd ei liw sydd wedi rhoi bod i rai rhaeadrau bach eraill ar lawr y ceunant.

Mae'r Graig Ddiffaith yn gorwedd ar waelod trwch y Cystradau Glo Canol ac Isaf. Felly, gan fod y tywodfaen arbennig hwnnw i'w ganfod hefyd ar lawr y ceunant, nid nepell o gymer Nant Llech ac afon Tawe, ac ar lefel o lawer na rhan uchaf clogwyn Sgwd Henryd,

mae'n amlwg fod y tir ar ochr orllewinol Ffawt Henryd wedi gostwng o leiaf 76 metr o'i gymharu â'r ochr ddwyreiniol.

Daeth y Cystradau Glo Canol ac Isaf yng ngheunant Nant Llech i gryn amlygrwydd yn ystod y 1830au hwyr. Yn y creigiau hynny yn 1837 y darganfu William Edmond Logan, daearegydd 'amatur' ond hynod alluog, nifer o goed ffosil mawr a arferai dyfu yn fforestydd trofannol y cyfnod Carbonifferaidd, tua 310 miliwn o flynyddoedd yn ôl. Aed ati i gloddio dwy o'r coed, y naill yn foncyff tua phedwar metr o daldra a'r llall yn fonyn llai ei faint, a safai'n dalsyth gyda'u gwreiddiau wedi'u claddu mewn haenen o gerrig llaid a'r boncyffion yn codi drwy haenau o dywodfaen.

Cyflawnwyd y gwaith dan gyfarwyddyd Henry De la Beche, cyfarwyddwr cyntaf yr Arolwg Daearegol a sefydlwyd yn 1835, ac yna gosodwyd y ddau foncyff i sefyll ar y tir y tu allan i Athrofa Frenhinol

De Cymru – Amgueddfa Abertawe, bellach – ac yno y maent hyd heddiw, yn dystion mud i fawredd y gŵr a'u canfu. Wedi'r cyfan, Logan, a benodwyd yn ysgrifennydd ac yn guradur adran ddaeareg yr Athrofa Frenhinol yn 1836, oedd gyda'r cyntaf i sylweddoli bod gwythiennau glo yn weddillion fforestydd trofannol hynafol, a bod gwreiddiau'r coed i'w canfod mewn haenau o gerrig llaid sydd, bron yn ddieithriad, yn sail i bob gwythïen. At hynny, ystyrid ei fap o ran o faes glo de Cymru i'r gorllewin o Gwm Nedd yn gampwaith gan hoelion wyth byd daearegol y bedwaredd ganrif ar bymtheg.

Yn 1842, penodwyd Logan, a oedd o dras Albanaidd, ond a aned yn Montreal, yn Ddaearegydd Taleithiol Canada. Ymhen dim o dro gofynnwyd iddo sefydlu Arolwg Daearegol Canada ac ef oedd ei gyfarwyddwr cyntaf. Ond ni throes ei gefn ar wlad ei febyd nac ar Gymru ychwaith. Roedd ei chwaer, Elizabeth, yn wraig i Abel Lewes Gower, perchennog Castell Malgwyn, ger Llechryd, ar lannau afon Teifi, ac yno, yn 1875, ar adeg un o'i ymweliadau achlysurol, y bu farw Logan. Fe'i claddwyd ym meddrod y Goweriaid ym mynwent Eglwys Llawddog Sant, Cilgerran, a chan mlynedd wedi ei farwolaeth gosododd Cymdeithas Ddaearegol Canada blac pres ar ei garreg fedd i gydnabod gallu'r gŵr a ystyrid yn 'dad daeareg Canada'. Yng Nghanada, enwyd mynydd uchaf y wlad, Mount Logan, ar ei ôl.

Y mwyaf o'r ddau foncyff

Porth yr Ogof, Ystradfellte

086

Pennaf nodwedd y Porth Mawr neu Borth yr Ogof, nid nepell o bentref bach diarffordd Ystradfellte, yw mawredd ei fynedfa ddramatig dan wg a chysgod capan anferth o galchfaen llwydlas a gwyd uwchlaw gwely ceunant tywyll afon Mellte. Yn mesur tua phymtheng metr o led a phum metr o uchder, nid oes yng Nghymru unrhyw ogof â cheg a all gystadlu â'r safn anferthol hon sy'n denu miloedd o ymwelwyr yn flynyddol, gan gynnwys cannoedd o ogofäwyr, i'r rhan hon o Barc Cenedlaethol Bannau Brycheiniog.

Diau nad oedd Edward Llwyd, un o naturiaethwyr enwocaf yr ail ganrif ar bymtheg, yn gyfarwydd â holl ogofâu Cymru ar achlysur ei ymweliad â Phorth yr Ogof ym mis Gorffennaf 1698, ond mae'n syndod na wnaeth ei faintioli argraff ddyfnach arno. A barnu yn ôl cynnwys y llythyr a anfonodd at ei gyfaill John Ray, y botanegydd, roedd golwg ceidwad Amgueddfa Ashmole, Rhydychen, ar y garreg galch a'r ffosilau rif y gwlith a geir ynddi. Pwysicach a mwy diddorol o lawer na hynodbethau eraill yr 'ogof nodedig', ym marn Llwyd, oedd gweddillion y 'cocos', chwedl yntau, a gofnodwyd ganddo ar wynebau, ochrau a llawr dŵr-dreuliedig y ceudwll.

Fodd bynnag, roedd gwir arwyddocâd ffosilau yn ddirgelwch iddo ac i'r rhan fwyaf o'i gyfoedion. Er y gallai dderbyn y byddai wedi bod yn bosibl i ddyfroedd y Dilyw, a ddigwyddodd yn y flwyddyn 2349 CC yn ôl llyfr Genesis, sgubo creaduriaid môr i mewn i Borth yr Ogof, wfftiodd Llwyd y syniad y gallai rhyferthwy'r llif beri iddynt lynu'n sownd annatod wrth do ac ochrau'r ceudwll.

Gweddillion creaduriaid megis pysgod cregyn, cwrelau a chrinoidau (fe'u hadwaenir hefyd fel 'liliau'r môr', er nad planhigion mohonynt), a ymgasglodd fesul haen drwchus ar lawr môr trofannol, bas, tua 350 o filiynau o flynyddoedd yn ôl, yw'r ffosilau, ac er mor galed yw'r haenau o Galchfaen Carbonifferaidd sy'n eu cynnwys, mae'r graig yn hydoddi mewn dŵr asidig (asid carbonig gwan). Dros gyfnod o gannoedd o filoedd o flynyddoedd mae dyfroedd asidig afon Mellte wedi helaethu'r rhwydwaith o graciau fertigol a llorweddol naturiol yng nghorff y calchfaen, gan greu system o dramwyfeydd a cheudyllau – rhai yn sych ac eraill naill ai'n rhannol, neu'n gyfan gwbl, dan ddŵr. Gellir eu holrhain dros bellter o tua dau gilometr a hanner y naill ochr a'r llall i brif gwrs tanddaearol yr afon.

Porth yr Ogof a'r agen y llifa afon Mellte allan ohoni

Ar dywydd sych, mae'n werth i'r anturus fentro gyda'r afon cyn belled â cheg Porth yr Ogof, oherwydd oddi yno, yn y gwyll, y tu hwnt i Lyn y Baban, gellir cael cip ar biler crisialog gwyn o galsiwm carbonad sydd, yn ôl rhai, yn ymdebygu i ffurf plentyn noeth yn sefyll ar bedestal, neu geffyl rhithiol yn ôl eraill. Ond o'i chymharu â rhai o ogofâu eraill Cymru, y mae Porth yr Ogof yn amddifad o'r stalagmidau a'r stalactidau trawiadol sy'n harddu systemau megis Dan yr Ogof yng Nghwm Tawe.

Ar ôl blasu awyrgylch crombil tywyll yr ogof, ni ddylai'r ymwelydd chwilfrydig ffarwelio â'r safle cyn dychwelyd i'r ffordd wledig sy'n croesi llawr y dyffryn uwchlaw'r Porth Mawr a throedio'r llwybr cyhoeddus i lawr y cwm. Dros bellter o oddeutu 200 metr mae'r llwybr yn dilyn hen wely afon Mellte, fetrau lawer uwchlaw ei chwrs presennol. Er i ddŵr rhedegog ymadael â'r hafn creigiog hwn ddegau o filoedd o flynyddoedd yn ôl, mae arwynebau llyfn y calchfaen ac olion hen drodyllau yn y graig yn dystion, hyd heddiw, i lif grymus yr afon cyn iddi gefnu ar olau dydd a dilyn ei llwybr tanddaearol.

Hen wely dŵr-dreuliedig afon Mellte (uchod ac isod)

Ond ni fydd yr hen wely, sy'n ffurfio to'r ogof, yn para am byth. Eisoes mae llawr yr hafn wedi mynd â'i ben iddo yma ac acw, ac yn y mannau hynny clywir rhu annaearol yr afon ddiflan a ddaw i'r golwg, ymhen dim o dro, nid drwy borth eang ond yn hytrach drwy agen gyfyng, hynod o beryglus. Yn wir, y mae i Borth yr Ogof enw drwg, gan fod pwll dwfn a cherhyntau cryfion yr allanfa wedi hawlio bywydau mwy o ogofäwyr – nifer ohonynt yn ddibrofiad ac yn orfentrus – nag unrhyw ogof arall yng ngwledydd Prydain ac Iwerddon.

Nid Porth yr Ogof yw'r unig fan yng nghyffiniau Ystradfellte lle y mae dyfroedd afon Mellte yn chwarae mig â chalchfaen y fro. Yn

amlach na pheidio, mae gwely'r afon rhwng Porth yr Ogof a'r bont sy'n croesi'r afon tua 200 metr i'r de-ddwyrain o Eglwys y Santes Fair yn gorcyn sych ac yn llawn cerrig cochion crynion, meini dŵr-dreuliedig o dywodfeini Hen Dywodfaen Coch y Fforest Fawr. Mae Llyncdwll yr Eglwys i'w weld ychydig fetrau yn unig i fyny'r afon o'r bont. Yno, adeg tywydd sych, mae'r dŵr yn cronni ac yn diflannu o'r golwg, gan ddilyn llwybr tanddaearol dros bellter o tua 800 metr, fel yr ehed y frân, cyn ailymddangos gerllaw ceg y Porth Mawr.

Tirlithriadau'r Blaenau

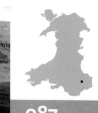

087

Prif effaith y rhewlifau a lanwai gymoedd de Cymru yn ystod y Rhewlifiant Diwethaf oedd unioni ochrau a dyfnhau lloriau dyffrynnoedd afonydd Afan, Garw, Ogwr, Rhondda, Cynon, Taf, Bargod Taf, Rhymni, Sirhywi, Ebwy a Llwyd, gan greu cafnau rhewlifol creigiog, nodedig am eu culni a serthrwydd eu llechweddau. Yn wir, myn T I Ellis, awdur *Crwydro Mynwy* (1958), na welodd 'erioed strydoedd mor serth ag a geir yn Abertyleri', y dref a godwyd ar lethrau dwyreiniol Cwm Ebwy Fach. A phennaf nodwedd llechweddau gorserth y cwm yw eu hansadrwydd, fel y tystia'r tirlithriadau a fu'n gymaint o broblem ac yn boen i rai o drigolion ac awdurdod lleol y Blaenau.

I raddau helaeth, daeareg y cwm yw'r drwg. Sail gweundiroedd Mynydd James a Mynydd Carn-y-cefn, a gwyd dros 260 metr uwchlaw glannau afon Ebwy Fach ar y naill ochr a'r llall i'r cwm, yw tywodfaen Pennant, y graig amlhaenog y naddwyd ohoni y rhan fwyaf o ddigon o gerrig adeiladu'r Blaenau. Fodd bynnag, mae tywodfaen yr uchelfannau yn gorwedd ar seiliau simsan cerrig llaid hyfriw'r Cystradau Glo Canol ac ynddynt y gwythiennau glo a gloddid

Tirlithriad Bournville

Tirlithriad Pen-twyn

mewn lefelau ar lethrau'r cwm ac mewn pyllau dyfnion ar ei lawr. Mae dŵr yn trylifo'n gymharol ddirwystr drwy'r tywodfaen athraidd, ond nid drwy'r cerrig llaid anathraidd, ac o ganlyniad nodweddir y ffin rhwng y naill graig a'r llall gan gyfres o darddellau. Ond yn ogystal â hynny, mae'r dŵr yn iro arwyneb y cerrig llaid y mae'r tywodfaen yn gorwedd arno, proses sydd wedi achosi i dalpiau o darenni'r tywodfaen lithro a dymchwel, yn enwedig yn dilyn cyfnodau gwlyb iawn, gan sbarduno'r tir islaw'r cwympiadau i symud ar i waered i lawr y llethrau serth dan ddylanwad disgyrchiant.

Tirlithriad Bournville, ar lechweddau dwyreiniol y cwm, yw'r mwyaf o ddigon o'r tri sydd o fewn ergyd carreg i'w gilydd. Gydag arwynebedd o tua 20 hectar (maint tua 26 cae pêl-droed), graddol ehangu fu hanes y tirlithriad dros gyfnod o gan mlynedd neu fwy wrth i'r darren greigiog, sy'n dynodi ei ben uchaf, ddymchwel ac encilio fesul cam. Hyd yn oed cyn diwedd y bedwaredd ganrif ar bymtheg roedd rhan ogleddol y tirlithriad wedi symud ar i waered dros bellter o oddeutu 500 metr gan fygwth rhai o'r tai ar fin y ffordd fawr ychydig uwchlaw llawr y cwm. Yna, rhwng 1915 ac 1946, ac eto yn ystod y 1960au, ychwanegwyd yn sylweddol at faint y tirlithriad wrth i dafodau o dir ar ymylon deheuol rhan hynaf y llithriad symud i lawr y llethrau. Erbyn y 1980au, pan aed ati i ddraenio'r tir er mwyn sefydlogi'r tirlithriad, yr oedd ei ben blaen yn prysur nesáu at y ffordd fawr a'r tai ar gyflymder o oddeutu dau fetr y flwyddyn, amcangyfrifwyd bod tirlithriad Bournville, yn ei gyfanrwydd, yn cynnwys tuag un filiwn o fetrau ciwbig o greigiau mâl a oedd wedi treiglo i lawr rhan o lechweddau gorllewinol Mynydd James.

Cymharol fach mewn cymhariaeth yw tirlithriad Pen-twyn (8 hectar) a ddatblygodd ychydig i'r gogledd o dirlithriad Bournville. Mor ddiweddar â mis Ionawr 1954 yr ymddangosodd tarren greigiog pen uchaf y tirlithriad, tirffurf sydd bellach yn nodwedd mor amlwg o'r llechweddau fry uwchlaw rhesi ar ben rhesi o dai teras. Ymhen cwta ddeufis, roedd pen blaen y llithriad mwdlyd, islaw'r blociau mawr o dywodfaen a oedd wedi ymgasglu wrth droed y clogwyn, o fewn tafliad carreg i'r rhes uchaf o dai, gan orfodi'r trigolion i ymadael â'u cartrefi. Parhau i symud fu hanes y tirlithriad hyd y 1980au, pan aeth yr awdurdodau i'r afael â chynlluniau i sefydlogi'r tir. Tua'r un pryd, daeth yn amlwg nad prosesau naturiol yn unig a achosodd y broblem; bu'r gwaith o gloddio rhai o'r gwythiennau glo

Arwyneb tirluniedig tirlithriad West Side

mewn lefelau ar lechweddau'r cwm yn ystod y 1930au a'r 1940au hefyd yn gyfrifol am danseilio a gwanhau'r tir.

Cloddio am lo rhwng 1887 ac 1959, ynghyd â'r arfer ffôl ac anghyfrifol o leoli tipiau glo mawr ar lechweddau gorserth y cwm, fu hefyd yn gyfrifol am sbarduno tirlithriadau West Side ar ochr orllewinol y dyffryn, dan drem Mynydd Carn-y-cefn. Yn ystod y 1920au ac eto rhwng 1959 ac 1961, wedi mis Rhagfyr anarferol o wlyb, difrodwyd rhai o dai'r ardal o ganlyniad i ddymchweliad rhai o'r tipiau glo. Yn 1975 dechreuwyd ar y gwaith o glirio'r tipiau ansad a sefydlogi'r tir, ond yna, tua diwedd y 1980au, sylweddolwyd bod y tir yr arferai'r hen domennydd trymion sefyll arno hefyd yn symud ar i waered, problem ddyrys na chafodd ei datrys tan yn gymharol ddiweddar.

Tri yn unig o blith y 92 tirlithriad a gofnodwyd oddi mewn i ddalgylch afon Ebwy yn ystod yr arolwg o dirlithriadau maes glo de Cymru a gwblhawyd yn 1980 yw tirlithriadau'r Blaenau. Nodwyd bod y mwyafrif yn sefydlog, ond amser a ddengys p'un ai a fydd y gaeafau gwlypach a ddisgwylir wrth i'r hinsawdd gynhesu yn adfywio rhai ohonynt.

088

Six Bells,
Cwm Ebwy Fach

Ar weundiroedd moelion ac unigeddau digysgod Mynydd Llangatwg y mae Ebwy Fach yn tarddu, y 'tir neb' rhwng tawelwch a hyfrydwch gwledig dyffryn Wysg a hen gymoedd diwydiannol de Cymru. O'i tharddle nid nepell o gopa Twyn Pen-rhiw (510 m) uwchlaw tarren Craig y Cilau, mae'r afon yn llifo tua'r de dros dir agored cyn i ucheldiroedd y maes glo gau amdani rhwng Bryn-mawr–Nant-y-glo a'r Blaenau. Gerllaw Cendl (Beaufort) y mae man cychwyn Llwybr Ebwy Fach, lôn sy'n cysylltu 'pedair gwerddon ar

ddeg' rhwng Coetiroedd Beaufort Hill a Llanhiledd, tua dau gilometr i'r de o Aber-big, lle y mae afon Ebwy Fach yn ymuno ag Ebwy Fawr.

Coedwigoedd, megis Parc Trevor Rowson, a llynnoedd, megis Pyllau Cwmcelyn, yw'r gwerddonau y deuir ar eu traws ar y daith 16 cilometr o hyd. Prin yw'r dystiolaeth weledol o'r gorffennol diwydiannol; sgubwyd ymaith y rhan fwyaf o ddigon o'r creithiau hynny ac yn y cwm, a fu unwaith yn ganolfan y diwydiant glo a haearn, dynodwyd tair o'r gwerddonau – Coetiroedd Beaufort Hill,

'Gwarchodwr y Cymoedd', Six Bells

Parc Nant-y-waun a Llynnoedd Cwmtyleri – yn warchodfeydd natur lleol. Mae'r tri safle, sy'n gyfuniad o gynefinoedd amrywiol, gan gynnwys glaswelltiroedd asidig, gweirgloddiau a rhostiroedd gwlyb, i gyd yn hynod gyfoethog eu bywyd gwyllt.

Ond y 'werddon' hynotaf yw Parc Arael Griffin ar gyrion hen bentref glofaol Six Bells, ger Abertyleri. Mae enw'r parc yn dwyn i gof hen lofa Arael Griffin, a agorwyd yma ar safle siafft a suddwyd yn 1863. Yna, yn 1892, dechreuwyd ar y gwaith o suddo dwy siafft 322 metr o ddyfnder er mwyn cyrraedd y gwythiennau glo a orweddai'n ddwfn dan lawr y cwm. Ymhen chwe blynedd roedd y pwll, a adwaenid bellach fel glofa Six Bells, yn cynhyrchu ei lwythi cyntaf o lo a gâi eu cludo i Gasnewydd ar Reilffordd Casnewydd a Phont-y-pŵl.

Ac eithrio un cyfnod segur yn ystod blynyddoedd blin dirwasgiad y 1930au, bu'r pwll yn dra chynhyrchiol, ac yn 1960 roedd yn cynhyrchu tua 1,800 tunnell o lo gwerthadwy y dydd ac yn cyflogi bron i 1,500 o ddynion. Yna, tua 10.45 o'r gloch ar fore 28 Mehefin 1960, digwyddodd ffrwydrad yn y rhan honno o'r pwll lle y gweithid yr Hen Wythïen bedair troedfedd, naw modfedd (c. 1.4 m). Fe'i hachoswyd pan daniodd crynhoad o fethan, y nwy pwll-glo fflamadwy sy'n dra chyffredin mewn meysydd glo rhwym, megis rhannau dwyreiniol maes glo'r de. Cynheuodd y fflamau hefyd y llwch glo gan esgor ar danchwa a laddodd 45 o lowyr. Ac oni bai am y gwaith cynnal a chadw a ddigwyddai mewn rhan o'r ffas lo lle yr arferai 125 o lowyr weithio, byddai'r drychineb wedi bod gymaint yn

waeth. Yn dilyn yr ymchwiliad cyhoeddus, daeth yr Arolygydd Mwyngloddiau i'r casgliad mai gwreichion a dasgodd i'r awyr wrth i un darn mawr o dywodfaen caled gwympo a tharo trawst dur a daniodd y methan.

Ar 28 Mehefin 2010, union hanner can mlynedd wedi'r drychineb a dwy flynedd ar hugain wedi i'r pwll gau, dadorchuddiodd y Dr Rowan Williams, Archesgob Caer-gaint ar y pryd, gofeb ar safle glofa Six Bells i goffáu'r glowyr a laddwyd. Dyluniwyd y cerflun o löwr 12.6 metr o uchder, a saif ar blinth 7.4 metr o uchder, gan Sebastien Boyesen, yr arlunydd a cherflunydd o fri y mae enghreifftiau eraill o'i waith i'w gweld yn y Coed-duon a Chasnewydd, a hefyd yn Llangrannog, cartref presennol yr artist. Lluniwyd y ffigwr, a adwaenir fel 'Gwarchodwr y Cymoedd', o filoedd o rubanau dur rhydlyd a phrofiad dirdynnol, calonrwygol yw sefyll dan ei gysgod gan ddarllen enwau'r rhai a fu farw yn nyfnder y ddaear y saif y gofeb ryfeddol arni. Yn wir, heblaw am y gofeb i 45 'arwr glew, erwau'r glo', mae'r safle – ysywaeth – yn gwbl amddifad o unrhyw arwyddion gweledol o'r lofa a fu'n ganolbwynt y ddamwain a goffeir.

Yn eironig ddigon, lle i ymlacio a mwynhau'r awyr iach yw Parc Arael Griffin heddiw, ond wrth gerdded y llwybrau, neu fwrw blinder ar un o'r seddau, mae presenoldeb campwaith y cerflunydd yn atgof parhaus o'r pris ofnadwy y bu'n rhaid i gymunedau glofaol ei dalu wrth i'w dynion fentro eu bywydau dan ddaear.

Ond nid cofeb lofaol genedlaethol mo 'Gwarchodwr y Cymoedd'. Saif honno – cerflun efydd gan Les Johnson yn portreadu aelod o dîm achub yn cynnig help llaw i löwr, a ddadorchuddiwyd ar 14 Hydref 2013 – ger safle hen lofa'r Great Universal, Senghennydd. Yn y pwll hwnnw y bu farw 439 o ddynion a bechgyn ynghyd ag un gweithiwr achub ar 14 Hydref 1913 yn ystod y trychineb enbytaf a gwaethaf yn hanes diwydiant glo Prydain. Eto i gyd, y mae i'r gofeb eiconig sy'n coffáu trychineb Six Bells swyddogaeth dra phwysig, oherwydd fod y glöwr urddasol, unig, yn fodd i atgoffa pob ymwelydd â'r parc o'r ffaith sobreiddiol mai cyfran fechan yn unig o'r holl farwolaethau a achoswyd gan y trychinebau mawr megis Senghennydd a Gresffordd ger Wrecsam yn 1934. Damweiniau angheuol unigol oedd achos 80% ohonynt.

Mynydd Beili-glas– Craig y Llyn

089

O'r fan honno ar gyrion Hirwaun lle y mae'r A4061 yn ei throi hi tua'r de a Chwm Rhondda, nid oes raid i'r frân hedfan fawr mwy na thri chilometr er mwyn cyrraedd yr olygfan min ffordd nid nepell o gopa Mynydd Beili-glas (505 m). Ond gan ei bod hi'n ddringfa o tua 290 metr, yr hyn sy'n bennaf cyfrifol am ychwanegu dau gilometr at hyd llwybr yr A4061 yw natur igam-ogam y rhan honno o'r heol wrth iddi esgyn Craig y Llyn, clogwyn 150 metr o uchder. O ben yr esgynfa, mae'r olygfa tua'r gogledd yn odidog, oherwydd draw tua'r gorwel cwyd y Mynydd Du, Fforest Fawr a Bannau Brycheiniog, un rhes 17 cilometr o hyd o gopaon: Fan Hir (750 m) tua'r gorllewin, yna Fan Gyhirych (725 m), Fan Nedd (663 m), Fan Llia (632 m), Fan Fawr (734 m), a Chorn Du (873 m) a Phen y Fan (886 m) tua'r dwyrain.

Sail y mynyddoedd hyn yw creigiau'r Hen Dywodfaen Coch, dilyniant o dywodfeini a cherrig llaid cochion, yn bennaf, sy'n graddol oleddu tua'r de, gan ddiflannu o'r golwg dan orchudd o galchfeini Carbonifferaidd. Gogwyddo hefyd a wna'r calchfeini dan dywodfeini a cherrig llaid y Grut Melinfaen, ac mae'r rheiny yn eu tro yn diflannu o dan y Cystradau Glo Isaf. Haenau undonog o gerrig llaid llwyd-ddu, hyfriw, yw'r Cystradau Glo Isaf yn bennaf ond ynddynt hefyd ceir haenau o dywodfaen a nifer o wythiennau glo, gwaddol fforestydd trofannol y 'Gymru' Garbonifferaidd a orweddai o boptu'r cyhydedd tua 310 miliwn o flynyddoedd yn ôl. Dyma'r creigiau sy'n sail i'r tir isel wrth droed tarren fawreddog Craig y Llyn, sgarp a luniwyd o dywodfaen Pennant y Cystradau Glo Uchaf, strata gwytnach a chaletach o lawer na'r Cystradau Glo Isaf.

Ym mlynyddoedd cynnar y bedwaredd ganrif ar bymtheg y dechreuwyd gyrru lefelau bach ar ogwydd i mewn i'r gwythiennau glo a frigai wrth odre'r darren, gwaith a fu ar gynnydd hyd 1864, pan agorwyd glofa ddrifft y Tŵr ar y llechweddau i'r de o Hirwaun. Enwyd y gwaith glo ar ôl Tŵr Crawshay, ffoledd trillawr cyfagos a godwyd gan Francis Crawshay, y meistr haearn, tua 1848, ond a droes yn adfail pan gefnodd y teulu ar yr ardal yn 1859. Suddwyd siafft Glofa'r Tŵr hyd ddyfnder o 160 metr yn 1941, ac o 1943 hyd 2008 dyma'r siafft a waredai'r awyr a oedd yn cylchdroi drwy'r tramwyfeydd tanddaearol, ac i lawr y siafft honno hefyd y disgynnai'r caets a gludai'r glowyr i waelod y pwll ac a'u codai i'r wyneb ar ddiwedd pob stem.

Er i fywyd y pwll, a fu'n eiddo i gwmni cydweithredol y gweithwyr rhwng 1995 a 2008, ddod i ben ar 25 Ionawr 2008, aros mae adeiladau a ffrâm ben-pwll drawiadol 'y pwll glo dwfn olaf yng Nghymru', sydd bellach dan orchymyn cadwraeth. At hynny, agorwyd pennod newydd yn hanes y diwydiant glo ym Mai 2012, pan ddechreuwyd cloddio glo brig ar safle hen olchfa gyfagos Glofa'r Tŵr.

Disgwylir i'r gwaith gynhyrchu miliwn tunnell o lo y flwyddyn tan 2018, a chaiff ei losgi ym mhwerdy Aberddawan ar arfordir Bro Morgannwg.

Cyfoeth gwahanol iawn i lo carreg Glofa'r Tŵr – cynnyrch yr wythïen saith/pum troedfedd (2.1/1.5m) oludog – a ddaeth i'r amlwg yn yr haenau o fawn ar waelod Llyn Fawr wrth droed Craig y Llyn. Yno, cafodd y gweithwyr hyd i gelc rhyfeddol o wrthrychau haearn ac efydd. Digwyddodd hynny rhwng 1909 ac 1913, yn ystod y gwaith o drawsffurfio'r llyn bach yn gronfa ddŵr fwy sylweddol ei maint. Roedd y celc yn cynnwys rhan o gleddyf haearn yn dyddio o tua 600 CC, gwrthrych sydd ymhlith y cynharaf a'r prinnaf o'i fath i'w ddarganfod ym Mhrydain. Digon o ryfeddod hefyd yw'r pair, tua 35 centimetr o uchder ac yn pwyso dros saith cilogram, a luniwyd o bedair dalen wastad o efydd. Mae'n debyg y claddwyd y gwrthrychau,

sydd hefyd yn cynnwys nifer o gynion, crymanau, bwyeill socedog, pen picell a harneisiau, ar lawr y llyn yn offrwm i dduwiau Annwn, yr oedd trigolion Cymru'r Oes Haearn yn eu haddoli.

Mae'r llyn, sydd ar uchder o 369 metr, yn meddiannu amffitheatr greigiog a luniwyd wrth i eira ymgasglu'n gyntaf ar lawr pant cysgodol ar lechweddau tarren Craig y Llyn yn ystod y Rhewlifiant Diwethaf. Gyda threigl amser, troes yr eira yn iâ ac yna'n rhewlif a lifai ar ei waered dan ddylanwad disgyrchiant, gan helaethu a dyfnhau ei grud mynyddig yn ogystal â bwydo'r rhewlif mawr a lanwai Gwm Nedd hyd ei ymylon. Creadigaeth hen rewlif Craig y Llyn, felly, yw basn y peiran y cronnodd dŵr y llyn bas ynddo wedi i'r hinsawdd gynhesu ac i'r iâ ddiflannu. Bellach, mae ei ddyfroedd yn disychedu trigolion Rhondda Fawr, ac yn cynnig oriau o bleser i aelodau Clwb Pysgota Blaen Rhondda sydd â'u bryd ar fachu ambell frithyll seithliw.

Marian y Glais, Cwm Tawe

Daeth y gwaith o smeltio copr yn y stribyn pedwar cilometr hwnnw o Gwm Tawe rhwng Treforys a Glandŵr i ben yn y 1920au cynnar. Anodd, bellach, yw dod o hyd i weddillion y tri gwaith ar ddeg a sefydlwyd ar ddwylan Tawe, a oedd erbyn 1860 yn mwyndoddi dwy ran o dair o'r holl fwyn copr a fewnforid i Brydain. Erbyn heddiw, yr unig ddiwydiant cynhyrchu metel a all olrhain ei wreiddiau yn ôl i'r cyfnod pan oedd gweithfeydd Copperopolis yn eu hanterth yw Purfa Vale, a sefydlwyd yng Nghlydach gan gwmni Nicel Mond yn 1902.

Ar lechweddau Cwm Clydach, i raddau helaeth, y codwyd y dref, ond saif y gwaith, a adwaenir yn lleol fel 'y Mond', ar orlifdir afon Tawe rhwng ei chymer ag afon Clydach a hen bentref glofaol y Glais ar ochr ddwyreiniol y dyffryn. Yno y trigai glowyr a weithiai ym mhyllau cyfagos Birchgrove a Graigola – dwy lofa a hawliai eu bod yn cynhyrchu'r 'glo stêm gorau yn y byd' – a gwaith glo drifft Felin-frân ar gyrion y pentref. Ond ymhlith y Cymry llengar, enw gŵr, yn hytrach nag enwau glofeydd, a gysylltir â'r Glais, oherwydd dyma fu cartref T E Nicholas – gweinidog, 'bardd gwrthryfel', 'proffwyd Sosialaeth' a lladmerydd huawdl dros y dosbarth gweithiol – rhwng 1904 ac 1914.

Llond dwrn yn unig o wyddonwyr daear y Gymru sydd ohoni a fyddai'n gyfarwydd â'r enw Niclas y Glais. Eto i gyd, mae'r Glais yn adnabyddus iawn ymhlith y rheiny ohonynt sy'n ymddiddori yn hanes rhewlifol y wlad, gan fod y pentref yn ymestyn dros ran o Farian y Glais, y marian mwyaf yn ne Cymru a'r enghraifft orau o farian dyffryn yng Nghymru gyfan. I lwyr werthfawrogi ei faint y mae'n rhaid manteisio ar yr olygfa a geir ohono naill ai o Heol Gellionnen, tua chilometr a hanner i'r gogledd-ddwyrain o Glydach, neu o ben Craig y Fâl sy'n bwrw ei threm dros y Glais.

Mae'r tirffurf trawiadol ar ffurf argae enfawr, tua 1,300 metr o hyd ac oddeutu 70 metr o led. Mae'n ymestyn ar draws llawr Cwm Tawe rhwng y Glais a Chlydach, gan orfodi'r afon, ger ei chymer ag afon Clydach, i lifo oddi amgylch i ben gorllewinol y rhwystr. Yn ei fan uchaf, mae'r marian twmpathog yn codi tua 37 metr uwchlaw gwastadeddau gorlifdir afon Tawe, sydd ar uchder o tua 20 metr uwchlaw'r môr. Goleddu'n raddol hyd glannau'r afon gyferbyn â Phurfa Vale y mae ei lethrau gogleddol, ond mae'r llechweddau deheuol yn serth. Mae'r marian yn cynnwys cymysgedd o ddyddodion rhewlifol – meini mawr a bach o'r Hen Dywodfaen Coch, Grut Melinfaen a thywodfeini'r Cystradau Glo Canol ac Isaf ynghyd â thywod a chlai – a oedd yn rhan o lwyth rhewlif yn tarddu ym mhen uchaf Cwm Tawe.

Y Glais wrth odre Craig y Fâl: y marian sy'n sail i'r caeau gwyrddion

Er mor fawr yw'r marian, nid yw'n dynodi terfyn eithaf rhewlif Tawe yn ystod y Rhewlifiant Diwethaf. Gan fod dyddodion rhewlifol tebyg i'w cael yn y dyffryn y tu hwnt i ben blaen Marian y Glais ac yng nghyffiniau Abertawe, mae'n ymddangos y gorweddai terfyn eithaf y rhewlif ym Mae Abertawe, lle y cyfunodd â rhewlif cyfagos Cwm Nedd. Wrth lifo tua'r de, bu'r 'afon' hon o iâ yn gyfrifol hefyd am dyrchu basnau yng nghreiglawr y cwm, sy'n dilyn Ffawt Cwm Tawe, rhwyg enfawr a llinell o wendid yng nghreigiau'r ardal. Mae llawr y basn i'r de o'r marian tua 44 metr o dan lefel bresennol y môr.

Yn y bôn, dynodi man lle y safai rhewlif Tawe yn stond am gyfnod, yn ystod enciliad yr iâ, y mae Marian y Glais. A barnu yn ôl maint y marian enciliol hwn, bu trwyn y rhewlif yn sefyll yn ei unfan am gryn amser, oherwydd po hwyaf y saif rhewlif yn ei unfan, mwyaf i gyd y llwyth dyddodol sy'n debygol o grynhoi o amgylch ei drwyn. Yn ogystal â hynny, mae'r pantiau corsiog a geir hwnt ac yma ar wyneb twmpathog y marian yn tystio i bresenoldeb blociau mawr o iâ llonydd a oedd wedi'u hymgorffori yng nghanol y dyddodion rhewlifol. Crëwyd y pantiau wrth i'r blociau iâ ddadmer. Ac o flaen y marian, bu'r afonydd dŵr-tawdd yn gyfrwng i gludo'r llwythi enfawr o dywod a graean a lanwodd y basn dwfn a gafnwyd gan y rhewlif pan oedd y rhewlifiant yn ei anterth. Ni wyddom am ba hyd y safai'r rhewlif yn stond, ond gan nad oes tirffurf tebyg rhwng Marian y Glais a phen uchaf Cwm Tawe, mae'n debyg mai encilio'n gyflym, heb oedi yn unman arall, fu ei hanes wedi'i egwyl ger safle presennol y Glais.

Yng Nghwm Nedd ceir o leiaf ddau farian sy'n cofnodi camau yn hanes enciliad y rhewlif a feddiannai'r dyffryn hwnnw. Saif pentref mawr Tonna ar y mwyaf, a phentref bach y Clun (Clyne), ychydig yn bellach i fyny'r cwm, ar y lleiaf. Ar gyfrif ei faintioli, mae'n demtasiwn i awgrymu bod Marian Tonna yn cydoesi â Marian y Glais ond, ar hyn o bryd, nid oes dim tystiolaeth i gadarnhau'r ddamcaniaeth honno.

Marian y Glais yn wyneb haul

Ynysoedd Sgomer a Sgogwm

091

O edrych arnynt o'r tir mawr, nodwedd amlycaf a hynotaf y ddwy Warchodfa Natur Genedlaethol hon, oddi ar arfordir de Penfro, yw natur greigiog eu glannau a gwastadrwydd rhyfeddol eu harwynebau. Ond, o graffu'n fanylach, daw gwahaniaethau i'r amlwg. Ar uchder o tua 50 i 75 metr uwchlaw'r môr, mae arwyneb Sgomer nid yn unig yn llai gwastad nag arwyneb Sgogwm, ond hefyd tua 15 i 25 metr yn uwch na'i chymar llai, cyferbyniadau y gellir eu priodoli'n rhannol i'r gwahaniaeth rhwng creigiau'r naill ynys a'r llall.

Yn anad dim, haenau o lafa basaltig du, amrywiol eu caledwch a'u gwytnwch, yw sail Sgomer, Midland Isle a'r tir mawr yng nghyffiniau Martin's Haven, y lanfa a ddefnyddir gan y cychod sy'n cludo ymwelwyr i'r warchodfa yn ystod misoedd y gwanwyn a'r haf. Cynnyrch gweithgaredd folcanig yw'r lafâu, echdoriadau a chwythodd eu plwc yn gynnar yn ystod y cyfnod Silwraidd, tua 440 miliwn o flynyddoedd yn ôl. Ond creigiau meddalach a llai gwydn yr Hen Dywodfaen Coch – haenau o dywodfeini a cherrig llaid plyg tua 390 miliwn o flynyddoedd oed – sy'n sail i Sgogwm, Gateholm a Phenrhyn Dale. Mae'n debyg y cafodd arwynebau'r ddwy ynys a'r tir mawr cyfagos eu gwastatáu gan rym erydol y tonnau: Sgomer pan oedd lefel y môr oddeutu 70 metr uwchlaw ei lefel bresennol (y lefel y byddai pe bai holl rewlifau'r byd a llenni iâ anferthol yr Ynys Las [Grønland] ac Antarctica yn dadmer o ganlyniad i gynhesu byd-eang

Midland Isle, Sgomer a Wooltack Point

Ynys Gateholm i'r de-ddwyrain o Sgomer: mae'n adleisio ffurf a daeareg Sgogwm

Morlo llwyd

eithafol); a Sgogwm pan oedd lefel y môr ychydig yn is yn ystod cyfnod pan oedd peth iâ yn gorchuddio rhannau o dir y Ddaear.

Sgomer yn unig sy'n agored i'r cyhoedd ac wrth gamu arni heddiw ceir y profiad o droedio tir agored, digysgod, y mae dyn wedi hen gefnu arno a'i ildio i fyd natur. Heblaw am adeiladau adnewyddedig yr hen ffermdy yng nghanol yr ynys a'r llwybrau a grëwyd gan staff Ymddiriedolaeth Bywyd Gwyllt De a Gorllewin Cymru – rheolwyr y warchodfa – er mwyn cadw crwydriadau'r cyhoedd dan reolaeth, y nodweddion mwyaf trawiadol o eiddo dyn yw hen gloddiau a waliau cerrig. Fe'u codwyd gan breswylwyr yr Oes Haearn, tua 2,500 o flynyddoedd yn ôl. Ond adar, ac adar y môr yn fwyaf arbennig, rhagor na blodau gwylltion, yw gogoniant byd natur Sgomer heddiw, ac nid oes ym Mhrydain unman gwell i'w gwylio yn ystod eu tymor bridio.

Y rhywogaeth fwyaf nodedig yw aderyn drycin Manaw sy'n nythu mewn tyllau cwningod ar hyd a lled Sgomer yn ogystal â Sgogwm. Dyma'r fridfa bwysicaf yn y byd ar gyfer yr adar hyn, er mai dim ond wedi iddi nosi y maent i'w gweld. Dyna pryd y mae degau o filoedd ohonynt yn ymadael â'u nythod tanddaearol a'i bwrw hi am eu pysgodfeydd ymhell y tu hwnt i'r ynysoedd, gan ddychwelyd cyn iddi wawrio. Unwaith y mae'r cywion wedi magu plu, maent yn ymfudo i dde'r Iwerydd, ac yno y maent yn aros am rai blynyddoedd cyn hedfan yn ôl i ynys eu magwraeth.

Tyllau cwningod, hefyd, yw dewis nythleoedd y palod, y doniolaf o deulu'r carfilod, sydd hefyd i'w cael yn eu miloedd ar y ddwy ynys yn ystod y tymor bridio. Ond ar silffoedd ar wynebau'r clogwyni y mae eu cefndryd, y gwylogod a'r llursod, yn dodwy eu hwyau. Golygfa i'w thrysori ac i ryfeddu ati yw honno o The Wick, clogwyn talsyth ger glannau deheuol Sgomer, sy'n nythfa i filoedd ohonynt. At y llu carfilod gellir ychwanegu miloedd lawer o adar eraill y glannau, megis adar drycin y graig, gwylanod coesddu, gwylanod y penwaig, gwylanod cefnddu lleiaf a gwylanod cefnddu mwyaf, ynghyd â chryn amrywiaeth o adar y tir. Ac ystyried pa mor adaryddol bwysig yw'r ddwy ynys, nid oes ryfedd i'r naturiaethwr o Gymro R M Lockley benderfynu cymryd tir Sgogwm, ei 'Ynys Afallon', ar brydles o 21 mlynedd yn 1927, gan sefydlu'r arsyllfa adar gyntaf ym Mhrydain yno yn 1933.

Yn yr un modd na all y cyhoedd sy'n ymweld â Sgomer liw dydd brofi'r wefr o weld yr adar drycin Manaw yn hedfan, cuddiedig rhag pawb hefyd – ac eithrio sgwba-blymwyr – yw rhyfeddodau Gwarchodfa Natur Forol Ynys Sgomer, y warchodfa forol gyntaf o'i bath yng Nghymru. Heblaw am y morloi, y pysgod, y crancod a'r cimychiaid cyfarwydd, mae dyfroedd y warchodfa sy'n amgylchynu Sgomer yn gartref i liaws o organebau o bob lliw a llun. Gall y warchodfa hon, a ddynodwyd yn 1992, frolio tua thraean o'r holl rywogaethau o wymon a geir ym Mhrydain, oddeutu 75 o wahanol sbyngau a 40 o rywogaethau o anemonïau a chwrelau meddal. Gwarchod y cyfoeth o fywyd gwyllt yw pwrpas pob gwarchodfa, ond y caswir yw na fu dynodiadau cadwraethol yr ardal hynod sensitif hon yn fodd i amddiffyn holl greaduriaid a phlanhigion y glannau rhag effeithiau marwol yr olew crai a ollyngwyd o berfedd llong dancer y *Sea Empress*, a ddrylliwyd ar greigiau cyfagos Pentir Santes Ann yn 1996.

Pâl

092

Pont y Creigiau–
Pentir Sant Gofan

O'r olygfan ar ben uchaf y clogwyni, i'r de o eglwys Flimston ac ar bwys ffens Maes Tanio Castellmartin – chwaraefan 'cerbydau'r fall' – mae'r olygfa draw cyn belled â Phentir Sant Gofan yn syfrdanol. Yn wir, nid oes yn unman arall yng ngwledydd Prydain ragorach enghreifftiau o dirffurfiau arfordirol na'r rheiny sy'n gysylltiedig â'r clogwyni calchfaen llwyd eu lliw rhwng bwa ysblennydd Pont y Creigiau a Phentir Sant Gofan, ar arfordir de Penfro, nid nepell o bentref Bosherston.

Er bod y clogwyni i gyd yn codi i uchder o tua 45–50 metr uwchlaw'r môr, mae eu proffil yn amrywio yn ôl gogwydd haenau'r

garreg galch; yn hynod serth neu'n dalsyth lle mae'r calchfaen yn goleddu'n raddol tua'r tir, ond yn llai serth o lawer lle mae'n bwrw ar i waered tua'r môr. Ond er bod goledd y creigiau plyg yn rheoli proffil y clogwyni i raddau helaeth nid felly arwyneb y tir, sydd cyn wastated â cheiniog. Yn wir, nodwedd amlycaf y dirwedd yn y rhan hon o'r wlad yw ehangder y llwyfandir arfordirol a wastatawyd, yn ôl pob tebyg, gan rym erydol y tonnau pan oedd lefel y môr o leiaf 50 metr yn uwch na'i lefel bresennol, tua phum miliwn neu fwy o flynyddoedd yn ôl.

Heddiw, mae'r môr yn tanseilio'r tir, ac wrth i'r clogwyni araf encilio dros y canrifoedd, crëwyd cyfres hynod o dirffurfiau amrywiol. Ceir pentiroedd, baeau, bwâu, staciau a hafnau, yn ogystal â nodweddion megis ogofâu sy'n gysylltiedig â thirwedd y garreg galch. Ffurfiwyd Pont y Creigiau wrth i ddwy ogof, y naill ochr a'r llall i bentir bach, uno â'i gilydd. Yn hwyr neu'n hwyrach, disgwylir i'r bwa lluniaidd hwn fynd â'i ben iddo gan adael ei ystlys allanol ar ffurf stac, nid annhebyg i fonyn y stac bach hwnnw gerllaw'r bwa presennol. Mwy trawiadol, fodd bynnag, yw Staciau'r Heligog, gweddillion bwâu ar ffurf dau biler unionsyth sy'n codi i uchder o oddeutu 35 metr uwchlaw'r môr, o fewn tafliad carreg i Bont y Creigiau.

Staciau'r Heligog

Llam yr Heliwr

Enw arall am wylog yw heligog – neu 'elegug', yn ôl y dafodiaith leol – ac yn ystod Mai–Mehefin, y tymor bridio, dywedir bod tua 12,000 a mwy o'r adar môr mudol hyn yn nythu ar y staciau, gan ddodwy eu hwyau ar silffoedd noeth, neu mewn cilfachau. Dyna hefyd a wna eu cefndryd, y llursod – rhyw fil ohonynt – sydd, ynghyd â niferoedd llai o wylanod coesddu, yn meddiannu'r silffoedd ar lefel

is. Yn ôl y sôn, yr wylan goesddu yw'r fwyaf swnllyd o'r adar môr, ond yma caiff galwadau'r aderyn gosgeiddig hwnnw eu boddi gan nodau cras a rhochian y gynulleidfa luosocach o garfilod du a gwyn.

Yn hytrach na thirffurfiau byr iawn eu hoedl ddaearegol megis staciau a bwâu, yr hyn sy'n hawlio sylw yng nghyffiniau Pentir Sant Gofan yw hafnau, mordyllau ac ogofâu. Mae'r ddau hafn hirgul – Llam yr Heliwr (Huntsman's Leap) a Stennis Ford – gyda'r enghreifftiau gorau o hafnau yng Nghymru a Lloegr ac fe'u crëwyd wrth i'r môr fanteisio ar ffawtiau, llinellau o wendid yng nghalchfeini'r ardal. Yr hafn hwyaf yw Stennis Ford, y gellir ei olrhain tua'r tir dros bellter o 180 metr, ond yr enwocaf yw Llam yr Heliwr, y dywedir i farchog neidio drosto ar gefn ei geffyl a chwympo'n farw o fraw wedi iddo gyflawni'r gamp! Ond mae'r hafn 43 metr o ddyfnder hefyd yn adnabyddus ymhlith dringwyr â'u bryd ar brofi'r wefr o goncro un neu fwy o'r dringfeydd clasurol niferus ar furiau'r gagendor.

Un o hynodion eraill Sir Benfro, yn ôl yr hanesydd George Owen, awdur *The Description of Penbrockshire* (1603), yw mordyllau Bosherston Mere ger Llam yr Heliwr, dwy simdde naturiol a ffurfiwyd wrth i rannau o ddoeau ogofâu y mae'r môr yn llifo i mewn ac allan ohonynt ddymchwel. Yn ystod stormydd garw, caiff tonnau'r môr eu hyrddio'n rymus, nid yn unig drwy'r ogofâu, ond hefyd i fyny'r simneiau a fry i'r awyr. Ond yna, wrth i'r dŵr gilio, dywed yr hanesydd fod grym y sugn yn ddigon i dynnu dafad neu fuwch i'r dyfnderoedd ac i'w thranc!

Digwydd bod ar lefel bresennol y môr y mae ogofâu Bosherston Mere, ond nid felly Ogof Gofan, un o blith nifer y mae eu mynedfeydd y tu hwnt i gyrraedd y tonnau. Creadigaethau afonydd tanddaearol diflanedig yw'r ogofâu, ac y mae cynnwys rhai ohonynt o ddiddordeb archaeolegol. Yn Ogof Gofan, er enghraifft, a archwiliwyd am y tro cyntaf yn 1966, cafwyd hyd i esgyrn creaduriaid megis moch, iyrchod a defaid, ond dim offer dynol, ac eithrio un darn o grochenwaith. Perthyn i'r cyfnod Neolithig diweddar y mae'r tamaid hwnnw ac nid darn o lestr a oedd yn eiddo i Sant Gofan, un o gyfoeswyr Dewi Sant. Yn ôl traddodiad, treuliodd Gofan ei oes, mewn gweddi ac ympryd mewn cysegrfan a ragflaenai'r capel bach canoloesol presennol sy'n llechu ar lawr cilfach yn y clogwyni, nid nepell o Bosherston.

Capel Sant Gofan

Rhosili

093

Nid oes ond rhaid sefyll ar rostir uchel mynydd Rhosili (Rhossili Down, 193 m) i werthfawrogi pam y dynodwyd Penrhyn Gŵyr yn Ardal o Harddwch Naturiol Eithriadol yn 1956, yr ardal gyntaf yng ngwledydd Prydain i ennill y statws arbennig hwnnw. Mae ehangder y golygfeydd tua'r môr yn syfrdanol: arfordir Gwlad yr Haf a Dyfnaint, ac amlinell Ynys Wair tua'r dwyrain, a chlogwyni a phentiroedd glannau de Sir Benfro tua'r gorllewin. Serch hynny, mae un o elfennau amlycaf tirwedd pen eithaf y penrhyn, sydd i'w gweld o'r copa, i'w phriodoli i law dyn yn hytrach na phrosesau naturiol. Ar arwyneb y llwyfandir i'r gorllewin o bentrefi Rhosili a Middleton ceir olion y gyfundrefn maes agored (cyfundrefn drimaes) a gyflwynwyd gan y Normaniaid yn ystod y ddeuddegfed ganrif, sef darn o dir, a adwaenir fel y Vile, sy'n ymestyn dros 385 hectar, wedi'i rannu'n lleiniau amlwg, pob un ohonynt fawr helaethach na 0.5 hectar.

Ond elfen gwbl naturiol yw arwyneb hynod wastad y llwyfandir arfordirol y gellir ei olrhain hyd drwyn nadreddog Pen Pyrod. Mae'r cyferbyniad rhwng ei wastadrwydd ac osgo'r haenau plyg o galchfaen sy'n sail iddo yn drawiadol iawn. Goleddu'n serth tua'r

Y traeth gorau ym Mhrydain

de-orllewin y mae calchfeini Pen Pyrod, tra bod y rheiny ar y tir mawr cyfagos yn gogwyddo tua'r gogledd-ddwyrain. Rhyngddynt mae llawr creigiog y swnt, a ddaw i'r golwg pan fo'r môr ar drai, yn cyfateb i echelin y 'bwa maen' (anticlin) mawr, plyg nad yw ei ffurf bellach yn dylanwadu ar olwg tirwedd yr ardal.

Yn ogystal â'r llwyfandir hynafol ar uchder o 50–60 metr uwchlaw'r môr, ceir tystiolaeth ddigamsyniol fod lefel y môr, mor ddiweddar â 125,000 o flynyddoedd yn ôl, wedi bod yn sylweddol uwch na'i lefel bresennol yn ogystal. Mae'r dystiolaeth honno i'w chanfod ar lannau'r swnt islaw hen orsaf Gwylwyr y Glannau, sydd bellach dan ofal gwirfoddolwyr. Yno, uwchlaw'r traeth presennol ac yn gorwedd ar lwyfan anwastad a naddwyd o'r Calchfaen Carbonifferaidd llwyd, ceir haenau o dywod a cherigos crynion yn gymysg â chregyn môr maluriedig ac ambell gragen gyflawn o lygad

maharen (*Patella vulgata*) a gwichiad (*Littorina littorea*). Mae olion yr hen gyfordraethau hyn yn gymharol gyffredin ar hyd arfordir de Gŵyr ac maent yn dyddio o'r cyfnod rhyngrewlifol cynnes, a flaenorai'r Rhewlifiant Diwethaf, pan oedd tymheredd misoedd yr haf 1–2°C yn uwch na'r presennol a'r môr tua wyth metr uwchlaw ei lefel bresennol.

Mewn gwrthgyferbyniad llwyr â'r cyfordraeth, sy'n dyst i gyfnod cynnes, mae'r teras hirgul y saif yr Hen Reithordy arno rhwng traeth Rhosili a godreon mynydd Rhosili yn tystio i gyfnod rhewllyd y Rhewlifiant Diwethaf. Serch hynny, nid dyddodion rhewlifol sydd i'w gweld yn wynebau'r clogwyni isel a gwyd uwchlaw'r traeth, ond yn hytrach drwch o gerrig onglog, cochion, lleol yn gymysg â thywod a rhywfaint o glai. Darnau rhewfriwiedig o greigiau Hen Dywodfaen Coch y bryn yw'r cerrig a ymgasglodd wrth droed mynydd Rhosili, wedi iddynt lithro i lawr y llethrau serth dan ddylanwad disgyrchiant. Ar y pryd, gorweddai trwyn y llen iâ a orchuddiai'r rhan helaethaf o dir Cymru yng nghyffiniau Bae Broughton, ychydig i'r gogledd o Burry Holms, yr ynys fechan o Galchfaen Carbonifferaidd – pan fo hi'n drai – ym mhen gogleddol Bae Rhosili. Yno, mae'r gwaddodion rhewlifol yn cynnwys darnau o gragen delyn yr aber (*Macoma balthica*) a godwyd oddi ar wely moryd Llwchwr wrth i'r iâ lifo tua'r de.

Wedi diflaniad yr iâ, cynhesodd yr hinsawdd, ac erbyn i drigolion y cyfnod Neolithig godi Sweyne's Howes, tua 5,000 o flynyddoedd yn ôl, sef dau feddrod siambr ychydig islaw crib mynydd Rhosili, ni fyddai'r traeth wedi edrych yn wahanol iawn i'r hyn ydyw heddiw. Fodd bynnag, o ganlyniad i stormydd geirwon y bedwaredd ganrif ar ddeg, cafodd hen eglwys y pentref ynghyd â chwech o dai a safai dan gysgod y clogwyni ym mhen deheuol y traeth eu claddu dan orchudd o dwyni tywod. (Yng nghyntedd Eglwys y Santes Fair, a saif yn y pentref ar ben y clogwyn, ceir drws Normanaidd ysblennydd y credir iddo gael ei symud o'r hen eglwys.)

Nid oes yng Nghymru berffeithiach morlan na'r traeth tywodlyd sy'n ymestyn dros bellter o 4.5 cilometr i'r gogledd o Rosili. Yn wir, yn 2013, cyhoeddwyd mai traeth Rhosili yw'r gorau ym Mhrydain, y trydydd gorau yn Ewrop a'r degfed gorau yn y byd! Eto i gyd, gall fod yn lle arswydus adeg tywydd garw. Yn ystod storm enbyd ar 18 Tachwedd 1840, drylliwyd y rhodlong *City of Bristol* ar y traeth. Yn ogystal â'r criw o 17, yr oedd ar ei bwrdd 10 o deithwyr a chargo o dda byw, ond dim ond dau ŵr a oroesodd y trychineb. Ac yna, ar 1 Tachwedd 1887, yr un fu hanes y llong hwyliau *Helvetia*, a gariai lwyth o 500 tunnell o goed ar ei bwrdd, er na chollodd neb ei fywyd y tro hwn. Ond hyd heddiw mae gweddillion asennau pren ei chorff, sydd i'w gweld o bryd i'w gilydd uwchlaw'r tywod, yn atgof o beryglon traeth dengar Rhosili.

Cyfordraeth Rhosili: mae'n cynnwys darnau o gregyn yn gymysg â cherrig a thywod

Cefn Bryn a Maen Ceti

094

Yn 1956 y dynodwyd y rhan helaethaf o Benrhyn Gŵyr yn Ardal o Harddwch Naturiol Eithriadol ac y mae llawer o swyn y fro, gan gynnwys Cefn Bryn, ei hasgwrn cefn, i'w briodoli i'w daeareg. Ond gormodiaith ar ran Benjamin Heath Malkin, yr hynafiaethydd a'r llenor o Sais, oedd hawlio yn ei gyfrol *The Scenery, Antiquities, and Biography of South Wales* (1804) fod Cefn Bryn yn 'fynydd sydd gyda'r uchaf yn ne Cymru'. Eto i gyd, ail yn unig yw'r gefnen hirgul, a gwyd i uchder o 188 metr gerllaw ei phen de-ddwyreiniol, i gopa

mynydd Rhosili (193 m), yr uchaf o fryniau'r penrhyn y mae eu copaon yn codi uwchlaw'r llwyfandir arfordirol lled-wastad.

Sylfaen Cefn Bryn a'r bryniau ym mhen gorllewinol y penrhyn yw amryfeini (cerigos crynion yn gymysg â thywod) a thywodfeini gwydn yr Hen Dywodfaen Coch. Fe'u dyddodwyd ar ffurf haenau o raean bras a thywod gan afonydd dolennog a lifai ar draws iseldiroedd lletgras yn ystod y cyfnod Defonaidd, rhwng 400 a 360 miliwn o flynyddoedd yn ôl. Yna, ar ddechrau'r cyfnod

Carbonifferaidd boddwyd y tir, ac ar lawr môr trofannol, cynnes, ymgasglodd haen ar ben haen o galchfeini – gweddillion creaduriaid môr yn bennaf – dros gyfnod o 30 miliwn o flynyddoedd. Gorwedd o'r golwg dan drwch o Galchfaen Carbonifferaidd a chreigiau diweddarach a wnâi'r Hen Dywodfaen Coch hyd oddeutu 300 miliwn o flynyddoedd yn ôl. Ond yna cafodd holl greigiau'r ddau gyfnod daearegol eu hanffurfio'n gyfres o blygion yn ystod cyfnod o symudiadau daear grymus a achoswyd wrth i ddau gyfandir hynafol ddod benben â'i gilydd. Plyg ar ffurf bwa (anticlin) yw Cefn Bryn ac yng nghraidd yr anticlin daw creigiau cochion hynaf y penrhyn i'r golwg, tra bod y calchfeini diweddarach yn sail i'r llwyfandir arfordirol o boptu'r bryn.

Dilyn crib anticlin Cefn Bryn y mae rhan o Lwybr Gŵyr, a agorwyd yn swyddogol yn 1998. Mae'r llwybr 56 cilometr o hyd yn arwain o Rosili ym mhen gorllewinol arglwyddiaeth hynafol Gŵyr hyd Benlle'rcastell, y mynydd-dir i'r de o Lanaman. Hynafol hefyd yw'r llwybr ar gopa Cefn Bryn, gan fod o leiaf rai o'r degau o garneddau bach y deuir ar eu traws ar hyd-ddo yn dyddio o'r Oes Efydd. Mwy trawiadol, fodd bynnag, yw'r tair carnedd gerllaw Maen Ceti ar ysgwydd pen gogledd-orllewinol y gefnen. Y fwyaf yw'r Garnedd Fawr, twmpath penfflat, crwn o feini mawrion a gasglwyd ynghyd tua 3,500 o flynyddoedd yn ôl.

O fewn tafliad carreg i'r Garnedd Fawr saif Maen Ceti, beddrod siambr y credir ei fod yn dyddio o'r cyfnod Neolithig. Arferid credu bod y clogfaen mawreddog, sy'n pwyso dros 30 tunnell, yn ddarn mawr o'r amryfaen cochlyd lleol. Ond nid o Gefn Bryn y daeth. Talp o amryfaen y 'Grut Melinfaen' sy'n brigo ar ochr ogleddol maes glo de Cymru yw Maen Ceti, maen dyfod a gludwyd dros bellter o 40 cilometr i'w orffwysfan presennol gan rewlif, pan oedd y Rhewlifiant Diwethaf yn ei anterth tua 20,000 o flynyddoedd yn ôl. A chan fod gwaelod y clogfaen ar yr un lefel â'r tir mawnog oddi amgylch iddo, mae'n bosibl na chafodd y maen 'estron' hwn erioed ei godi oddi ar y llawr gan drigolion y cyfnod Neolithig. Yn hytrach, mae'n ymddangos y cafodd y naw maen unionsyth, bach, y gorweddai'r clogfaen arnynt yn wreiddiol eu gosod yn eu lle drwy glirio ymaith y mawn a'r pridd o dan y maen dyfod. (Byth ers i Faen Ceti hollti'n ddau, mae'r darn mwyaf ohono'n gorwedd ar bedwar o'r meini bach yn unig.) Felly, gan na chafodd y clogfaen erioed ei godi, go brin y gellir hawlio, yn

Yr Hen Dywodfaen Coch, sail Cefn Bryn

unol ag un o'r trioedd, fod Maen Ceti 'yn un o dair gorchest fwyaf Ynys Prydain'! Ond er na all Maen Ceti gystadlu â'r gwaith o godi Côr y Cewri a Silbury Hill yng nghanolbarth de Lloegr, y ddwy orchest fawr arall y cyfeiriwyd atynt yn y trioedd, di-ail yw godidowgrwydd y panorama sy'n cyfarch pob ymwelydd â'r heneb. Ni wyddys pwy oedd Ceti ond credir mai enw'r un person sydd i'w gael yn Sgeti, sef Ynys Ceti gynt, un o faestrefi Abertawe.

Tua'r gorllewin, mae tafod Whiteford yn ymestyn tua'r gogledd, rhimyn o dwyni tywod a ddynodwyd yn Warchodfa Natur Genedlaethol, yn bennaf ar gyfrif ei hamrywiaeth anhygoel o flodau gwylltion, dros 250 o wahanol rywogaethau ohonynt. I'r dwyrain o'r llinell derfyn honno rhwng y môr a moryd Llwchwr, ac wrth odre'r hen glogwyni môr rhwng Llanmadog a Llanrhian, gorwedd morfeydd heli eang Llandimôr–Llanrhian. Dyma gynefin planhigion tra arbenigol a all wrthsefyll haul a heli, yn ogystal â sbarduno dyddodiad llaid drwy arafu llif y dyfroedd mwdlyd. Ar y morfeydd hyn, ynghyd â fflatiau llaid a banciau tywod y foryd a ddaw i'r golwg pan fo'r môr ar drai, y mae hyd at 50,000 o adar dŵr a rhydyddion yn treulio'r gaeaf. Tyst i bwysigrwydd yr ardal yw Canolfan Gwlyptir Genedlaethol Cymru ar lannau gogleddol y foryd, gwarchodfa y mae degau o filoedd o adar mudol yn ymweld â hi bob blwyddyn.

Amryfaen y 'Grut Melinfaen'

Maen Ceti a moryd Llwchwr

Craig yr Hesg, Pontypridd

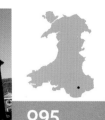

095

A deiladwaith enwocaf Pontypridd yw'r bont gerrig un-bwa, osgeiddig honno o dywodfaen llwydfelyn a ddyluniwyd gan William Edwards ac a godwyd ar draws afon Taf yn 1756. O sefyll arni ac edrych tua'r gogledd, ceir golygfa braf o lechweddau coediog Craig yr Hesg (c. 200 m) yn codi tua 140 metr uwchlaw llawr y dyffryn, coetir a ddyfarnwyd yn Warchodfa Natur Leol yn 2008. Ond ceir golygfa dra gwahanol o'r bryn o Gefn Eglwysilan ar lethrau Cwm Taf, i'r dwyrain o'r dref. Dros gyfnod o 125 o flynyddoedd, o leiaf, mae Craig yr Hesg wedi cael ei diberfeddu wrth i genedlaethau o chwarelwyr fynd ati i gloddio'r tywodfaen Pennant, cynnyrch y chwarel enfawr sydd bellach yn eiddo i gwmni Hanson, cyflenwyr agregau (craig fâl) a choncrit.

Rhan o'r dilyniant trwchus hwnnw o greigiau gwaddod a adwaenir fel y Cystradau Glo yw tywodfaen Pennant, er mai cymharol brin yw'r gwythiennau glo ymhlith yr haenau o dywodfaen.

Yng nghanol cerrig llaid llwyd-ddu'r Cystradau Glo Isaf y mae'r glo, a hynny'n bennaf yn ddwfn dan loriau hen gymoedd glofaol de Cymru. Daeth cyfnod y llystyfiant trofannol toreithiog a roes fod i'r gwythiennau glo goludog i ben tua 305 o filiynau o flynyddoedd yn ôl. Ac yna, o ganlyniad i newidiadau daearyddol a hinsoddegol a ddigwyddodd tua diwedd y cyfnod Carbonifferaidd, taenodd afonydd dolennog, a lifai o'r de i'r gogledd, haen ar ben haen o dywod yn bennaf ar draws y gwastadeddau arfordirol yr oedd y fforestydd trofannol wedi bwrw eu gwreiddiau ynddynt. Ymhen hir a hwyr, ymgaregodd y dyddodion meddal a throes y tywod yn haenau amrywiol eu trwch o dywodfaen Pennant, llwydlas ei liw ond rhydlyd ei wedd, wrth iddo hindreulio.

Yn anad dim byd arall, tywodfaen Pennant, y graig y naddwyd dyffrynnoedd maes glo de Cymru yn rhannol ohoni, a roddodd i bentrefi cadwynog y cymoedd bryd a gwedd nad yw eto wedi llwyr

Chwarel Craig yr Hesg

bylu, er gwaetha'r newidiadau a ddaeth yn sgil cau'r holl byllau glo y dibynnai trigolion yr ardal arnynt am eu cynhaliaeth. Yr oedd i bob cymuned a glofa, bron, ei chwarel ar lechweddau'r cymoedd, ac roedd bron pob haen o'r tywodfaen caled naill ai'n ffynhonnell cerrig adeiladu cymharol hawdd i'w trin a'u naddu, neu'n ffynhonnell fflagiau tenau a ddefnyddid i balmantu'r strydoedd hirion.

Datblygiad diwydiannol y ddau Gwm Rhondda a ganiataodd i Bontypridd ddod yn ganolbwynt masnachol rhan ganol y maes glo, datblygiad a sbardunodd ehangiad Chwarel Craig yr Hesg, y fwyaf o ddigon o holl chwareli'r ardal. Yr oedd y galw am gartrefi, yn enwedig yn y Rhondda Fawr a'r Rhondda Fach, yn syfrdanol, a rhwng 1881 ac 1914, pan oedd 53 o byllau glo ar waith yn y ddau gwm, codwyd tua 16,000 o dai. Nid rhes ar ben rhes o dai cymharol unffurf yn unig a godwyd o'r tywodfaen lleol, ond capeli ac eglwysi, tafarnau a chlybiau, neuaddau a siopau, yn ogystal ag adeiladau'r glofeydd eu hunain. Bu galw am gyflenwadau o gerrig Craig yr Hesg yng Nghwm Elan hefyd pan oedd Corfforaeth Birmingham wrthi'n codi cyfres o gronfeydd dŵr yno – Caban-coch, Carreg-ddu, Penygarreg a Chraig Goch – rhwng 1893 ac 1904.

Un o nodweddion arbennig Chwarel Craig yr Hesg yw trwch yr haenau gwaelodol o dywodfaen y mae modd i'w llifio'n flociau mawrion. Dyma ffynhonnell y meini mawr wynebsyth o 'garreg pennant glas' sy'n sail i'r gofeb hynod drawiadol o waith Syr W Goscombe John a luniwyd i goffáu Evan James a'i fab James James, cyfansoddwyr 'Hen Wlad fy Nhadau', ym Mharc Ynysangharad yng nghanol y dref. Cynhaliwyd y seremoni ddadorchuddio ar 23 Gorffennaf 1930 ac fe'i mynychwyd gan tua 10,000 o bobl. Roedd awdur yr erthygl a ymddangosodd yn y *Glamorgan Free Press & Rhondda Leader* dridiau wedi'r seremoni yn bendant o'r farn na ellid taro ar gefndir gwychach iddi na 'Mynydd Craig yr Hesg', lle yr enillai tua 100 o chwarelwyr eu bywoliaeth.

Mae'n bosibl, hefyd, mai o Chwarel Craig yr Hesg y cafwyd beddfaen Evan James, a fu farw yn 1878 ac a gladdwyd ym mynwent Capel Carmel, Pontypridd. Fodd bynnag, yn 1973 cafodd y garreg ac arni hir-a-thoddaid clodforol o waith ap Myfyr ei symud a'i gosod wrth droed y gofeb ym Mharc Ynysangharad. Yn 1902 y bu farw James James ac fe'i claddwyd ym mynwent Aberdâr. Ond yn wahanol i'w dad, fe'i coffeir gan garreg estron, slabyn o farmor claerwyn o chwareli byd-enwog Carrara, yr Eidal, nad oes arno yr un gair o Gymraeg, heblaw am enw ein hanthem genedlaethol a gyfansoddwyd yn 1856.

Pedwar maen o Chwarel Craig yr Hesg sydd wedi'u trefnu ar ffurf cromlech ym mhentref Langemark yn Fflandrys sy'n cynnal y cerflun o ddraig o waith Lee Odishow i goffáu'r milwyr o Gymru a laddwyd yng nghyflafan y Rhyfel Mawr. Nid nepell o'r gofeb, a ddadorchuddiwyd ar 16 Awst 2014, y lladdwyd Hedd Wyn yng Ngorffennaf 1917 ar ddiwrnod cyntaf Brwydr Passchendaele.

096

Mynydd y Garth a Chwm Taf

Er i *The Englishman Who Went Up a Hill But Came Down a Mountain* (1995) gael ei ffilmio yn ardal Llanrhaeadr-ym-Mochnant a Llansilin, mae'r ffilm ei hun yn adrodd hynt a helyntion dau o dirfesurwyr yr Arolwg Ordnans a anfonwyd i bentref Ffynnon Garw (Ffynnon Taf) yn 1917 er mwyn mesur uchder Mynydd y Garth. Llwyddodd y ddau bwysigyn o Sais i dynnu nyth cacwn am eu pennau drwy gyhoeddi bod y 'mynydd' sy'n ymgodi uwchlaw'r pentref ar lawr Cwm Taf yn 'fryn', oherwydd ei fod 16 troedfedd (4.9 m) yn brin o'r 1,000 o droedfeddi (304.8 m) angenrheidiol. Ond y pentrefwyr a orfu drwy godi ar ben y bryn un garnedd a oedd yn ddigon mawr i sicrhau y byddai'r copa yn codi'n uwch na'r 1,000 troedfedd hanfodol.

Hyd heddiw saif piler triongli'r Arolwg Ordnans, sydd bellach wedi hen oroesi ei ddefnyddioldeb, ar gopa'r mwyaf o bum crug sydd ar ben Mynydd y Garth (307 m). Afraid dweud nad creadigaethau'r ugeinfed ganrif mo'r crugiau crwn hynny, sydd ymhlith y gwychaf o'u bath yn yr ardal. Fe'u codwyd yn ystod yr Oes Efydd, rhwng 3,000 a 4,000 o flynyddoedd yn ôl, ac mae eu lleoliad trawiadol a maint y mwyaf ohonynt (4.3 metr o uchder) yn awgrymu bod hwn yn fan claddu pendefigion y gymuned leol. Ond y panorama 360°, rhagor na mawredd yr henebion, sy'n mynd â bryd y rhan fwyaf o bobl sy'n dewis rhodio'r llecyn di-goed a digysgod hwn o dir comin, gan gynnwys rhan fach o Ffordd y Bryniau, llwybr 34 cilometr o hyd yn ymestyn o Fynydd Maendy, ger y Gilfach-goch yn y gorllewin hyd Gomin Caerffili yn y dwyrain. Tua'r de, ar ddiwrnod heulog, clir, mae tref lan môr Weston-super-Mare i'w gweld yr ochr draw i Fôr Hafren, a chopaon Bannau Brycheiniog yn codi uwchlaw blaenddyfroedd Cwm Taf Fawr a Chwm Taf Fechan tua'r gogledd.

Eto i gyd, y mae ardal Ffynnon Taf o ddiddordeb daearyddol a daearegol arbennig ar gyfrif y berthynas agos rhwng ei daeareg a'i thopograffi. Nodwedd amlycaf yr olygfa tua'r de yw ceunant cul Ffynnon Taf ynghyd â chefnen drawiadol y Garth Fach–Fforest-fawr a fylchwyd gan afon Taf. Calchfaen Carbonifferaidd gwyn wedi'i staenio'n goch gan ocsidau haearn yw sail y gefnen.

Cwm Taf, yn edrych tua'r gogledd

Ceunant Ffynnon Taf

Caerffili, wrth droed yr enfys

Ar lechweddau creigiog deheuol Fforest-fawr y codwyd Castell Coch, y cwyd ei dyrau crwn a'i doeau conigol uwchlaw'r goedwig amgylchynol. Creadigaeth chwarter olaf y bedwaredd ganrif ar bymtheg yw'r adeiladwaith rhamantaidd hwnnw. Fe'i cyllidwyd gan drydydd Ardalydd Bute, ond cyflawnwyd y gwaith adeiladu dan gyfarwyddyd y pensaer enwog William Burges. Mae'r Castell Coch presennol yn bwrw ei drem dros ddinas Caerdydd, a adeiladwyd yn bennaf ar sylfaen o waddodion rhewlifol a llaid aberol glannau afon Taf, ond roedd y castell gwreiddiol a godwyd gan deulu de Clare, tua diwedd y drydedd ganrif ar ddeg, yn tra-arglwyddiaethu dros geunant Ffynnon Taf.

Fry ar lechweddau coediog y ceunant, gyferbyn â Chastell Coch, saif clamp o chwarel galchfaen weithredol a fu'n safle mwynglawdd haearn a gyflenwai waith haearn Pentyrch yn ystod y bedwaredd ganrif ar bymtheg, hyd nes iddo gau yn 1888. Mae'r ardal hefyd yn nodedig am ei hogofâu, megis Ogof Tŷ-nant ynghyd ag Ogof Ffynnon Taf, y mae ei muriau dan orchudd llifau ysblennydd o galsit oren.

Goleddu'n serth tua'r gogledd o dan lawr basn maes glo de Cymru y mae'r haenau o galchfaen sy'n sail i gefnen y Garth Fach-Fforest-fawr, cyn iddynt raddol godi ac ailymddangos ychydig i'r gogledd o Ferthyr Tudful. Yn union i'r gogledd o frig y calchfaen y mae dyffryn Nant Cwmllwydrew, wrth odre Mynydd y Garth, a Nant y Brynau wrth droed Craig yr Allt (273 m), dwy o lednentydd afon Taf.

Mae'r dyffrynnoedd hyn yn cyfateb i frig cerrig llaid meddalach y Cystradau Glo Canol ac Isaf ac ynddynt wythiennau glo gwerthfawr a gloddid mewn pyllau bach yn ystod y bedwaredd ganrif ar bymtheg i fwydo gwaith haearn lleol.

Sylfaen cefnen Mynydd y Garth–Craig yr Allt, a fylchwyd hefyd gan afon Taf, yw tywodfaen Pennant, craig galetach a gwytnach o lawer na'r Cystradau Glo sydd yn gorwedd oddi tano. Goleddu tua'r gogledd y mae tywodfaen Pennant hefyd, er bod yr haenau yn troi ar i fyny yr ochr draw i'r pant mawr y mae Nantgarw a Chaerffili yn gorwedd ar ei lawr. Mae'r pant yn cyfateb i synclin, plyg ar ffurf trawstoriad basn, sy'n cynnal creigiau mwy diweddar y Cystradau Glo yn ei graidd.

Tywodfaen Pennant, a gloddiwyd yn y bryniau i'r gogledd o safle tref bresennol Caerffili, a ddefnyddiwyd gan Gilbert de Clare yn ystod ail hanner y drydedd ganrif ar ddeg i godi castell mawreddog Caerffili, un o gestyll canoloesol gwychaf gorllewin Ewrop. Yn ôl pob tebyg, dyma'r tro cyntaf y defnyddiwyd y graig arbennig hon ar raddfa fawr, tywodfaen y gwnaed defnydd helaeth iawn ohono fel carreg adeiladu ledled Morgannwg a gorllewin Gwent pan oedd y diwydiant glo yn ei anterth.

Y crug ar gopa Mynydd y Garth

Allteuryn a Gwastadeddau Caldicot

097

'Fry uwchlaw'r dŵr, a heb fod yn bell o Gaerllion, saif bryncyn creigiog a'i drem dros Fôr Hafren. Yn Saesneg fe'i hadwaenir fel Goldcliff, y graig aur. Pan fo pelydrau'r haul yn ei tharo, mae'r garreg yn disgleirio'n llachar iawn gan gymryd arni ddisgleirdeb euraid.' Dyna ddisgrifiad gorflodeuog Gerallt Gymro o Allteuryn.

Pentir yw'r codiad tir heddiw, ond yn gynnar yn ystod y cyfnod ôl-rewlifol, oddeutu 11,000 o flynyddoedd yn ôl, roedd yn fryncyn o galchfaen a charreg laid Jwrasig a godai ei ben uwchlaw ehangder yr iseldir y llifai afon Hafren drosto ar ei hynt tua'r môr. Yna, yn dilyn diflaniad llenni iâ mawrion y byd ar ddiwedd y Rhewlifiant Diwethaf, a hynny dan ddylanwad hinsawdd a oedd yn graddol gynhesu, ymledodd y môr yn araf ar draws y tir, gan ddifa'r fforest o goed derw, yn bennaf, a dyfai arno. Bellach, mae clogwyni Allteuryn yn codi tua 18 metr uwchlaw glannau lleidiog Môr Hafren, ac yn yr haenau o laid a silt, sydd ddim ond i'w gweld rhwng penllanw a distyll, wrth droed y morglawdd anferthol a godwyd rhwng 1952 ac 1974 i amddiffyn Gwastadeddau Caldicot, cafwyd hyd i doreth o drysorau archaeolegol.

THE GREAT FLOOD
1607
WATER LEVEL

Mur tŵr Eglwys y Santes Fair, Nash

Mur cyntedd Eglwys St Thomas, Redwick (isod)

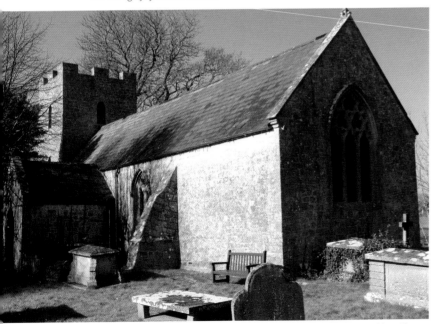

Eglwys Mair Magdalen, Allteuryn

Yn ystod y 1990au a degawd cyntaf y ganrif bresennol, fe ddarganfu archaeolegwyr helaethder o dystiolaeth yn dyddio o'r cyfnod Mesolithig yn y mwd gludiog, olion gweithgareddau helwyr-gasglwyr a drigai yn yr ardal rhwng 8,000 a 6,800 o flynyddoedd yn ôl. Daethpwyd ar draws safleoedd lle yr arferai'r bobl goginio pysgod a bwtsiera bualod mawr (gwartheg mawr diflanedig). Darganfuwyd esgyrn moch a dyfrgwn hefyd, yn ogystal ag offer a luniwyd o bren, asgwrn a chorn carw. Ond yr hyn a wnâi'r safle'n arbennig oedd yr olion traed dynol a ddaeth i'r amlwg, y rhan fwyaf ohonynt yn olion traed plant ifanc. Ynghyd â'r rhain, roedd olion traed y carw coch yn niferus, yn ogystal â rhai'r garan, aderyn nad yw bellach ymhlith adar brodorol Prydain.

Awgryma'r dystiolaeth archaeolegol yr arferai'r helwyr-gasglwyr cynnar ymweld â'r gwastadeddau lleidiog ar hyd y flwyddyn, ond yn enwedig yn ystod yr haf a'r hydref. A thrwy gydol y mil a mwy o flynyddoedd y trigai'r cymunedau Mesolithig yn yr ardal, parhâi'r môr i godi ychydig filimetrau bron bob blwyddyn, gan ychwanegu at y trwch o waddodion aberol a ymgasglai ar hyd glannau Môr Hafren. Yn wir, dengys y dystiolaeth o gyffiniau Redwick, nid nepell o bentref Allteuryn, fod yr haenau o glai a silt ddeng metr o drwch wedi dechrau ymgasglu 8,000 o flynyddoedd yn ôl, a hynny ar dir sydd bellach tua phum metr o dan lefel y môr.

Fel yr awgryma'r garreg gydag arysgrifen Rufeinig arni a ganfuwyd ar y traeth gerllaw pentir Allteuryn yn 1878, y Rhufeiniaid, a oedd wedi ymsefydlu yng Nghaerllion, oedd y cyntaf i godi morglawdd mewn ymdrech i amddiffyn tir y gwastadeddau ffrwythlon rhag y môr. Eto i gyd, cymharol lwyddiannus yn unig fu'r ymdrechion hyn, ynghyd â'r gwaith a gyflawnwyd yn ystod yr Oesoedd Canol.

Safai Priordy'r Benedictiaid, a sefydlwyd yn 1113, ar bentir Allteuryn, ond wedi i ran ohono gael ei ddifrodi gan lifogydd yn 1424, codwyd Eglwys Mair Magdalen ddau gilometr o'r glannau, gan ddefnyddio peth o'r blociau sgwâr o galchfaen Jwrasig a achubwyd o'r priordy, adeilad nad oes dim i'w weld ohono heddiw.

Ond di-nod oedd llifogydd Allteuryn yn 1424, a Llan-wern yn 1520, o'u cymharu â'r difrod a'r marwolaethau a achoswyd gan orlif trychinebus 1606 (neu 1607 yn ôl y cyfrif modern). Mae'r plac pres a osodwyd ar y mur gerllaw'r allor yn Eglwys Mair Magdalen ym mhentre Allteuryn yn cofnodi'r digwyddiad:

On the XX [20] day of Janvary even as it came to pas it pleased God the flvd did flow to the edge of this same bras[*] – and in this parish theare was lost 5000 and od pownds besides XXII [22] people was in this parrish drown

Cofnodir uchder dyfroedd y gorlif hefyd ar garreg ym mur allanol cyntedd Eglwys St Thomas, Redwick, ac ar ffurf rhicyn ar fur allanol twr Eglwys y Santes Fair, Nash, tua dau gilometr i'r gorllewin o bentref Allteuryn. Mae cofebau i'w cael hefyd yn eglwysi Llansantffraid Gwynllŵg a Llanbedr Gwynllŵg ar Wastadeddau Gwynllŵg. Ond nid Gwastadeddau Gwent yn unig a foddwyd. Ysgubodd y dyfroedd dros yr iseldiroedd ar y naill ochr a'r llall i Fôr Hafren, gan foddi, o bosibl, hyd at 2,000 o bobl a lladd miloedd o anifeiliaid.

Cred rhai mai tswnami a achosodd y trychineb, y tonnau dinistriol mawrion a grëir, fel rheol, gan ddaeargrynfeydd tanfor grymus. Byddai daeargryn gwirioneddol nerthol dan wely Môr Hafren wedi siglo seiliau de Prydain a de Iwerddon, ond ni chafodd unrhyw ysgytiad o'r fath ei gofnodi ar 30 Ionawr 1607. Ymddengys, felly, mai storm enbyd a'r dygyfor a'i creodd a achosodd y 'Dilyw Mawr', storm debyg i honno a esgorodd ar Orlif Môr y Gogledd yn 1953, a laddodd dros 2,000 o drigolion yr Iseldiroedd a dwyrain Lloegr.

*Mae'r plac tua metr uwchlaw llawr yr eglwys a saith metr uwchlaw lefel y môr.

Un o'r ffosydd yn draenio'r gwastadeddau

098

Dwnrhefn ac arfordir Bro Morgannwg

Traeth Dwnrhefn

Fel pob saer maen gwerth ei halen, roedd Iolo Morganwg yn meddu ar wybodaeth fanwl am greigiau Bro Morgannwg ac am briodoleddau ei cherrig adeiladu. Mynnai nad y lleiaf o ragoriaethau daearegol ei sir enedigol oedd ei chlogwyni môr, a chwe blynedd yn brin o ganmlwyddiant marwolaeth Iolo, a fu farw yn 1826, rhoes Arthur Elijah Trueman, cyn bennaeth Adran Ddaeareg Prifysgol Cymru, Abertawe, sêl ei fendith ar ddyfarniad yr 'athrylith gyfeiliorn' o Drefflemin. Hawliai Trueman hefyd nad oes yn unman arall yng ngwledydd Prydain frigiadau rhagorach o galchfeini Lias Glas nag arfordir y Fro. Cydnabuwyd gwychder yr arfordir clogwynog yn 1972, pan ddynodwyd y 22.5 cilometr rhwng Aberddawan a Phorth-cawl yn Arfordir Treftadaeth, llain o dir a reolir er mwyn gwarchod a chynnal harddwch naturiol ei thirwedd.

Mae'n debyg fod y gair 'lias' yn tarddu o'r hen air Ffrangeg *liais*, sef math o galchfaen caled. Pennaf nodwedd y Lias Glas, sy'n ffurfio'r clogwyni y naill ochr a'r llall i draeth poblogaidd Dwnrhefn, nid nepell o bentref Southerndown, yw ei haenau tenau o galchfaen llwydlas, caled – yn llai na 30 centimetr o drwch, fel rheol – am yn ail â haenau teneuach o gerrig llaid meddalach. Y Lias Glas, a ymgasglodd fesul haen ar lawr môr bas, cynnes, pan orweddai Cymru tua 30° i'r gogledd o'r cyhydedd, yw'r ieuengaf o holl greigiau Cymru. Craig ydyw sy'n adnabyddus am ei ffosilau gwych, ac ar wynebau'r meini dŵr-dreuliedig ar draeth Dwnrhefn gwelir yn aml olion amonitau bach a mawr, cregyn deuglawr, cwrelau a chrinoidau a drigai ym môr y cyfnod Jwrasig cynnar, tua 190 miliwn o flynyddoedd yn ôl.

Ond i wir werthfawrogi gogoniant yr Arfordir Treftadaeth, y mae'n rhaid dringo'r llwybr glaswelltog sy'n arwain i gopa Trwyn y Witsh, pentir digysgod 63 metr o uchder ar ochr ddeheuol y bae. Mae'r llwybr yn mynd heibio i'r ychydig sy'n weddill o Gastell Dwnrhefn, a godwyd ar safle hen faenordy canoloesol yn ystod y bedwaredd ganrif ar bymtheg. Safai'r plasty Gothig, a ddymchwelwyd yn 1962, oddi mewn i ragfuriau caer bentir a sefydlwyd ar gopa

Y clogwyni rhwng Trwyn y Witsh a Chwm yr As Fawr (dde)

Ffosilau cregyn deuglawr

Ffosil amonit

Trwyn y Witsh yn ystod yr Oes Haearn, tua 2,500 o flynyddoedd yn ôl. Fodd bynnag, er mor gadarn yw'r pentir ac iddo graidd o Galchfaen Carbonifferaidd gwydn, y mae grym ffrwydrol tonnau stormydd garw wedi tanseilio'r clogwyni a pheri iddynt gwympo, gan ddifrodi naill ben y rhagfuriau a lleihau arwynebedd yr hen gadarnle. Yn ogystal â hynny, mae grym erydol y tonnau wedi cyflymu enciliad clogwyni'r Lias Glas i'r de o'r trwyn, gan ychwanegu'n sylweddol at led y llyfndir creigiog wrth eu godre.

O'r arsyllfan fry uwchlaw'r môr, mae'r olygfa cyn belled â Chwm yr As Fawr, tua thri chilometr i'r de, yn syfrdanol. Gan fod y clogwyni'n encilio'n gyflymach na gallu nentydd Cwm Mawr a Chwm Bach i dyrchu'r tir, y mae eu dyfroedd, ar benllanw, yn plymio dros ymyl y dibyn ac i mewn i'r môr. Pan fo'r môr ar drai, mae'r olygfa'n fwy trawiadol fyth, oherwydd o flaen y clogwyni mawreddog, ond hynod ansefydlog, rhwng Trwyn y Witsh a Chwm Bach, mae'r llyfndir tonnau lled-wastad, 300 metr o led, yn cymryd arno bryd a gwedd map daearegol. Mae amlinellau crwm – a thoredig mewn mannau – yr haenau caled o galchfaen yn ddrych o'r plygion a'r ffawtiau sydd i'w gweld yn wynebau'r clogwyni. Er yn ddi-nod o'u cymharu â'r plygion a'r ffawtiau enfawr a grëwyd gan y grymoedd tectonig anferthol a roes fod i'r Alpau, mae'r crychau a'r rhwygiadau a welir yng nghlogwyni Bro Morgannwg yn adlais egwan o'r gwrthdaro rhwng

cyfandiroedd Ewrop ac Affrica a esgorodd ar y symudiadau daear Alpaidd a oedd yn eu hanterth tua 25 miliwn o flynyddoedd yn ôl.

Er bod brigiadau naturiol o'r Lias Glas yn brin ar hyd a lled y Fro, mae'r graig wedi gadael ei stamp annileadwy ar dirwedd yr ardal, ffaith yr oedd Iolo Morganwg yn llwyr ymwybodol ohoni. O losgi'r calchfaen, meddai, gellid cynhyrchu calch 'o'r ansawdd gorau'. At hynny, mynnai Iolo fod y garreg nid yn unig yn addas at godi waliau cerrig, ond gellid hefyd lunio meini nadd wyneb-wastad (ashlar) ohoni, 'mwy prydferth o lawer' na Charreg Portland neu Garreg Caerfaddon! Gor-ddweud oedd hynny, a dweud y lleiaf, ond gan fod yr haenau o galchfaen yn cynnwys setiau o graciau naturiol (bregion) ar ongl sgwâr i'w gilydd, gellid cloddio'r graig yn ddidrafferth, a buan y cydnabuwyd ei gwerth. Fe'i defnyddiwyd yn ddeunydd adeiladu gan y Rhufeiniaid wrth godi muriau eu caer yng Nghaerdydd a chan y Normaniaid ym muriau rhai o'u cestyll ym Mro Morgannwg.

Yn wir, rhan o apêl yr ardal yw'r pentrefi, ffermdai ac eglwysi a godwyd o'r calchfaen Liasig lleol, nifer ohonynt yn swatio'n dawel mewn cymoedd diarffordd dan lefel y llwyfandir arfordirol hynafol y mae ei uchder yn graddol ostwng o oddeutu 100–120 metr uwchlaw lefel y môr ar gyrion deheuol y maes glo i 30–50 metr uwchben glannau'r Fro.

Aberogwr

099

Ni fu erioed brinder cerrig adeiladu yng Nghymru. Hyd ddiwedd y bedwaredd ganrif ar bymtheg, roedd adeiladwyr yn ddibynnol, i raddau helaeth iawn, ar y cyflenwadau hynny o gerrig a oedd ar gael yn lleol. Eto i gyd, nid oedd y defnydd lleol yn ateb pob gofyn, o bell ffordd, ac yn ystod yr Oesoedd Canol, cyfnod codi cestyll, abatai ac eglwysi ledled y wlad, bu'n rhaid i'r rhan fwyaf o'r pen seiri meini a gyflogid i oruchwylio'r gwaith adeiladu fewnforio llwythi o gerrig rhywiog (*freestones*) amrywiol eu natur. Dyma'r meini, a oedd yn ddigon unffurf eu gwead fel bod modd i seiri meini nid yn unig eu hollti a'u naddu, mewn unrhyw gyfeiriad, gyda chymorth llif neu forthwyl pren a gaing, ond hefyd lunio nodweddion cerfiedig penodol, megis fframiau ffenestri, cilbyst, conglfeini a charegwaith addurniadol ohonynt.

Er nad oes yng Nghymru gerrig rhywiog o'r un ansawdd â Charreg Caerfaddon a Charreg Portland, a gloddir hyd heddiw ger Caerfaddon ac ar Ynys Portland, ger Weymouth, nid yw'r wlad yn gwbl amddifad ohonynt. Yn dyst i hyn yw'r defnydd a wneid o Garreg Sutton a gâi ei chloddio mewn cyfres o chwareli bach ar y llechweddau uwchlaw glannau Aberogwr, y pentref glan môr di-nod hwnnw nad oes ymhlith ei adeiladau presennol unrhyw un sy'n haeddu sylw yng nghyfrol John Newman, *The Buildings of Wales: Glamorgan* (1995).

Prin iawn yw olion y chwareli hynafol heddiw. Serch hynny, mae'r garreg, a oedd mor werthfawr yng ngolwg seiri meini'r Oesoedd Canol, yn brigo yn y clogwyni isel ger pen isaf Pant y Slâd, y dyffryn serth, glaswelltog, ychydig y tu hwnt i gyrion deheuol Aberogwr. Math o galchfaen llwydwyn a lled-dyllog ei wedd yw Carreg Sutton, a ddyddiodwyd mewn dŵr bas môr a oedd yn graddol foddi'r tir yn gynnar yn ystod y cyfnod Jwrasig, tua 195 miliwn o flynyddoedd yn ôl. Yn ogystal â chynnwys cregyn drylliedig creaduriaid a ffynnai yn nyfroedd cynnes y môr, ceir ynddo hefyd gerigos crynion mân a mawr, sef darnau dŵr-dreuliedig o Galchfaen Carbonifferaidd llwyd, y

graig a ffurfiai'r clogwyni yr ymosodai tonnau'r môr Jwrasig arnynt, a'r graig y mae haenau trwchus o Garreg Sutton yn gorwedd arni heddiw.

Heb os nac oni bai, Carreg Sutton yw'r orau o ddigon o gerrig rhywiog Cymru, a buan y cydnabuwyd ei defnyddioldeb ym Mro Morgannwg a de Cymru gyfan. Er enghraifft, yn gynnar yn y ddeuddegfed ganrif, fe'i defnyddiwyd i lunio'r meini nadd sydd i'w gweld yng ngorthwr Castell Ogwr, adeilad a godwyd fel arall o

Olion un o chwareli bach Aberogwr

Galchfaen Carbonifferaidd y fro, ar lan afon Ogwr ac nid nepell o'r chwareli lle y cloddid y garreg rywiog. Gwnaed defnydd helaeth iawn o Garreg Sutton hefyd ym mhriordy cyfagos Ewenni, eglwys a gomisiynwyd yn wreiddiol gan William de Londres, ceidwad Castell Ogwr, a fu farw yn 1126. Tua'r un cyfnod allforiwyd llwythi ohoni tua'r dwyrain a'i defnyddio i lunio elfennau addurnol yn Eglwys Gadeiriol Llandaf yng nghyfnod Urban, ail esgob Normanaidd y gadeirlan.

Yn gynnar yn y drydedd ganrif ar ddeg, mewnforiwyd cyflenwadau o'r maen arbennig gan fynachod abatai Margam a Nedd, er mwyn diwallu anghenion arbennig y seiri meini a fu wrthi'n codi'r naill abaty a'r llall, ynghyd â'u hadeiladau cwfeiniol.

Ymhellach tua'r gorllewin, mae blociau nadd o'r garreg yn amlwg ym mharapet bwaog ysblennydd Castell Abertawe, sy'n dyddio o'r bedwaredd ganrif ar ddeg. Mae sgrin odidog Capel y Drindod yn Eglwys Gadeiriol Tyddewi yn dyddio o'r unfed ganrif ar bymtheg. Fe'i lluniwyd o galchfaen Jwrasig melynllyd, sef Carreg Dundry, a ddeuai o chwareli hynafol Dundry Hill i'r de o Fryste, a Charreg Caerfaddon o'r chwareli yng nghyffiniau hen dref Rufeinig Caerfaddon. Ond mae'r sgrin hefyd yn cynnwys ambell golofn ddigon anghelfydd ei golwg o Garreg Sutton, a ddefnyddiwyd i'w thrwsio rywbryd yn ddiweddarach yn ei hanes.

Ond nid Tyddewi oedd pen draw'r daith i'r llongau masnach a hwyliai o Aberogwr. Er nad yw Carreg Sutton i'w chanfod yn adeiladwaith adfeilion Abaty Llandudoch, ar lan afon Teifi, ceir yno enghreifftiau o naddfeini addurnol a ddeuai'n wreiddiol o gorff yr eglwys: rhan o ganopi bwaog cywrain yn dyddio o'r drydedd ganrif ar ddeg, ynghyd â chlawr beddrod, tua dau fetr o hyd, ar lun sgerbwd dynol, sydd wedi ei briodoli i'r unfed ganrif ar bymtheg.

Fodd bynnag, erbyn diwedd yr Oesoedd Canol, roedd oes aur chwareli Aberogwr yn prysur ddirwyn i ben. I'r rheiny a oedd yn chwennych cyflenwadau o'r garreg rywiog hon, nid oedd dim amdani ond ysbeilio hen adeiladau ac ailgylchu'r cerrig nadd. Dyna a wnaeth Syr Thomas Lewis, perchennog Y Fan, y plasdy Elisabethaidd a safai ar godiad tir gerllaw Castell Caerffili, wedi iddo dderbyn trwydded gan Iarll Penfro yn 1583 a roddodd iddo'r hawl i ddefnyddio faint fynnai o'r Cerrig Sutton naddedig yr oedd Gilbert de Clare wedi'u hymgorffori yn ei gastell mawreddog a godwyd ar ddiwedd y drydedd ganrif ar ddeg.

Trwch o Garreg Sutton yn gorwedd ar Galchfaen Carbonifferaidd llwydlas (dde)

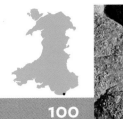

Creigiau Bendrick

Tra oedd yr arlunydd o Gymro Thomas Henry Thomas (1834–1915), a aned ym Mhont-y-pŵl, yn teithio drwy'r rhan honno o Fro Morgannwg ger Porth-cawl ym mis Medi 1878, oedodd gyda'r hwyr ym mhentref y Drenewydd yn Notais a chrwydro o amgylch yr hen eglwys. Roedd yr haul yn araf fachlud a disgynnai ei belydrau ar garreg a fesurai oddeutu dau fetr sgwâr. Wrth nesáu ati, sylwodd yr arlunydd llygatgraff, a ymddiddorai mewn daeareg ymhlith nifer o bethau eraill, fod rhes o bump o olion traed tri bys rhyw greadur ymlusgol i'w gweld ar wyneb y maen. Go brin y sylweddolai hynny ar

y pryd, ond yn yr hwyrddydd hwnnw fe sicrhaodd Thomas Henry Thomas le arbennig iddo'i hun yn oriel yr anfarwolion, gan mai ef oedd y cyntaf i gofnodi a disgrifio olion traed dinosoriaid yng Nghymru.

Ar sail maintioli'r olion traed ffosiledig a hyd camau'r creadur a'u ffurfiodd, barnai W J Sollas, cyfaill yr arlunydd a darlithydd mewn daeareg a sŵoleg ym Mhrifysgol Bryste, y cawsai'r olion eu creu gan ddinosor tua dau fetr o daldra a enwyd yn *Brontozoum thomasi*; *thomasi*, sylwer, er clod i ddarganfyddwr y ffosilau. Ond er pwysiced

Creigiau cochion Bendrick

y darganfyddiad, ni ellid dweud nemor ddim am gynefin y creadur, gan na wyddai Thomas na Sollas o ble yn wreiddiol y daethai'r slabyn o amryfaen cochlyd – craig yn cynnwys cymysgfa o gerrig crynion a thywod – yn dyddio o'r cyfnod Triasig, rhwng 251 a 199 miliwn o flynyddoedd yn ôl.

Yng Nghymru bu'n rhaid aros hyd Ebrill 1974 cyn y cafwyd hyd i olion traed mewn dilyniant o greigiau penodol ac fe'u darganfuwyd yng nghreigiau Bendrick, ar lan Môr Hafren, tua dau gilometr i'r dwyrain o Ynys y Barri. Dros arwynebedd a fesurai 25 metr sgwâr, cofnodwyd dros 400 o olion traed, rhai'n olion tri bys ac eraill yn bedwar bys ar ffurf llwybrau pendant y gellid eu holrhain ar draws arwynebau tywodfeini cochlyd yn dyddio o'r cyfnod Triasig, tua 210 miliwn o flynyddoedd yn ôl. Heb esgyrn ffosil, ni wyddys i sicrwydd pa fath o ddinosoriaid a adawodd eu stamp ar greigiau'r ardal ond, yn ôl pob tebyg, perthyn i ddinosoriaid cigysol bach a mawr a gerddai ar eu traed ôl y mae'r olion tri bys bach a mawr, tra bod yr olion pedwar bys i'w priodoli, o bosibl, i ddinosor llysysol a gerddai ar ei bedwar.

Ar wastadeddau isel diffeithdir cras, a orweddai tua 20° i'r gogledd o'r cyhydedd, yr ymgasglodd y gwaddodion a roes fod i greigiau haenog, lliwgar Bendrick. Ysbeidiol iawn oedd y cyfnodau gwlyb a nodweddai'r diffeithdir ond, pan lawiai, esgorai'r glawogydd trymion ar fflachlifau. Sgubai'r llifogydd glogfeini, cerigos, tywod, silt a mwd o fryniau cyfagos tuag at lannau nifer o lynnoedd bach byrhoedlog ac un llyn neu fôr mewndirol mawr, a orweddai lle y mae Môr Hafren i'w weld heddiw. Ar arwyneb ambell haen o dywodfaen neu garreg silt gwelir crychnodau, sef patrymau tonnog – tebyg i'r rheiny sydd i'w gweld ar draethau pan fo'r môr ar drai – a ffurfiwyd wrth i'r tywod gael ei symud yn ôl a blaen gan donnau'r llynnoedd bas. Yn y tywod a'r silt meddal, hefyd, y gadawsai rhai o ddinosoriaid cynharaf y byd eu holion traed, ond nid eu hesgyrn. Mae'n debyg y cafodd eu sgerbydau naill ai eu bwyta'u difa gan ysglyfaethwyr neu eu troi yn llwch dan haul crasboeth y diffeithdir yn ystod yr ysbeidiau hirhoedlog, sych, pan nad oedd unrhyw afonydd ar gael i daenu haenau amddiffynnol o silt a thywod drostynt.

Er nad oes esgyrn dinosoriaid i'w cael yng nghreigiau Bendrick, dyma'r safle gorau ym Mhrydain ar gyfer olion traed dinosoriaid y cyfnod Triasig. Oherwydd hynny, mae'r fath olion yn wrthrychau

Olion traed y dinosoriaid

Bu dinosoriaid yn troedio'r Ddaear yn dra llwyddiannus dros gyfnod o oddeutu 165 miliwn o flynyddoedd, cyn iddynt ddarfod amdanynt. Credir mai'r hyn a fu, o leiaf, yn rhannol gyfrifol am eu tranc, ynghyd â difodiant nifer fawr o rywogaethau eraill ar dir ac yn y môr, oedd sgil effeithiau byd-eang y ffrwydrad catastroffig a achoswyd pan drawyd y Ddaear gan asteroid oddeutu 12 cilometr ar ei draws, tua 65 miliwn o flynyddoedd yn ôl. Mae olion y crater anferthol, 195 cilometr ar draws ac 20 cilometr o ddyfnder, a grëwyd gan ardrawiad yr asteroid, ynghladd dan dir a glannau gogleddol Gorynys Chicxulub, México.

casgliadwy iawn ymhlith casglwyr a gwerthwyr ffosilau diegwyddor. Yn wir, yn 2005, ysbeiliwyd y safle ac yn fuan wedi hynny dechreuodd slabiau bach ac arnynt un neu ddau o olion traed ymddangos ar werth ar y We ac mewn siopau a ffeiriau gwerthu ffosilau ym Mhrydain a'r Unol Daleithiau. Cafwyd hyd i un mewn siop yng ngogledd Cymru; roedd y perchennog wedi'i brynu heb yn wybod ei fod wedi'i ladrata a heb sylweddoli bod difrodi Safle o Ddiddordeb Gwyddonol Arbennig, megis creigiau Bendrick, yn drosedd a all arwain at ddirwy o hyd at £20,000. Bellach, mae'r ffosil, ynghyd â haen fwy sylweddol ei maint sy'n frith o olion tri bys bach, yn ddiogel yn yr Amgueddfa Genedlaethol yng Nghaerdydd.

Geirfa ddaearegol

amryfaen (amryfeini) craig waddod sy'n cynnwys cerrig crynion a lled-grwn yn bennaf, yn gymysg â thywod

anticlin(au) plyg ar ffurf bwa

breg(ion) toriad neu grac naturiol mewn craig nad oes unrhyw symudiad amlwg wedi digwydd ar hyd-ddo. Weithiau mae'r bregion mewn creigiau igneaidd yn ffurfio patrymau hecsagonol.

cafn(au) rhewlifol dyffryn wedi'i ddyfnhau, ei ledu a'i unioni gan rym erydol rhewlif

clog-glai dyddodyn rhewlifol yn cynnwys cymysgedd o feini mawr a mân, tywod a chlai

craig anathraidd (creigiau anathraidd) craig nad yw'n gadael i ddŵr fynd drwyddi

craig athraidd (creigiau athraidd) craig yn gadael i ddŵr fynd drwyddi

craig byroclastig (creigiau pyroclastig) craig yn cynnwys darnau o greigiau eraill a lafa a chwilfriwiwyd yn ystod echdoriad folcanig grymus

craig fetamorffig (creigiau metamorffig) craig igneaidd neu graig waddod sydd wedi'i thrawsnewid dan ddylanwad tymheredd uchel a gwasgedd dwys

craig folcanig (creigiau folcanig) craig, megis lafa neu dwff (twff), sy'n gynnyrch gweithgaredd folcanig

craig igneaidd (creigiau igneaidd) craig a ffurfiwyd wrth i fagma oeri a chrisialu naill ai o dan wyneb y ddaear, ar wyneb y ddaear neu ar wely'r môr

craig waddod (creigiau gwaddod) craig yn cynnwys dyddodion, megis clai, tywod a graean, a ymgasglodd yn wreiddiol ar wely'r môr neu ar wyneb y tir

creicafn(au) basn wedi'i erydu mewn creigiau (e.e. ar lawr cafn rhewlifol neu beiran) gan weithgaredd erydol rhewlif wedi'i arfogi â thywod a cherrig

dyffryn crog (dyffrynnoedd crog) dyffryn afon ac iddo lawr ar lefel uwch o lawer na llawr y cafn rhewlifol y mae'r afon yn plymio i mewn iddo ar ffurf cyfres o raeadrau

echdoriad(au) folcanig ffrwydrad llosgfynydd neu agen folcanig

ffawt(iau) toriad lle y mae'r creigiau y naill ochr a'r llall i'r rhwyg wedi symud mewn perthynas â'i gilydd

lafa (lafâu) craig dawdd (magma) sy'n ymarllwys o losgfynydd neu agen folcanig ac yn ymgaregu wrth oeri

magma craig dawdd sy'n ymgasglu mewn siambrau mawr tanddaearol ac yn bwydo llosgfynyddoedd

marian(au) llwyth cymysg o feini mawr a bach, tywod, silt a chlai wedi'i gludo gan rewlif neu len iâ ac yna ei ddyddodi'n dwmpathau, yn aml o flaen trwyn y rhewlif neu'r llen iâ

metamorffedig wedi'i drawsnewid dan ddylanwad gwres a gwasgedd, hynny yw, ei fetamorfforeiddio

mygdwll (mygdyllau) folcanig 'simdde' ar lawr y môr mewn ardal folcanig fyw y mae hylifau poeth yn gyforiog o fwynau yn llifo allan ohoni ar dymheredd uchel

peiran(nau) basn mawr, ar ffurf cadair freichiau neu amffitheatr, wedi'i lunio gan weithgaredd erydol rhewlif mewn ardal fynyddig

ria (riâu) dyffryn afon wedi'i foddi o ganlyniad i godiad yn lefel y môr

rhychiadau y crafiadau a'r rhigolau a grëir wrth i gerrig yn sownd yng ngwadn rhewlif neu len iâ gael eu llusgo ar draws arwynebau creigiau, neu wrth i'r cerrig daro yn erbyn ei gilydd

Y cyfnodau daearegol

sgist(au) carreg laid wedi'i thrawsnewid yn graig fetamorffig dan ddylanwad gwres tanbaid a gwasgedd dwys

sgri (sgrïau) crynhoad o gerrig onglog, rhydd ac amrywiol eu maint wrth droed clogwyn

synclin(au) plyg ar ffurf trawstoriad soser neu fasn

tafod(au) crynhoad hir a chul o dywod a graean y mae un pen iddo wedi'i gysylltu â'r tir a'r llall yn ymestyn i'r môr ar draws aber afon

twff (tyffau) llif lludw math o graig igneaidd sy'n cynnwys llwch a lludw folcanig yn bennaf. Mae echdoriadau folcanig grymus yn aml yn esgor ar lifau dudew o lwch a lludw eiriasboeth sy'n ymgaregu wrth oeri

y Rhewlifiant Diwethaf y cyfnod rhewlifol a oedd yn ei anterth tua 20,000 o flynyddoedd yn ôl. Bryd hynny, roedd llenni iâ anferthol yn gorchuddio gogledd cyfandir Gogledd America a gogledd-orllewin Ewrop. Roedd y rhan fwyaf o Gymru hefyd dan orchudd o iâ

yr Oes Iâ Fawr y cyfnod rhwng oddeutu 2.5 miliwn o flynyddoedd yn ôl a'r presennol a nodweddir gan gyfres o gyfnodau oer rhewlifol, megis y Rhewlifiant Diwethaf, am yn ail â chyfnodau cynnes rhyngrewlifol, fel y cyfnod presennol

Cwaternaidd	
	1.8 miliwn o flynyddoedd yn ôl
Neogen	
	23
Paleogen	
	65
Cretasig	
	145
Jwrasig	
	199
Triasig	
	251
Permaidd	
	299
Carbonifferaidd	
	359
Defonaidd	
	416
Silwraidd	
	443
Ordofigaidd	
	488
Cambriaidd	
	542

Cyn-Gambriaidd (mae creigiau hynaf y byd tua 4,000 miliwn o flynyddoedd oed)

y Lolfa

www.ylolfa.com